Les O'Brien

DU MÊME AUTEUR

La Loi des rêves, Christian Bourgois, 2008

Peter Behrens

Les O'Brien

roman

Traduit de l'anglais (Canada)
par Isabelle Chapman

Philippe Rey

À Basha et Henry

Thánig an gála,
shéid sé go láidir,
chuala do ghuth
ag glaoch orm sa toirneach.

L'orage est venu,
il soufflait fort,
j'ai entendu ta voix
m'appeler dans le tonnerre.

Nuala Ní Dhomhnaill,
Extrait de *Cnámh* (*Les Os*) [1]

---

1. À partir de la traduction anglaise de Michael Hartnett. (*Toutes les notes sont de la traductrice.*)

COMTÉ DE PONTIAC ET NEW YORK
1887-1904

Ashling

Le vieux prêtre valsa avec chacun des petits O'Brien pendant que sa jolie gouvernante, la veuve Painchaud, dont le mari avait été tué à la scierie, faisait marcher le Victrola. Elle sortait le disque de sa pochette en papier, le plaçait avec précaution sur la platine, puis remontait le phonographe à l'aide de la manivelle. L'aiguille à peine posée sur le sillon, une valse de Strauss jaillissait en bêlant du cornet; dans l'esprit de Joe O'Brien, une fleur noire géante au cœur de laquelle, tout en buvant le nectar, les abeilles veloutaient leurs pattes de fertiles poussières.

Le comté de Pontiac, Québec, au début du XXe siècle. Le Pontiac. Ses habitants: en majorité des cultivateurs au pays des fourrures et du bois dont les terres n'auraient sans doute pas dû être livrées à la culture. Le peuple des nations aux longues maisons les avait sillonnées dans leurs canots d'écorce, prélevant ici du gibier, là des castors, sans jamais même en écorcher le maigre sol. Les bûcherons venus pour le pin blanc d'Amérique, après s'être octroyé les plus beaux arbres, avaient passé leur chemin. Les premiers colons étaient des Irlandais exilés par la famine et des Canadiens français migrant vers le nord, fuyant les paroisses surpeuplées au bord du Saint-Laurent: des gens qui avaient faim de terre et nulle part où aller.

La fratrie qui dansait avec le vieux prêtre se composait de deux sœurs et de trois frères, dont Joe O'Brien était l'aîné. Le bruit courait que leur grand-père, avant de s'établir comme fermier dans le canton de Sheen et de draver le bois sur l'Outaouais, avait été marchand de chevaux au Nouveau-Mexique et chasseur de bisons sur la Terre de Rupert. De temps en temps, au fil des ans, il avait planté là femme et enfants pour partir à l'aventure, poussant parfois jusqu'en Californie, et même jusqu'en Irlande. Un printemps, il ne revint pas, et personne ne le revit jamais. On le disait noyé au cap Horn, ou bien détroussé et assassiné au Texas.

Chez les O'Brien la bougeotte était pour ainsi dire une seconde nature ; gourmands de géographie et de changement d'horizon, ils ne tenaient pas en place. En 1900, le jour de la Saint-Patrick, le père de Joe, Michael O'Brien, se rendit à Montréal pour s'engager dans un régiment de cavalerie qui partait combattre les Boers.

Joe O'Brien avait hérité de son père le type Black Irish : teint clair, yeux bleus et cheveux d'un noir de jais. Les autres – Grattan et Tom, Hope et Kate – étaient plutôt blonds (Hope était rousse), avec des yeux bleu pâle et une peau rose l'hiver, fauve l'été. Tous avaient de bonnes dents, des jambes longues et une santé de fer. Leur mère, Ellenora, qui n'avait jamais connu que les terres défrichées des colons, savait tout sur les plantes sauvages, les champignons que l'on pouvait manger sans crainte et les ruisseaux au bord desquels se cueillaient les plus savoureuses crosses de fougères. Elle préparait une cipaille au gibier avec plusieurs sortes de viandes. Dès qu'un enfant tombait malade, il devait boire une décoction brune d'écorce et de groseilles à maquereaux séchées. Elle confectionnait des cataplasmes avec des feuilles, des plantes, des bouts de tissu. Quand l'un d'eux avait de la fièvre, elle brûlait des herbes sèches et diffusait la fumée au-dessus de la tête du malade en marmonnant des formules incantatoires mêlant des mots algonquins et irlandais que ni elle ni personne ne comprenait vraiment.

Chez le vieux prêtre, les enfants apprenaient non seulement la valse mais encore les bonnes manières, la géométrie et à voir le monde comme une énigme d'une complexité somptueuse. Le père jésuite Jeremiah Lillis était un Irlandais de New York, petit, râblé, déjà âgé de près de soixante-dix ans lors de son arrivée dans le Pontiac. À ce poste reculé, il exerçait pour la première fois une fonction pastorale. Avant d'être banni au Canada, il avait été un exégète, un enseignant, un rêveur. Son exil avait fait suite à la découverte par ses supérieurs de trous dans la caisse de la communauté new-yorkaise : l'enquête avait révélé qu'il faisait don de cet argent, en y allant aussi de sa propre poche, à des hommes et des femmes qu'il avait pris en affection. En expiation de ce péché, ainsi que de quelques autres, on l'avait expédié vers une région septentrionale.

Ce petit jésuite rondouillard se rasant quand cela lui chantait, ses joues râpeuses piquaient. Son haleine sentait le cigare et le vin sucré. Il menait ses partenaires en fredonnant. Ses semelles frottant contre la laine du Tabriz se chargeaient en électricité statique, ce qui faisait des étincelles au bout de ses doigts.

Dans le train qui l'emportait vers le nord, en feuilletant les *Relations* de Brébeuf et les récits des martyrs jésuites tombés entre les mains des Indiens qui leur avaient mangé le cœur, il avait été édifié sur la vie de ces «robes noires» missionnaires dans le pays où lui-même était envoyé. En arrivant à la frontière canadienne, il était en larmes et prêt à descendre tout de suite du train – seulement il n'avait nulle part où aller. Il avait avec lui ses malles, ses caisses et ce qui restait de ses collections de peintures à l'huile et de porcelaines, son argenterie et ses bien-aimés tapis persans, mais Monseigneur ne lui avait même pas donné assez d'argent pour s'acheter un billet de retour pour New York. Demeuré à bord, il avait fini par débarquer dans la paroisse reculée et solitaire de Saint-Jérôme-l'Hermite, canton de Sheen, où, pendant un abominable premier été septentrional infesté de moustiques et d'incendies de forêt, alors que l'air n'était que fumée et particules de cendre, il avait fait la connaissance de Joe O'Brien.

Le garçon aux cheveux noirs s'était présenté au presbytère avec du bois de chauffage à vendre. « Il vous faut bien neuf cordes[1], monsieur le curé. J'ai surtout du hêtre, avec de l'érable, du bouleau et un peu de pin. Garanti sans épinette. Quatre dollars la corde, longueur des billes deux pieds, le tout fendu, livré et empilé. Vous ne pouvez pas trouver meilleur prix. »

Par la suite, le vieux prêtre attribuera aux petits O'Brien ainsi qu'à leur mère, cette femme épuisée, une étrange et rude beauté. Qu'avait de si spécial, le jeune Joe ? Le noir de la chevelure, la blancheur du teint ? Le bleu limpide des yeux ? Était-ce l'art qu'avait ce garçon de se taire ? Le désir n'y avait pourtant pas de part. Le vieux prêtre n'en ignorait pas le fer brûlant, mais ce temps-là était révolu, du moins ne le confondait-il plus avec l'amour.

Le prêtre déballait et rangeait ses livres sur les rayonnages de la pièce élue au titre de bibliothèque lorsque Joe revint avec un chariot et les deux premières cordes. Un sac en toile attaché sur son front par une courroie, le bois sur son dos, Joe gravit un nombre de fois incalculable le sentier rocailleux jusqu'à la resserre. En le regardant travailler, le père Lillis, qui se considérait pourtant comme l'homme le plus solitaire de la terre, en arriva à la conclusion que ce garçon – taciturne, dur à la tâche – était peut-être plus seul que lui.

Le jour suivant, Joe avait ramené ses deux petits frères afin de procéder à l'empilage, mais c'était lui qui effectuait le plus gros du transport, le front ceint de la courroie, les muscles du cou contractés pour soutenir la charge, le corps cassé en deux, arc-bouté. Comme s'il essayait de descendre Broadway dans la gueule d'un vent furieux, se dit le vieux jésuite. Sortant avec un pichet de citronnade, il obligea Joe à s'accorder une pause et à se désaltérer.

---

1. Unité de mesure légale au Canada, équivalente à « 128 pieds cubes de bois rond ».

«Qu'est-ce qui te presse tant, mon gars? Il n'y a pas le feu. Tu es en train de te tuer.

– C'est plus facile de courir que de marcher.»

À l'encontre du dogme professé par sa religion, le prêtre était de ceux qui croient accessible le monde des esprits. À Paris, à New York et une fois à Worcester, Massachusetts, il avait fréquenté les salons parfumés éclairés à la bougie où des médiums faisaient parler les tables. Un vice, une apostasie susceptible de l'envoyer brûler en enfer, ce qui ne l'avait pas empêché toute sa vie de se rendre à des séances, incognito, temporairement défroqué dans un costume bon marché.

Il avait un cœur d'artichaut. Ou bien, et c'est ce qu'il espérait, l'exil et le chagrin lui avaient déssillé les yeux. Toujours est-il que voilà: un garçon aux cheveux noirs, un air saumâtre et enfumé traversé de longs rayons violets entre les ombres des grands pins, et un vieux prêtre tombé en disgrâce se sentant soudain magni-fiquement, mystiquement, spirituellement utile. Il s'autorisa à se conduire en père spirituel de cet enfant. Quant à savoir si ce sen-timent était payé de retour, si Joe avait même une fois reconnu en lui l'image d'un père, cela devait demeurer un mystère et, au fond, peu importait au vieux prêtre.

Joe O'Brien avait treize ans lorsque sa mère, Ellenora, reçut une lettre d'Afrique du Sud lui annonçant que son mari avait été tué dans une escarmouche au lieu-dit Geluk's Farm. Elle passa sa journée à ruminer sans rien dire aux enfants. Puis, au beau milieu de la nuit, elle réveilla Joe: «Ton père est mort. Michael O'Brien est mort, je suis seule avec vous tous, n'est-ce pas?»

Joe comprit que son père avait laissé son pouvoir en partant et que, par conséquent, lui, en qualité de fils aîné, en héritait. Cette conviction apparut comme une évidence. Il n'y avait rien de surna-turel ni même d'extraordinaire à cette transmission qui se résumait à une simple prise de conscience de sa force intérieure. Dès lors, il se sentit sûr de lui, apte à toutes les audaces ; résolu en outre, contrairement à son père, à ne pas dilapider ses talents : il s'en servirait pour protéger les siens.

Six mois après la mort de son mari, Ellenora fut demandée en mariage par Mick Heaney, qui parlait un dialecte du Pontiac si mâtiné d'irlandais et de baragouin canadien français que les gens d'Ottawa, à quatre-vingts kilomètres en aval, avaient du mal à le comprendre. Il se débrouillait plutôt bien pour piéger les renards et l'éventuel castor, et, par certaines soirées d'été, lorsque les fils des fermiers organisaient des courses de cabriolet et de buggies sur la belle route entre Campbell's Bay et Shawville – le seul tronçon terrassé de tout le pays –, il lui arrivait de gagner quelques dollars en calculant la cote des paris et en prenant l'argent des parieurs. Mais Mick Heaney était surtout connu comme ménétrier ; il jouait à l'occasion des mariages et des veillées funèbres sur les deux rives de la rivière, déroulant ses mélodies à une vitesse supérieure à celle du vent dans les pins pendant la débâcle. «Angel Death No Mercy», c'était le titre d'un de ses airs les plus populaires. «Chéticamp» et «Road to Boston» l'étaient tout autant.

Lorsqu'elle avait une décision à prendre, Ellenora consultait toujours une sage sorcière qui habitait sur l'autre rive et possédait une bouteille bleue où elle prétendait lire l'avenir. Cette femme affirma à Ellenora que, pour une veuve chargée de cinq enfants, n'importe quel homme était préférable à pas d'homme du tout. Aussi épousa-t-elle Mick Heaney, mais elle ne demanda jamais aux enfants de le considérer comme leur père ni de lui témoigner plus de respect qu'il ne le méritait – c'est-à-dire, pour ce qu'en pensait Joe, très peu.

Lors des mariages et des veillées funèbres, Mick attaquait par deux ou trois coups d'archet au son aussi strident et aigre que le cri de la scie mordant le bois vert. Après quoi, il faisait une pause, se léchait les doigts et réclamait un autre verre de whisky blanc avant de commencer la musique. Une fois lancé, il jouait un air après l'autre, ne s'arrêtant que pour avaler des lampées d'alcool ou laper de l'eau fraîche à même la louche. Depuis des années, que l'on veuille ou non de lui, il accompagnait pratiquement toutes les noces et tous les enterrements du Pontiac. Des esprits turbulents soufflaient en Mick Heaney, turbulents et ténébreux ; la musique jaillissait à gros bouillons brûlants et rageurs impossibles à ignorer. Pendant les veillées funèbres, il jouait si ardemment que ses doigts saignaient, se coiffaient d'une croûte, pissaient de nouveau le sang... Après avoir passé la nuit à racler du violon, le matin venu il suivait le cercueil jusqu'à l'église, puis allait et venait entre les rangées de tablettes et de croix de pin en continuant à faire grincer son crincrin pendant qu'à l'intérieur le curé disait la messe d'enterrement. Lorsque le cercueil était descendu dans la tombe, Mick accélérait la cadence en une gigue effrénée à écorcher curés comme endeuillés, le chagrin, la mort elle-même.

Personne ne pouvait dire à Mick Heaney de faire taire son instrument. Lors d'un mariage de début d'été à Fort William, il attaqua à l'instant où la mariée et son barbon d'époux quittaient la chapelle. Il joua pendant le déjeuner, la sieste et l'apéritif et il jouait encore à minuit à l'heure du charivari. Après avoir tiré de leur nit nuptial les nouveaux mariés, la bande de vieux garçons – suivie par des voisins porteurs de flambeaux de résine, des ménagères tapant dans leurs casseroles, des enfants criards, et Mick Heaney – les mena de force devant la vache présentée au taureau, la jument à l'étalon. Mais la jument refusa les avances de l'étalon et se retourna pour mordre le bras du célibataire qui la tenait. D'un coup d'épaule, elle le jeta presque au sol avant de lui infliger une deuxième morsure. En se dégageant, les chevaux hennirent à n'en plus pouvoir, retroussèrent les babines et tapèrent du pied, terrorisant les célibataires, des citadins de Shawville, de Campbell's Bay et de Pembroke qui faisaient les malins pour ne pas trahir leur frousse. La jeune mariée sanglotait tandis que le vieux mari, hagard

et le nez en sang, fumait son cigare. D'un commun accord, le charivari fut décrété terminé. Les voisins fatigués grimpèrent à bord
de leurs chariots et de leurs carrioles.

La fête était finie, sauf que Mick Heaney – qui n'avait jamais su
ni voulu reconnaître des limites à quoi que ce soit – jouait encore.
Il semblait avoir besoin de se mouvoir hors des contraintes de la
coutume, des habitudes, de ce qui est attendu de tout un chacun, et
il menait de fait une existence parfaitement organisée pour empoi-
sonner celle de son entourage. Cette nuit-là, il la passa à déam-
buler sur les terres de la ferme en enchaînant les airs de violon. À
l'aube, comme des parents de la mariée menaçaient de le noyer dans
l'Outaouais, il quitta Fort William sans pour autant cesser de jouer.
Pendant des jours il fut entendu, et parfois aperçu à vadrouiller dans
les Rangs[1], à jouer pour un public de pins blancs, d'aigles, d'orignaux, d'ours et de lynx. Les bûcherons tendaient l'oreille aux airs
endiablés qui flottaient jusqu'à eux entre leurs coups de hache, par-
dessus les terres brûlées, à travers les bouleaux, l'épinette, l'aulne
et le pin. Les fermiers reconnaissaient des bribes de « The Road
to Fort Coulonge » voltigeant au-dessus des prés et des champs de
maïs au fond du vallon. Lorsque des ouvriers portugais rencontrèrent Mick sur le chantier de la ligne de chemin de fer Pontiac
& Pacific Junction, il raclait toujours son violon. Ils lâchèrent leurs
outils et se signèrent. Leur contremaître menaça Mick de lui casser
la gueule, mais il se contenta de s'enfoncer dans les bois, le violon
sous le menton.

De retour chez lui au bout de dix jours de déambulation, il
entra dans la cour en jouant « Banish Misfortune ». Il posa son
instrument sous la véranda et disparut dans la remise où, après avoir
trait la vache, il trempa dans le lait chaud sa figure et ses mains.
Une fois dans la maison, il dit bonjour à Ellenora avec une gifle

---

1. Alignement de concessions s'étendant en bandes parallèles, perpendiculaires
à une rivière ou à une route. Par extension, cette route.

et se coucha pour ne se relever qu'au mois suivant. Il ne toucha plus son archet avant le *réveillon**1 de Noël.

Le vieux prêtre fut le premier à comprendre que Joe O'Brien devait échapper à ce monde. Regarder ce garçon transbahuter sur son dos des tonnes de bois de chauffage, c'était comme observer un animal en train de grignoter son chemin vers la liberté au risque de se tuer. Mais cela ne servait à rien d'essayer de lui donner de l'instruction à l'écart de ses petits frères et sœurs ; la solidarité familiale était trop forte. S'il voulait aider Joe, le prêtre savait qu'il fallait inclure les autres. Il se mit à convier la tribu au complet à passer chez lui après l'école en proposant des leçons de géométrie, de bonnes manières et d'allemand. Il leur faisait mémoriser et se réciter les uns aux autres de la poésie afin de leur apprendre à s'exprimer clairement et avec conviction. Et puis il leur enseignait la valse.

Non par amour pour cette danse. Il l'aimait, certes, mais là n'était pas la question. Valser dans un trou perdu, et le faire avec grâce, cela cassait les idées reçues concernant l'utile et le possible. Ce qu'il tentait de leur enseigner, c'était le courage.

Outre ce qu'ils glanaient auprès du prêtre, les enfants apprenaient à l'école catholique le catéchisme, l'arithmétique, l'histoire de l'Angleterre et à bien former leurs lettres. Sachant qu'ils ne pouvaient pas se permettre d'avoir l'air aussi pauvre qu'ils l'étaient en réalité, Joe dépensait une partie de l'argent du bois de chauffage à l'achat de vêtements corrects dans le catalogue Eaton's. Il possédait déjà la bonne chemise blanche et les deux cols de celluloïd que son père avait laissés derrière lui, ainsi que les bottes de cavalerie, que le régiment avait eu la bonté de leur renvoyer d'Afrique du Sud avec une ceinture, un couteau et un portefeuille vide.

1. Les expressions en italique suivies d'un astérisque sont en français dans le texte.

Les capitalistes qui louaient à la Couronne les magnifiques forêts de pins blanc du Pontiac habitaient Montréal, New York ou Londres. Il existait en outre une hiérarchie locale, avec dans les sphères supérieures le père jésuite Jeremiah Lillis, et presque tout en bas, les O'Brien. Joe percevait combien le premier échelon était préférable au dernier chaque fois que, dans la bibliothèque douillette du prêtre, pendant une démonstration de géométrie ou une récitation de poésie – Alfred Lord Tennyson ou Henry Wadsworth Longfellow –, Mme Painchaud leur servait des crumpets à la gelée de myrtille.

Le presbytère baignait dans une atmosphère riche en nuances subtiles et ouverte à l'inattendu. Des tapis persans veloutaient les parquets de pin d'un camaïeu de rouge, de pourpre et d'or. Aux murs, de petits tableaux sombres chinés à Cologne, à Louvain et à Rome. Le père Lillis en avait envoyé quelques-uns à la salle des ventes de Montréal. Avec la somme ainsi récoltée, il avait fait poser des vitraux dans la bibliothèque et la salle à manger. De chatoyants traits de couleur perçaient ces fenêtres flamboyantes, et des effluves exotiques – produit pour l'argenterie, tabac anglais, thé de Chine – imprégnaient les pièces claires-obscures. Là, l'air était dense, chargé, à mille lieues du voile transparent des clairières ceintes d'épinette; dans cette lumière, même les jeunes enfants pouvaient prononcer des vers en allemand et feuilleter des revues illustrées de New York et de Londres.

Ils étaient encouragés à raconter des histoires et à inventer des blagues. Ils apprenaient à rire puisqu'il leur était impossible de le faire chez eux, entre le fantôme de leur père et leur mère qui traînait sa peine. Leur propre langue leur parut bientôt souple et malléable. C'est sous le toit du presbytère que Joe attribua des sobriquets. À Grattan celui de «Sojer Boy[1]» parce qu'il s'était approprié la boucle de ceinture de leur père estampillée du blason

---

1. *Soldier boy*: «petit soldat».

du régiment. Comme Tom était content d'être enfant de chœur, il devint « Priesteen[1] », ou plus simplement « Petit Prêtre ». Les deux filles disaient qu'elles voulaient se faire bonnes sœurs. Joe surnomma la turbulente Hope « Sœur Joyeuse du Sang Précieux », tandis que la délicate Kate devint « Sœur Ronchon de la Divine Grâce ». Les fillettes ne s'amusaient jamais autant que lorsqu'elles jouaient à la messe dans les bois, drapant en guise d'autel une serviette de table sur une souche pour permettre à Petit Prêtre d'officier. D'une coupe en écorce de bouleau, il renversait de l'eau de source sur les fronts des poupées que Joe avait confectionnées pour ses sœurs à partir d'un peu de paille, de mousse et de chutes de peau d'orignal.

Personne n'appela jamais Joe autrement que par son nom, sauf leur mère, qui, dans ses moments de distraction ou quand elle était malade, lui donnait parfois celui de Michael.

D'emblée, le vieux prêtre les avait poussés à se figurer vivant ailleurs. « Préparez-vous à partir d'ici », ne se lassait-il pas de leur répéter. Apprendre la valse, c'était s'initier à se mouvoir en dehors du monde qu'ils connaissaient, se préparer à évoluer dans un autre cadre, comme on répète une pièce de théâtre. Valser avait toujours été pour le vieux prêtre un exercice de défi, la mise à l'épreuve de sa sveltesse et de sa vigueur, ainsi qu'un baume sur sa solitude. Pour Joe, peu à peu, la valse devint le gage d'une vie offrant davantage que ce qu'une seule pièce – même la plus splendide dans la maison d'un curé – ne pourrait jamais contenir. La luxuriante étrangeté de la musique galvanisait son ambition et sa détermination, deux qualités qui lui laissaient quelquefois dans la bouche un goût d'acier.

Des perches et des aloses nageaient dans l'Outaouais, des truites frétillaient dans certains ruisseaux. L'hiver, avant de descendre leur ligne, Joe et ses frères étaient parfois obligés de creuser un trou dans

---

1. Jeu de mots : *priesteen* (« ado-prêtre ») se prononce comme *pristine*, « immaculé ».

cinquante centimètres de glace. Il y avait des canards en automne, et aussi des bécasses et des faisans. Le castor avait été chassé jusqu'à l'extinction. Quant au gibier, il restait peu de cerfs dans le Pontiac. Au printemps, des orignaux tourmentés par les mouches noires trottaient dans la rivière en s'éclaboussant ; parfois, happés par le courant, ils se noyaient.

Joe élevait un bœuf chaque année. Par ailleurs, il coupait et vendait du bois de chauffage. Sojer Boy élevait quelques moutons, Petit Prêtre des cochons. Les filles trayaient la vache et ramassaient chaque été les pommes de terre. En juin elles cueillaient des fraises sauvages, en juillet des myrtilles et, plus tard, des framboises et des mûres. Ils semaient du blé ou du seigle. Leurs champs donnaient une unique récolte de foin.

Leur beau-père n'était qu'une bouche de plus à nourrir et, lorsqu'il buvait, il devenait brutal, mais il s'absentait des semaines durant. La seule autre bonne chose avec Mick Heaney, c'était que son sperme était infécond. Ellenora ne mit pas au monde d'autres enfants avec qui il aurait fallu partager le peu qu'ils avaient.

À quinze ans, Joe comprit à quel point sa mère était épuisée. Certains jours elle n'arrivait même pas à se sortir du lit. Cet hiver-là, grâce à l'argent du bois de chauffage, il acquit un droit de coupe pour un montant de 100 cents l'hectare sur 16 hectares gérés par la paroisse, et s'engagea à charroyer les billots à un prix convenu jusqu'à une usine de pâte à papier en aval de la rivière. L'acheteur de l'usine ayant indiqué à Joe qu'il était trop jeune pour signer un contrat, il demanda à Ellenora de le faire, monsieur le curé se portant garant. Joe et ses frères passèrent les quatre mois suivants à abattre et à débiter les épinettes qui restaient, traînant ensuite les billes sur les pistes glacées descendant au bord de l'Outaouais. Ils ne reçurent pas un sou avant la drave, avant que les milliers de billots emportés par le courant en cadence avec le roulis des flots ondulent à grand fracas tel un être vivant, comme si la rivière avait eu une peau.

Lorsque Joe reçut enfin son chèque, une fois qu'il se fut payé et qu'il eut versé à ses frères un salaire bien mérité après tout un hiver de travail, il dégagea un profit net de près de cent dollars. L'année suivante, ayant obtenu un droit de coupe sur 129 hectares déjà dépouillés des précieux pins blancs, il engagea des voisins possédant des attelages afin de tirer le bois de pulpe des épais taillis d'aulnes, de bouleaux et d'épinettes. Il ouvrit un compte d'épargne à la succursale de l'Imperial Bank of Commerce à Shawville et devint, en s'abonnant par correspondance à l'*Ottawa Citizen*, le premier lecteur de journal du canton de Sheen. Chaque fois qu'il se rendait à Ottawa pour rencontrer les acheteurs, il revenait avec des cageots d'oranges pour ses frères et sœurs, un luxe sans précédent dans la région.

L'année suivante, il se débrouilla pour louer 1 280 hectares. Il prit le P&PJ jusqu'à Ottawa, s'acheta une nouvelle paire de bottes ferrées et, dans les tavernes du Marché By, embaucha trente bûcherons canadiens français et autrichiens. À son retour, il fut si occupé à régler les problèmes avec ses employés, fournisseurs, et acheteurs, sans parler des cuistots neurasthéniques du campement, qu'il ne fit aucune coupe lui-même et ne porta jamais ses nouvelles bottes. En revanche, il vida une cabane en rondins pour la transformer en bureau, y fit poser une fenêtre et y installa un poêle, des lanternes, une table et un tabouret. Il se commanda dans le catalogue Eaton's trois chemises blanches en coton et prit l'habitude de porter une cravate et parfois même une visière verte. Il trouva du plaisir au bruit de la plume écorchant le papier, à l'odeur de l'encre, à voir dans son écriture propre et nette les colonnes de chiffres s'additionner pour afficher un profit.

Il avait dix-sept ans. Son entreprise, partie de rien, se développait non seulement grâce à son sens de l'organisation et à son désir de nourrir sa mère et ses frères et sœurs, mais aussi à la rage qui s'emparait de lui dès qu'il pensait à son beau-père, une colère féroce qui le rendait tout à la fois hyperactif et d'une précision méticuleuse.

C'était un monde dur, celui des chantiers. Ayant été considéré à ses débuts comme un gamin, il ne pouvait pas se permettre de tolérer le moindre manque de respect. Il embauchait des hommes brutaux au langage cru, il devait faire régner la discipline. Plus d'une fois, il eut recours à ses poings ou au bâton – à ce qu'il avait sous la main. Il les corrigeait parce qu'il était agile et rapide, et parce qu'il le fallait bien. Dès qu'il le pouvait, il se rendait au presbytère, mais le temps des blagues, des petits noms et des jeux de poupée était fini.

Deux ou trois fois par semaine, il partait en raquettes dans la brousse en suivant des pistes tracées davantage par les loups que par les hommes. À quatre cents mètres, il entendait le tintement des haches et le grincement des scies. Plus que n'importe quoi depuis que son père les avait quittés, la petite musique du chantier lui donnait la mesure de sa propre valeur.

Le presbytère avait stimulé l'imagination de Joe, l'introduisant à la richesse, au style, au chant profond de la vie. Maintenant qu'il avait une affaire à lui, son esprit était pareil à un cheval encore à moitié sauvage bondissant entre ses cuisses. Il savourait les moments où il était seul dans sa cabane, perché sur son tabouret : le livre de comptes ouvert, un feu crépitant dans le poêle, avec, dehors, brillant de tout son éclat, la lumière de la forêt glacée. Tourner et marquer les pages de ses registres l'emplissait de la merveilleuse sensation de se trouver aux commandes. Il savait que plus il se montrait fort, plus les autres le seraient aussi.

Cet hiver-là, les forces de sa mère cédèrent en une douzaine de points à la fois. La hanche sèche, les membres débilités, Ellenora laissait sa vie s'étioler. Assise sur son lit, elle était nourrie à la petite cuillère par ses filles, d'eau aromatisée au jus de pomme, de tartines beurrées et de viande de mouton que, même découpée en minuscules cubes roses, elle avait beaucoup de mal à avaler.

Un soir, Ellenora pria Joe de tirer de dessous le lit une grosse valise en cuir. Après avoir fouillé un peu, elle lui tendit sans un mot une lettre d'un homme de Montréal qui prétendait s'être battu dans le Transvaal au côté de son père et souhaitait se faire rembourser les dix-sept dollars que Michael lui avait empruntés.

Une dète d'onneur, j'aura pardoné au pôvre Michael mais il y a la femme et mes enfant, alors, s'il vou plais, vous pouvé leur envoyé l'argen.

La lettre indiquait une adresse, rue de Sébastopol, à Montréal. Joe fit un chèque le soir même et le lendemain se rendit à pied jusqu'à Fort Coulonge pour le mettre à la poste. Sur le chemin du retour, il prit conscience de tout ce que permet l'argent, ce qu'il est susceptible d'apporter à un homme et à son entourage.

Un après-midi vers la fin de l'hiver, il était penché sur ses comptes lorsque Grattan et Tom vinrent le trouver à la cabane pour lui dire que Mick Heaney avait glissé les mains sous les jupes des filles et touché leurs parties intimes. Cela durait depuis des mois, mais Hope, douze ans, avait été trop gênée pour le dénoncer jusqu'au jour où elle s'était aperçue que leur beau-père embêtait aussi la petite Kate, laquelle était si effrayée qu'elle mouillait leur lit.

Ils savaient tous identifier le désir sexuel, du moins chez les bêtes. Ils avaient assisté à des charivaris où les hommes agitaient des draps ensanglantés à la fenêtre des nouveaux mariés. Aux noces et pendant les veillées funèbres, ils avaient l'habitude de voir éclater des bagarres, en général à cause d'une fille. Joe avait ressenti des pulsions dont il avait honte, elles avaient bouillonné dans sa tête comme du porridge débordant sur le feu.

Joe était vexé que Hope se soit confiée à Grattan plutôt qu'à lui, le frère aîné. Il avait déjà remarqué que ses sœurs le redoutaient un peu : à diriger une équipe de bûcherons, il avait pris l'habitude de donner des ordres et d'être obéi sur-le-champ. Il savait faire la grosse voix.

Il songea à consulter le vieux prêtre, puis se dit que moins il y aurait de gens au courant, moins ses sœurs en pâtiraient.

« Vous en avez parlé à mère ?

— Non, répondit Grattan.

— Ne lui dites rien. On va s'en charger tout seuls.

— Comment ?

— Je ne sais pas encore. Je vais trouver un moyen. » Un plan commençait à s'élaborer dans sa tête. « Mère a déjà assez de soucis comme ça. De toute façon, elle ne pourrait pas l'empêcher.

— Mais qu'est-ce qu'on peut faire ?

— On va l'obliger à arrêter. »

Tom, le cadet qu'on appelait Petit Prêtre, ouvrit de grands yeux. « Comment ? »

Joe haussa les épaules. « Nous sommes trois. Il est seul.

— Mais c'est un homme. »

Tom semblait sur le point de se faire avaler par le col roulé qu'Ellenora avait tricoté pour leur père. Il leur avait été retourné dans la caisse depuis Cape Town, avec les compliments du régiment, sa laine huileuse parsemée de sciure orange et puant le mouton.

« Laissez-moi réfléchir », leur dit Joe.

À table ce soir-là, il observa ses sœurs. Hope, œil vif et taches de rousseur, bruyante. Kate, la cadette, toute blonde, plus calme. Elles portaient toutes les deux des robes neuves achetées grâce à l'argent du bois de pulpe. Il aurait été incapable, en les regardant, de deviner que quelque chose n'allait pas. Mick était parti depuis des jours parcourir la région, dormant dans des cabanes à sucre et jouant de son crincrin dans les tavernes depuis Fort Coulonge jusqu'à Shawville.

Après le dîner, Kate et Hope firent leur toilette pendant que les frères fendaient et empilaient une semaine de bois pour le poêle. Puis, à genoux autour du lit maternel, ils récitèrent une dizaine.

La tête appuyée contre le lin propre de son oreiller, Ellenora, les grains de son chapelet enroulés autour de ses doigts osseux, chuchotait d'une voix rauque « Je vous salue, Marie… ».

Dans le Pontiac, il n'était pas rare que les personnes tombant malades en hiver meurent au printemps. Une fois leur mère disparue, rien ne les retiendrait plus au pays. Le père Lillis, ayant parlé à Hope et à Kate de leur vocation, avait écrit à une vieille amie à lui, la mère supérieure du couvent des Sœurs de la Visitation à Ottawa.

« Ce sont des femmes très tranquilles, Joe, contrairement à d'autres ordres que je ne citerai pas. Elles seront ravies d'accueillir tes sœurs. »

Dès que Joe rapportait un cageot d'oranges à la maison, Grattan ôtait les étiquettes colorées et les collait dans un grand cahier. Interrogé par le vieux prêtre, il avait répondu que plus que n'importe quoi au monde, il souhaitait aller en Californie.

« Je vais écrire à des amis franciscains à Santa Barbara, dit le prêtre à Joe. On va voir si on trouve un point de chute à ton frère. Il est assez bien élevé et, grâce à toi, il sait ce que c'est que le travail. »

Il avait déjà écrit aux jésuites à propos de Tom. Le moment venu, Petit Prêtre entrerait à New York, dans le Bronx, au séminaire de Saint John's College, qui avait été récemment rebaptisé et s'appelait désormais l'université Fordham.

« Il me reste encore à tirer quelques ficelles, Joe, certaines aussi loin qu'à Rome. Un jésuite dans la famille, ça fait briller la pomme qu'on tend à Dieu. »

Le vieil homme savait certainement qu'il se faisait du mal en envoyant les enfants ailleurs. Mais peut-être se disait-il qu'il n'avait pas le choix, pas à cette saison de sa vie, pas après les péchés qu'il avait commis. Les O'Brien étaient son bon grain et il allait le semer. Ils seraient son sacrifice, son offrande.

Même les plus petits comprenaient que l'heure où ils seraient livrés au monde approchait. En attendant, ils devaient soigner leur mère, se cramponner à elle aussi longtemps que possible.

Lorsqu'ils terminèrent leur dizaine, Hope dénoua le chapelet des doigts maternels et chacun d'eux déposa un baiser sur ses lèvres sèches avec l'impression de respirer un flacon de sels. Pendant que les autres dormaient, Joe, dans son lit, échafaudait son projet de représailles. Du point de vue de la solidarité familiale, il serait préférable que Grattan et Tom participent.

Pour une fois, il était impatient de voir rentrer son beau-père et l'impatience le tenait éveillé. Dès qu'il essayait de dormir, ses pensées voletaient sur des ailes, des oiseaux prisonniers entre quatre murs. Il imaginait que Mick avait été tabassé, peut-être même tué, dans quelque rixe de taverne – beaucoup de gens, sur les deux rives, avaient des comptes à régler avec lui. Il le voyait gisant dans un fossé quelque part, ivre mort ou mort tout court.

L'inquiétude sécrétait une sorte d'acide dans ses nerfs et ses muscles. Joe ne pouvait s'empêcher de se tortiller, de rouer son oreiller de coups de poing, d'enrouler et de mettre en boule ses couvertures. Lorsque, enfin, il s'assoupit, il rêva d'un cheval traversant la rivière au galop pendant la débâcle, les plaques de glace tanguant sous son poids puis refaisant surface pour frapper de plein fouet les jambes de l'animal. Il se réveilla en haletant et resta couché dans le noir les yeux ouverts, sans bouger, en attendant que se dissipe l'angoisse du rêve, avant de se lever, de s'habiller et de réveiller ses frères. En enfilant ses bottes, il se rappela avoir regardé son père faire ces mêmes gestes ; une image qui restait imprimée sur sa rétine : des mains et des doigts puissants tirant sur des lacets de cuir jaune. Joe secoua la tête. Les rêves et les souvenirs n'ayant pour lui ni queue ni tête, il les laissait dans sa chambre, sans états d'âme : pas question de gâcher ses journées à ruminer des bêtises.

Avant que Tom et Grattan partent à l'école, tous trois ramassèrent des manches de hache, des gros bâtons et de la corde, qu'ils entreposèrent à l'étable. Mick ne se montra pas ce jour-là, et de toute la semaine nul n'aperçut même son ombre. Par ces après-midi de mars glacés et éclatants de lumière, Joe chaussait ses raquettes et s'en allait sur les berges de l'Outaouais compter et marquer le bois de pulpe empilé avec soin, ces hectares de forêt transformés en tas de rondins non équarris. Il s'attendait à en tirer un bon profit, seulement cette semaine-là il commit dans ses comptes une série d'erreurs élémentaires, maculant ses livres de bavures et de taches semblables aux laisses d'un animal du fond des bois – un carcajou, ou un lynx.

Joe était persuadé posséder les qualités nécessaires pour réussir dans les affaires, et il était déterminé à avoir un jour une famille à lui. Il savait qu'il n'était pas fait pour la vie religieuse ; pourtant il ne pouvait s'empêcher d'envier à ses frères et sœurs les diligentes dispositions prises par le père Lillis.

« Et moi ? Ne pourriez-vous pas fonder un ordre qui veuille bien m'accueillir, monsieur le curé ? » Il s'exprimait avec une désinvolture forcée, afin que sa question passe pour une plaisanterie aux yeux du vieil ecclésiastique. Un frère aîné, ça possédait peut-être un instinct de domination qui s'étend à tous les sujets – il aurait aimé que le prêtre lui trouve l'étoffe d'un jésuite, ou au moins d'un franciscain.

« Laisse la vocation aux autres, Joe. » Le père Lillis avala un morceau de muffin puis, à l'aide d'une serviette en damas, essuya les miettes beurrées sur ses lèvres. « Notre Sainte Mère l'Église n'est plus ce qu'elle était. Combien emploies-tu de gars cet hiver ?

– Soixante et un.

– Et de chevaux ?

– Un jour normal, vingt. Croyez-vous que je devrais rester dans les bois ? C'est ce que vous êtes en train de me dire ? Que je ne suis bon qu'à ça ?

– Je n'ai jamais rien dit de pareil ! Un garçon comme toi, avec ton allant, n'a pas besoin qu'un vieux curé écrive des lettres pour lui. Cela te ferait plus de mal que de bien. Fie-toi à ton flair, Joe. Écoute ton sens des affaires et ton avenir est assuré. »

En réalité, le prêtre n'avait pas trouvé la force d'écrire une lettre de recommandation pour Joe. Au bout de quelques lignes il s'était effondré en pleurs, en proie à une désolation si profonde qu'elle en était presque palpable. Il l'entendit comme l'annonce de sa propre mort. Il avait alors soixante-quatorze ans, le souffle court ; encore deux ou trois hivers du Pontiac et il serait assez laminé pour que le printemps l'emporte.

À dix-sept ans, Joe n'était pas grand et ne le serait jamais. Pas fluet non plus, il n'avait rien d'un joli garçon. Trapu, robuste, dur à cuire. Néanmoins tout en lui respirait la méticulosité. Les yeux bleu vif, la chevelure noire, la pâleur – Joe était une boule d'énergie. Le prêtre était convaincu que, une fois croisé son regard, quiconque doté d'intelligence ne pouvait être qu'édifié par l'étendue de ses facultés. Joe O'Brien n'avait pas besoin qu'un vieux jésuite à la réputation sulfureuse ponde en sa faveur un plaidoyer maculé de larmes.

Joe suivait une série d'articles sur le récent boom ferroviaire dans l'Ouest. Des maîtres d'œuvre et des sous-traitants, en majorité des Écossais ou des gens montés des « États », étaient en train de construire des centaines de kilomètres d'embranchements à travers les vastes terres à blé récemment gagnées sur les lointaines Prairies. « Toujours mieux, toujours plus à l'ouest », lisait-on dans l'*Ottawa Citizen*, « le grenier à blé de l'Empire britannique ». Une deuxième et une troisième ligne se préparaient en effet. Avant de déboucher sur le Pacifique, il leur faudrait traverser un océan de chaînes de montagnes en Colombie-Britannique. Manifestement, là-bas, il y avait du travail pour un homme habitué à diriger des équipes et à les faire trimer. Seul le retenait le vague pressentiment que, s'il quittait le Pontiac pour de bon, il disparaîtrait. Non seulement il perdrait de vue ce qui restait de sa famille mais aussi lui-même. Le monde avait pris son père et ne l'avait pas rendu.

Peut-être était-ce seulement la timidité des défavorisés. Il était né dans ce trou paumé, après tout. Ici, il se sentait fort. Ailleurs, sa force risquait de se révéler inadéquate. Il envisageait de demeurer dans le Pontiac après la mort de sa mère et le départ des autres vers ces vies que monsieur le curé avait prévues pour eux. Ses frères et sœurs avaient grandi en croyant aux contes de fées maternels. Ils étaient persuadés que leur avenir tenait dans une bouteille bleue. Tout comme elle, ils se plaisaient à parler de leurs rêves. Pour Joe, ni ces conversations ni les contes de fées n'avaient jamais eu de sens, ils étaient exclus de ses pensées, tels des insectes importuns.

Le Pontiac lui offrait de quoi satisfaire son ambition. Il pouvait compter sur l'argent du bois de pulpe jusqu'à ce qu'il ait accumulé assez de capital pour se lancer dans le commerce du bois, où il était encore possible de se bâtir une fortune solide. Sa maison, lorsqu'il se la ferait construire, serait en pierre ou en brique, comme celles qu'il avait vues à Bryson, Renfrew et Ottawa. Et pourtant, il était stupéfait de lire que certains chantiers de chemin de fer dans les Rocheuses rapportaient cinquante-trois mille dollars le kilomètre.

Cette année-là, le printemps arriva au compte-gouttes. Certains jours, Joe suivait des yeux dans le bleu tendre du ciel les vols d'oies sauvages migrant vers le nord. Il y avait de la douceur dans l'air, et une odeur de boue. Ayant suspendu toute pensée d'avenir, il attendait le retour de Mick Heaney, et regardait sa mère agoniser.

Ellenora ne mangeait plus et ne buvait que très peu d'eau. Chaque après-midi, les filles lui faisaient sa toilette avec de soyeuses éponges jaunes. Elles enduisaient ses escarres d'un onguent confectionné à partir de graisse et d'une purée d'herbes. Le 1er avril, il tomba trente centimètres de neige et le vieux prêtre, enveloppé dans sa pelisse de bison et rouspétant contre le froid, se rendit à Sheenboro en traîneau pour entendre la confession d'Ellenora et lui donner l'extrême-onction. Comme elle s'obstinait à refuser la visite du médecin, personne ne savait combien de temps il lui restait. Quant à la vieille sorcière à la bouteille bleue, elle était morte depuis des années.

Le lendemain de la visite du curé, au matin, Hope était à étendre du linge sous la véranda quand elle aperçut Mick Heaney qui remontait la route. Elle se rua à l'intérieur pour avertir Joe. Ayant posé son violon sous la véranda, leur beau-père pissa contre un amas de neige. Joe s'approcha de lui par-derrière, lui passa la lanière d'une longe autour du buste et lui fit un croc-en-jambe.

Kate et Hope, un châle sur la tête, un nuage de vapeur s'échappant de leur bouche, regardèrent Tom et Grattan s'agenouiller sur la poitrine de Mick pendant que Joe lui ligotait les poignets et les chevilles avec la même corde épaisse dont ils se servaient pour les cochons et les moutons. De gros flocons de neige mouillée commencèrent à tomber.

Lâcheille-moi, spèche de fils de putz.

Ils tentèrent de transporter Mick dans la grange mais, comme il se débattait et enchaînait les ruades, ils finirent par le pousser sur la boue gelée où, le violet de ses yeux ressortant sur le blanc duveteux de la neige, il se mit à glapir comme une tortue.

Vous allez vouère ce que vous allez vouère, bande de sacripanz.

« Allez, les gars, on le ramasse », ordonna Joe.

Tom recula d'un pas, l'air inquiet. « Tu crois vraiment qu'on devrait ?

— Oui, Joe, t'es sûr ? » insista Grattan.

Vé vous faire cracher le p'tit jaisus. Lâcheille-moi.

Joe flanqua un grand coup de pied dans les côtes de Mick. Lâchant un grognement sourd, trop sidéré pour crier, Mick eut un haut-le-cœur.

« Écoute-moi bien », dit Joe.

S'accroupissant, il respira l'haleine âcre et nauséabonde de Mick. Leur beau-père tressautait comme une truite hors de l'eau qui gobe l'air.

« On s'en fiche que tu vives ou que tu meures, continua Joe d'une voix douce. Personne t'entend et si quelqu'un t'entend, il s'en fiche aussi. Alors tu peux toujours t'égosiller. »

Mick cessa de se tortiller. Le blanc des yeux teinté de jaune, le nez et les joues enserrés dans une résille de vaisseaux rouges et violines.

Joe se leva et jeta un bref regard sous la véranda à ses sœurs enveloppées dans leurs châles, leurs visages aux traits fins blêmes de froid. Les pensées et les désirs de ses sœurs lui avaient toujours paru obscurs, aussi insondables que la vie mentale des animaux, pourtant il sentait le poids, dense, latent, de sa responsabilité à leur égard.

Tom et Grattan grattaient le sol avec leurs pieds comme l'aurait fait du bétail craintif.

« *Les gars*, leur dit Joe, c'est une première. »

Du bout de sa botte, il fit rouler Mick sur le ventre puis lui envoya le plus énorme coup de pied qu'il ait jamais donné. Mick laissa échapper un jappement.

« Tu sais pour quoi c'est. Touche plus aux filles. »

La neige se changeait en une pluie sifflante et glacée. De puissants orages printaniers ne tarderaient pas à détruire les dernières congères, les chemins à traîneaux se mueraient en rivières de boue et une saison de plus prendrait fin dans les bois. Joe humait l'odeur de la terre mouillée. Si seulement son père n'avait pas été tué au cours d'une escarmouche sur une exploitation agricole en Afrique, rien de tout ceci ne se serait produit. *Cette journée*, pensa-t-il, *n'aurait pas existé.*

Mick renifla. Joe planta fermement sa botte entre les omoplates de son beau-père afin de l'empêcher de rouler ou de se lever.

C'était un de ces jours où l'on s'attend à ce que les chevaux dérapent sur les chemins de débardage et se cassent la jambe. La pluie laquait les branches nues de larmes d'argent et bientôt viendrait la gadoue, un temps où rien ne bouge plus, où la glace sur la rivière devient trop molle pour supporter le moindre poids, où tout sert de prétexte à rester au calme, à faire ses comptes, à attendre. Un temps où le pays tout entier semble sous l'emprise d'un sortilège.

« À ton tour, Petit Prêtre. Tout le monde doit en être », déclara Joe.

Tom cessa de gratter la terre avec son soulier et baissa les yeux sur leur beau-père. Sous la véranda, les deux filles s'étaient prises par la main.

« Vas-y. Mets-en-lui un bien fort. »

Mais Tom hésitait.

Joe s'accroupit et saisit Mick par les cheveux. « Écoute-moi. Avise-toi de toucher l'un de nous et je donne pas cher de ta peau. On te coupera ta vieille bite et on te la fourrera dans le nez. »

Tom ravala un rire nerveux tandis que Joe se relevait.

« À toi. »

Tom avança d'un pas et lui flanqua un coup de pied à l'aine. Mick hurla.

« Pas assez fort, décréta Joe. À toi, Sojer Boy. Te retiens pas surtout. »

Le coup que lui assena Grattan fut assez violent pour retourner Mick comme une crêpe. Allongé sur le dos, gémissant, il se frotta le visage avec ses poignets ligotés. On aurait dit un personnage de pantomime qui se réveille.

« Laisse-moi essayer encore une fois, demanda Tom. Je n'ai pas eu toute ma part. »

C'était ainsi que cela commençait quand on tuait le cochon. D'abord lentement, presque timidement. De la fumée, de la vapeur, un air mordant. Le crissement de l'acier des couteaux contre la meule. Et cela se terminait, systématiquement, dans les gesticulations, les rires et les cris, avec le sang noir qui imbibait le sol.

« Retiens-toi pendant qu'on le transporte dans la remise », dit Joe.

Mick reniflait bruyamment.

« Pleure tant que tu veux, lui dit Joe. Tu ne perds rien pour attendre. »

En l'attrapant par ses épaules décharnées, Joe et Grattan entreprirent de traîner Mick jusqu'à l'étable pendant que Tom filait devant eux pour sortir la vache. Ils l'allongèrent sur la paille souillée et ramassèrent leurs manches de hache.

Joe frappa le premier, imité tour à tour par les autres. Chaque coup produisait un claquement, le bruit d'une eau torrentielle se fracassant sur des rochers. Joe entendait ses frères respirer fort et voyait s'élever dans l'humidité froide les filets vaporeux de leur haleine. Tom riait et pleurait en même temps. On n'était pas très loin de la tradition du cochon.

« Ça suffit, déclara finalement Joe. On arrête. »

Mick gargouillait, vautré dans la paille, les lèvres fendues telles des baies trop mûres. Une mousse rose débordait de ses narines. Il avait fait sur lui. L'air puait la merde et le sang. Joe se baissa pour l'empoigner par le col trempé de sa chemise. Mick avait le dos des mains couvert d'ecchymoses vertes aussi grosses que des noix. Il pleurait.

Debout dans la gadoue de la grange avec la pluie sifflant dehors et son beau-père tressautant à ses pieds tel un oiseau blessé, Joe sentit qu'il s'ouvrait soudain au monde, à ses motifs sonores, lumineux et odorants et, simultanément, il eut une vision précise et puissante de la voie qui se dessinait devant lui. Pas question de s'enterrer dans ce pays, dans cette forêt, sur les rives de l'Outaouais. Ces rives sombres, étriquées. Il migrerait à l'Ouest et trouverait auprès d'un important maître d'ouvrage de ligne ferroviaire un poste d'aide-comptable, mettons, ou d'expéditionnaire. En étudiant de l'intérieur les chemins de fer, il verrait comment l'argent – cinquante-trois mille dollars le kilomètre ! – affluait dans ces grosses entreprises. Une fois disséqués les flux financiers, dressée la cartographie des digues, des inondations et des fuites, il serait prêt à créer sa propre combinaison d'ouvriers, de capitaux, de matériel. Il proposerait lui-même ses services. À diriger des équipes de bûcherons dans les bois – six rudes gaillards, dont la moitié ne savait pas un mot d'anglais –, il avait appris à organiser le personnel, à aller jusqu'au bout d'une mission et à encaisser un bénéfice, toujours.

Là-bas, il trouverait une femme meilleure que lui à tous les points de vue, gagnerait son cœur d'une façon ou d'une autre, se rendrait digne de sa beauté et de son idéal, les protégerait, elle et la famille qu'ils fonderaient ensemble. Il les comblerait de son amour, elle et leurs enfants, un amour sans compter, et de son côté elle lui enseignerait toutes sortes de choses fines, délicates et harmonieuses.

Ahsling était le mot irlandais que sa mère employait pour qualifier ces visions intenses et légèrement distordues qui surviennent à des moments où l'on vit sur ses émotions parce qu'il n'y a rien d'autre, dès lors qu'on s'est écarté des règles et du rythme normal de l'existence.

«Écoute-moi bien, vieux vautour.» Joe le gifla jusqu'à ce qu'il cesse de renifler. «Essaye de t'en prendre à l'un de nous, touche un seul de nos cheveux, et je te tue et je brûle ce qui reste sur le tas d'ordures, compris?»

Après avoir détaché la longe, Joe la drapa sur un clou. Puis, à l'aide du couteau de son père, il coupa les cordes qui ligotaient les mains et les chevilles de Mick. Ils le laissèrent étalé, crevant sur la paille. Une fois dehors, Joe mena ses frères et sœurs à la maison.

«Tu crois qu'il vivra, Joe?

– On l'a tué?

– J'en sais rien et je m'en fous.»

Joe envoya les filles dans la chambre de leur mère. Puis il posa sur le poêle la grande bouilloire. Ses frères et lui se déshabillèrent. Ils n'avaient pas coutume de se laver le matin, pourtant tous les trois se mirent debout dans le baquet en cuivre et se frictionnèrent mutuellement le dos. Joe et Grattan versèrent alternativement de l'eau bien chaude sur leurs têtes. Quand il fut propre et sec, Joe sortit avec un seau d'eau, une serviette, une chemise et vingt dollars qu'il avait l'intention de donner à Mick, ainsi qu'un avertissement: Prière de ne plus jamais se montrer. Mais le violon s'était volatilisé de la véranda et, de Mick, il ne restait plus que son sang sur la paille de l'étable.

Ellenora mourut fin avril en crachant du sang. Les filles la lavèrent et nettoyèrent à fond la chambre. Le soir, Joe prit son tour de veille au chevet du corps mince et long de leur mère qui tenait son chapelet enroulé autour de ses doigts. Son visage était jaune et ridé. Il avait l'impression que tout en elle avait rétréci, sauf le nez et les oreilles.

Il avait déjà vu des hommes à moitié morts à la suite de rixes ou d'accidents de travail dans les bois, mais la dépouille de sa mère était son premier cadavre. Outre son immobilité, ce qui le frappait était son aspect fragile, sans consistance, transitoire. Et c'était de cette maigre enveloppe de chair et de nerfs, de cet assemblage d'os frêles qu'Ellenora avait puisé la force de lutter contre l'adversité et le chagrin, cette vigueur qu'exige un dur labeur. Cela semblait extraordinaire à Joe qu'un corps puisse héberger l'énergie générée par l'esprit, le secret pouvoir d'aimer et de haïr, d'oublier et de se remémorer.

Personne n'était intéressé par l'acquisition, même à bas prix, de la ferme et de son lopin de terre. Joe vendit aux enchères le bétail et le matériel, ainsi que ses tentes canadiennes, ses poêles et ses outils de bûcheron. Il divisa la somme obtenue entre ses frères et sœurs mais conserva pour lui les bénéfices du bois de pulpe, germe d'une autre entreprise qui, à terme, les mettrait tous hors du besoin.

Hope et Kate partaient chez les visitandines à Ottawa. Grattan avait reçu une offre d'emploi d'un riche exploitant d'agrumes à Santa Barbara, un bienfaiteur des amis franciscains du père Lillis. Joe accompagnerait Tom dans le Bronx et l'installerait à Fordham avant de remonter à Calgary en passant par Chicago, Minneapolis et Winnipeg.

Le matin du départ, Joe sortit de bonne heure et mit le feu à sa cabane-bureau. Il la regarda brûler jusqu'aux fondations avec dedans ses dossiers, sa visière, ses raquettes, son encrier... tout. Il voulut incendier la maison, mais les autres le supplièrent de n'en rien faire. Peut-être reviendraient-ils un jour... Joe pensait le contraire – qui retournait sur les lieux de la désolation ? Toujours est-il que la maison était encore debout lorsqu'ils s'éloignèrent dans le chariot de louage, les filles devant à côté du cocher, les frères assis sur des balles de paille, tous portant les gants de chevreau jaunes que Joe leur avait achetés comme cadeaux d'adieu.

Ils firent halte au presbytère pour le petit déjeuner. Après les galettes de sarrasin, la gelée de groseilles à maquereaux et un café brûlant bien sucré, le père Lillis demanda à Mme Painchaud de remonter le Victrola. Alors que du cornet jaillissait la valse – pour Joe, un gazouillis d'oiseau mêlé au galop endiablé d'un troupeau de chevaux emballés –, chacun à son tour virevolta dans le salon au bras du vieux prêtre.

Joe fut le dernier.

« Que Dieu t'ait en Sa sainte garde, que Dieu te bénisse, murmura l'ecclésiastique.

– Vous de même, monsieur le curé. »

Le vieil homme fit quelques pas pénibles de plus et, posant sa tête sur l'épaule de Joe, éclata en sanglots. En le tenant contre lui, Joe perçut une immense faiblesse et sentit au fond de sa gorge une douleur au goût de fer qu'il mit sur le compte de l'amour. Il donna un baiser au vieillard, puis tous baissèrent la tête afin de recevoir sa bénédiction. Joe entendait le cocher qui battait la semelle d'impatience tandis que les chevaux hennissaient pour obtenir un rab de foin.

Ils marquèrent un deuxième arrêt, au cimetière catholique. Sur la stèle en granit, Joe avait fait inscrire des données factuelles à propos de la vie de ses parents. Seuls les faits convenaient d'être couchés sur la pierre ; tout autre élément eût été vaniteux et vain.

La date de naissance de leur père n'y figurait pas pour la bonne raison qu'ils l'ignoraient.

Ellenora Scanlon O'Brien
Née en 1870 - décédée le 29 avril 1904
Épouse de
Miceál O'Brien
Mort en 1900
Enterré en Afrique du S.

Les filles posèrent sur la tombe des poignées de minuscules et pâles fleurs sauvages et ils remontèrent tous à bord. Ils avaient à peine parcouru trois kilomètres lorsque Joe entendit le croassement d'un violon – et voilà Mick Heaney sortant des bois, le visage tordu par une grimace répugnante, tirant et raclant les cordes de l'instrument qu'il maintenait au creux de son bras.

Joe ordonna au cocher de presser l'allure, mais le bonhomme râla à cause de la gadoue, il ne crèverait pas ses chevaux pour une course à deux dollars. Joe était furieux – contre le cocher, contre Mick Heaney et surtout contre lui-même – d'avoir renoncé à transformer sa maison natale en un tas de décombres noircis, de verre brisé et de cendres, car il voyait bien à présent que Mick Heaney allait s'en retourner là-bas, sur leur terre défrichée, et faire comme chez lui, vendre le fourrage de leur pré, cueillir les baies des buissons qu'ils avaient soignés et fertilisés, secouer leurs pommiers pour en faire chuter les fruits, et vivre jusqu'à un âge nauséabond, conservé dans du mauvais whisky pour finir par crever dans le lit où était morte leur mère.

Jouant rageusement, Mick tituba derrière le chariot. Joe regretta de n'avoir rien sous la main à lui lancer à la figure. S'il avait gardé son fusil, il aurait pu tirer un coup de semonce, son beau-père aurait senti la balle passer près de son oreille. Seulement le fusil avait été vendu avec le reste. Il songea à sauter à terre pour lui flanquer une autre rossée, mais le cocher ne saurait pas tenir sa langue – *Heaney et O'Brien ! Se bagarrant dans la boue comme deux coqs !* Joe détestait l'idée que l'on puisse se moquer de lui une fois qu'il serait parti. Il contint sa colère. Pas la peine de salir ses bottes et de crotter les revers de son pantalon avec la gadoue du Pontiac – il souhaitait le quitter propre sur lui, et pour toujours.

Au lieu de regarder en arrière, il observa ses frères et sœurs. Petit Prêtre lisait un roman de Joseph Conrad ; Sojer Boy avait ôté ses gants de chevreau et se curait les ongles avec un brin de paille. Kate et Hope bavardaient avec le cocher. Il comprit soudain qu'aucun d'eux ne partageait la douleur de la perte qu'il éprouvait, ni la fureur qui le possédait. La mélodie de « Bonaparte's Retreat » l'obsédait, le narguait, alors que pour eux le crincrin bêlant et jappant n'était que le bruit de ce qu'ils laissaient derrière eux. Elle n'avait pas de prise sur eux. Déjà elle s'estompait, comme la petite brise et la puanteur de la tourbière.

Quand il se retourna, Mick n'était plus qu'une silhouette au loin. La musique avait fondu comme la neige en avril au fond des bois. Quatre cents mètres de plus et Joe n'entendait plus rien, et lorsqu'il se retourna une ultime fois, il n'y avait que les arbres, la boue et le ciel.

Sur le quai d'Union Station à Ottawa, ils se serrèrent les uns contre les autres, se donnant pour la dernière fois l'impression de ne faire qu'un. Petit Prêtre et Joe prenaient le train pour New York avec un changement à Montréal, départ immédiat. Grattan accompagnerait Hope et Kate chez les visitandines et le soir même prendrait le train de nuit qui l'emmènerait à Toronto, Chicago puis jusqu'en Californie.

Avant que Joe et Tom n'embarquent, Grattan leur offrit à chacun un cigare à vingt-cinq cents. « Pour vous, les gars. Ne fumez que ce qu'il y a de meilleur ! »

Alors qu'il serrait la main de Sojer Boy, Joe sentit de nouveau sa gorge se contracter et le même goût de métal. Pourtant il savait qu'il avait fait tout ce qu'il avait pu pour eux : ils n'avaient rien à craindre en tournant le dos au sol pauvre et acide du Pontiac, ils étaient en route vers des terres plus grasses. Hope et Kate riaient gaiement en disant adieu avec de grands gestes, la locomotive crachait de la vapeur et remplissait d'air comprimé ses circuits de freins, les porteurs nègres pressaient les derniers passagers de monter en voiture. Après un coup de sifflet déchirant, la locomotive eut un soubresaut, les crochets d'attelage des wagons retentirent sur toute la longueur du convoi et le train s'ébranla. Grattan et les filles coururent un moment le long du train, Tom et Joe penchés à la fenêtre agitèrent la main aussi longtemps qu'ils les aperçurent avant de se laisser choir sur leurs sièges.

À Montréal, ils prirent un train de la Compagnie Delaware & Hudson. Pendant la nuit, le long du lac Champlain, pendant que Petit Prêtre dormait, Joe s'installa au wagon fumeurs où il tira sur son cigare à vingt-cinq cents en savourant une impression de solitude et de majestueuse liberté tandis que la rame fonçait vers New York. Il avait fait tout son possible pour apporter à ses frères et sœurs un sentiment de sécurité, mais pour lui-même la sécurité ne suffisait pas. Ce qu'il lui fallait, c'étaient des risques, du danger et de grands espaces où s'épanouir. Voilà pourquoi il partait vers l'Ouest.

En débarquant sur le quai de Grand Central à sept heures du matin, Joe et Petit Prêtre furent entraînés par un flot de businessmen et de jeunes et belles élégantes, un flot qui dévalait les couloirs, comblait les escalators, se déversait dans la rue mugissante encombrée de taxis et d'autobus à moteur. Une rue animée d'un courant d'énergie et de périls hasardeux. Impatient de voir l'océan, il huma dans le petit vent vif qui balayait Lexington Avenue une odeur de sel.

L'heure exigeait un petit déjeuner. Dans un *diner* de la 3ᵉ Avenue, ils s'assirent, leurs bagages à leurs pieds, sous bonne garde, pendant qu'un nègre entrechoquait des poignées de couverts sur le comptoir et qu'un serveur versait négligemment du café dans deux chopes.

« C'est dingue, Joe, comme tout va vite. » Petit Prêtre parlait si bas que Joe l'entendait à peine dans le vacarme. Ils avaient déjà mangé dans des cantines d'ouvriers pleines à craquer de Français, mais jamais dans un bain de vapeur et une agitation frénétique pareils. Sur le menu cartonné huileux, Joe choisit du jambon et des œufs pour eux deux. Au coude à coude, les hommes avalaient du café à grandes lampées, engloutissaient des *doughnuts* et laissaient sur le comptoir un nickel de pourboire.

« Dis, Joe, tu crois que c'est comme ça dans le Bronx ? »

En regardant Tom, il remarqua pour la première fois combien il ressemblait à leur mère. Petit Prêtre avait toujours été un enfant craintif, timide devant les étrangers et particulièrement terrifié par les travailleurs migrants et les vagabonds qui parcouraient le Pontiac pendant la saison des chantiers. Un jour, il avait avoué qu'il avait peur qu'on le « vole ». Joe lui avait juré que les petits garçons ne se faisaient jamais « voler » sauf dans les vieilles légendes de sorcières, de paysans insurgés irlandais et d'esprits errants, mais rien de ce qu'il pouvait lui dire ne parvenait à réduire la flamme d'une anxiété à ce point corrosive. Néanmoins, Petit Prêtre avait bien dormi à bord du train alors que Joe était resté debout toute la nuit à regarder défiler à grande vitesse le paysage enténébré et les quais éclairés en jaune des bourgades du Nord. Et, à présent, Petit Prêtre mangeait son jambon et ses œufs de bon appétit – Joe avait remarqué que les angoisses de son frère ne l'en privaient que rarement.

« Je pense que tu finiras par t'habituer », lui répondit Joe.

Les New-Yorkais fendaient la presse et le tapage aussi aisément que des truites remontant un torrent. Brouhaha des voix, bruits de vaisselle, jets de vapeur crachés par des cafetières en acier grosses comme des urnes. C'était là l'ordinaire de ces gens, un ensemble de sensations désagréables si banal que leurs visages exprimaient tout au plus l'ennui.

Joe déplia une feuille de papier crème à bord doré et vérifia les instructions du père Lillis rédigées de son écriture à la plume épaisse.

> _De N.Y. à Saint John's College, Fordham, le Bronx._
> _De préférence_ prendre le train de banlieue de la ligne Harlem Nord. Consulter horaires sur panneaux de Grand Central. Plus cher que par le El 3ᵉ Avenue mais direct jusqu'à Fordham sans changement. Même trajet pour le retour à Grand Central.
>
> _Penn Central Depot, Hoboken, New Jersey_
> _(à Chicago. changer pour Minneapolis. À M. pour Winnipeg.)_
> De Grand Central. Prendre le El 3ᵉ Avenue, jusqu'à la 14ᵉ Rue.
> Le tram de la 14ᵉ Rue jusqu'au bout de la ligne vers l'ouest. Marcher jusqu'à la jetée au niveau de la 10ᵉ Rue. Traverser l'Hudson par le bac.
>
> _Si vous passez la nuit à N.Y._
> Société de Jésus, 39 E. 83ᵉ Rue
> Montrer ce mot. Ils vous donneront un lit.
>
> _Votre maître en Christ,_
> _Jeremiah Lillis, Société de Jésus_

Après le petit déjeuner, ils se dépêchèrent de retourner à Grand Central. Le rythme trépidant de la ville les obligeait à presser le pas, impossible de ne pas se hâter. Pourtant, certains citadins avaient manifestement abandonné la course. Sur les trottoirs, des vagabonds avaient échoué sous des montagnes de haillons. Au coin de la 42ᵉ Rue et de la 5ᵉ Avenue, une grosse femme au visage semblable à une citrouille violette, où les yeux n'étaient plus que deux fentes, tenait un gobelet en fer-blanc, la foule ruisselant autour d'elle comme si elle avait été un rocher au milieu d'une rivière,

Aidez-moi
Je suis aveugle
écrit sur un carton accroché à son cou.

À la gare, Joe leva les yeux vers le panneau et vit que le départ du Harlem Nord était annoncé dans sept minutes. Ils coururent comme des fous et arrivèrent pile. La voiture étant presque vide alors que le train s'ébranlait, ils prirent chacun une fenêtre. Ils sortirent du sous-sol pour rouler sur un viaduc. Joe regarda en contrebas les longues avenues encombrées d'un tohu-bohu de voitures et d'omnibus tirés par des chevaux que traversaient en se faufilant des enfants vifs comme l'éclair. À chaque coin de rue, des petits vendeurs de journaux s'égosillaient, perchés sur des caisses retournées. Les rues transversales se succédaient à toute vitesse, visions d'épées de lumière avec au bout le scintillement des eaux de l'East River. Des femmes aux bras nus se tenaient penchées aux fenêtres des immeubles, accablées par la chaleur – si proches que Joe avait l'impression qu'il aurait pu les toucher. Cette intimité impersonnelle, continuelle, avait quelque chose d'émouvant et de chaleureux. Des centaines de personnes prenant leur petit déjeuner dans de minuscules cuisines, et pas une qui se donne la peine de lever les yeux en entendant le train passer.

À Ottawa, il existait des maisons n'hébergeant que des prostituées, des femmes de toutes nationalités. Il avait entendu ses cuistots et les migrants parler de putes qui faisaient ce qu'on voulait pour un dollar – pour trois dollars, on avait droit à une nuit entière. Cette ville-ci devait être pleine de femmes de ce genre. Et il avait largement de quoi se payer ça. Seulement n'importe qui ayant trois dollars en poche pouvait s'offrir leurs services, et pour sa part, c'était la pureté qui l'attirait, la pureté et la propreté. Une jeune fille pure dont la famille ne veut rien avoir à faire avec un colon. Pas avant qu'il ait accompli de grandes choses – et même dans ce cas, elle se méfierait.

Il jeta de l'autre côté de la travée un coup d'œil à son frère. La tête renversée en arrière, la bouche ouverte, Petit Prêtre dormait à poings fermés.

Le train franchit le noir ruban de la Harlem River. Une eau plus ou moins saumâtre, se dit Joe, et qui, en dépit de son nom de rivière, était en réalité un bras de mer reliant la terre à la terre en la séparant du reste : l'anneau du monde.

Pendant les mois suivant la disparition de son père, Joe s'était imaginé que ce dernier était toujours en vie et se cachait dans la maison – il habitait là en secret, dissimulé derrière les cloisons. Quand personne ne le regardait, Joe collait son oreille au plâtre et écoutait les sons qui lui parvenaient à travers la chaux et les lattes de bois, la couche d'isolant en crin de cheval et papier journal froissé. Il n'avait jamais rien entendu d'autre que des grattements de souris.

Dorénavant, il ferait le chemin tout seul et glanerait le nécessaire en cours de route. Finis les fantômes agitant leurs chaînes dans les murs. Il n'avait besoin de personne. Il savait désormais se tenir debout seul à l'intérieur de lui-même. Pour survivre, il faut une bonne carapace bien dure. Être capable de voir les choses telles qu'elles sont.

Une chaleur printanière embrasait l'air matinal lorsque le train de Harlem Nord les déposa sur le quai ensommeillé de la station Fordham, avant de s'en aller glisser vers de plus grands mystères du côté de Westchester. Dans le Pontiac, par une aussi belle journée de printemps, les bouleaux déroulaient leurs feuilles d'un vert éclatant sur la masse sombre des pins et des épinettes. L'Outaouais en crue se gorgeait de la terre des ruisseaux. La première couvée de mouches noires s'élevait des mares d'eau stagnantes sur les berges.

Et où était à cette heure Mick Heaney ? Il avait du mal à imaginer qu'il eût encore une place dans le monde.

« Joe ! »

Joe se retourna. Petit Prêtre avait posé son sac de voyage sur le pavé et sortait un mouchoir. Il s'épongea la figure, l'air d'un enfant effrayé. « Finalement, je ne crois pas que j'aie envie d'être curé. Je veux rentrer à la maison, Joe. On peut pas rentrer ?

— Où ça ? Rentrer dans quelle maison ? »

Petit Prêtre le contempla avec de grands yeux égarés.

« Écoute, ne t'inquiète pas pour ces histoires de curé. Tu n'es même pas encore au séminaire. Personne ne t'oblige à rien. Tu as trois ans de noviciat.

— Je m'en fiche. Je veux rentrer. » La lèvre inférieure tremblotante, il bégayait.

« Maman est partie. Nous n'avons plus de maison dans laquelle retourner. » *Et si tu as envie de pleurer*, songea Joe, *pleure maintenant. Pleure devant moi, pas devant eux. Je ne t'en tiendrai pas rigueur, mais eux, si.*

« On fera des coupes l'hiver prochain. Je t'aiderai avec ton entreprise.

— On est arrivés, Tom. Tu dois au moins essayer.

— Tu vas me laisser et je ne te reverrai jamais plus.

— Mais si, voyons. Allez. Tu es juste fatigué. Tiens, tu permets ? »

Joe se baissa pour prendre le sac de voyage de son frère. Petit Prêtre s'en empara aussi quelques secondes, puis il le lâcha et ils continuèrent leur chemin. Joe aperçut le portail de l'école devant eux.

«Allez, Priesteen, dit Joe en souriant. Tu seras sans doute pape un de ces jours. Le pape Priesteen Premier... ça sonne bien, tu trouves pas?»

Après avoir aidé Tom à déballer ses affaires dans une cellule blanche monacale, Joe dit au revoir à son frère sur la pelouse de Fordham où une bande de garçons était en train d'organiser un match de base-ball. Dans le Pontiac, lorsque le vent chassait la brume des baies[1], ils jouaient au shinny mais jamais au base-ball. C'était là un des rituels que Petit Prêtre devrait apprendre.

Ils échangèrent une poignée de main. Tom se détourna pour cacher ses larmes. Joe lui donna une tape dans le dos et chercha quelque chose de drôle à dire, mais il avait de nouveau la gorge serrée. Il pivota sur ses talons. Ses pieds foulèrent le moelleux tapis de gazon. Longtemps il entendit les cris des joueurs et les clacs de la balle, mais il ne se retourna pas. Il s'obligea à remarquer les effluves lactescents de l'herbe coupée, la légère odeur de moisi des ormes encore détrempés après les pluies nocturnes, le bruit de la circulation dans Fordham Road. Sans un je-m'en-foutisme généralisé, se dit-il, le monde ne fonctionnerait pas. Être fort, c'est aussi savoir partir quand il le faut. Quand il n'y a pas d'autre solution.

Il ne se retourna pas une seule fois.

New York était un bain bouillonnant d'échanges commerciaux s'appuyant sur une grammaire des coups de gueule et des prises de bec avec en fond sonore les ensembles choraux des trolleys

---

1. Aux endroits où la rivière s'élargit, elle prend la forme d'une baie dont les eaux sont les premières à geler l'hiver, produisant une glace si dure qu'elle permet de jouer au *shinny*, un hockey primitif.

grinçants. De Grand Central, Joe marcha jusqu'à la 3ᵉ Avenue et prit la ligne «El» du métro jusqu'à la 14ᵉ Rue, où il acheta deux hot-dogs à la moutarde à un marchand ambulant et resta debout sur le trottoir, à mastiquer, son sac de voyage entre ses pieds. Le danger était effervescent, intrigant, il se sentait aussi alerte qu'un cheval au petit trot.

Au lieu de sauter dans un tram sur la 14ᵉ Rue, il se dirigea à pied vers l'ouest, vers l'Hudson. Était-ce ainsi que s'était senti leur père après les avoir quittés ?

Léger comme l'air. Vide. S'il se jetait sous un tram, le monde continuerait son tintamarre.

Un vendeur à la sauvette faisait l'article de ses chapeaux. Joe en essaya plusieurs et finit par trouver un canotier qui lui allait. Il le paya deux dollars et le posa de côté sur sa tête, comme il l'avait vu faire par les autres gars.

La rivière n'était pas tout près. Les derniers blocs étaient vétustes et lugubres. De lourdes charrettes tirées par quatre chevaux et des camions automobiles entraient et sortaient des entrepôts, le métal de leurs roues claquant sur les pavés. Le quartier des abattoirs. Il respira une odeur de tripes et de sang, il entendit les cris des animaux. La ville avait quelque chose de l'assassin.

Enfin, il déboucha sur l'Hudson. Des chassés-croisés de bateaux à vapeur aux cheminées inclinées, des barges et des lougres aux voiles crasseuses. Vers le sud, la baie de New York déployait sa plage de mer étincelante. Les odeurs âcres de la créosote, du bois de construction et de la marée basse étaient exotiques, grisantes. Un nouveau monde, voilà ce qu'il découvrait.

En marchant vers le sud, il passa devant une série de quais délabrés. Des prostituées se tenaient seules au coin des rues ou par grappes devant les tavernes. À leurs énormes chapeaux étaient épinglés des petits bouquets de fleurs et leurs ombrelles chinoises les protégeaient contre les assauts féroces du soleil.

Au coin de la 12ᵉ Rue, une fille le prit par le bras et murmura : « Hé, soldat, cinquante cents et on passe ensemble un moment agréable. » Il la repoussa et continua son chemin, soufflé par la lueur qu'il avait vue scintiller dans les yeux vert pâle.

Même s'il avait plus ou moins accepté l'obligation de se réserver pour le mariage, il n'en était pas moins stupéfait de voir que des femmes belles et élégantes se laissaient acheter pour guère plus que le prix d'un petit déjeuner. Mais, plus inouïe encore, l'idée que la jeune fille qu'il serait amené à épouser un jour, celle qui porterait ses enfants, était vivante à cette heure quelque part, en train de penser et de respirer, en train de l'attendre sans savoir qui il était. Tout comme il l'attendait, elle.

Il pensa au globe terrestre dans la bibliothèque du vieux prêtre. Le Pontiac, pas plus gros qu'une particule de sciure, niché dans un coude de la mince ligne en filigrane légendée en lettres minuscules : « R. des Outaouais. » L'immensité de la Terre se contemplait alors avec soulagement, quoique de manière abstraite. Aujourd'hui, pour lui, cela n'avait plus rien d'abstrait.

Des mouettes sales arpentaient les planches de la jetée de la 10ᵉ Rue. Le guichetier lui annonça qu'il venait de manquer le ferry pour Hoboken. Et en effet, il le vit au milieu de la rivière, traçant sa route vers les côtes du New Jersey et le Penn Central Depot.

« Où allez-vous, monsieur ? lui demanda le guichetier.

– Chicago.

– Le quatre heures trente-cinq ? Vous pouvez encore l'avoir. Le prochain ferry part dans une heure. Vous avez tout le temps. »

Joe aperçut en contrebas, amarré du côté aval de la jetée, un petit vapeur d'excursion qui embarquait des messieurs en guêtres et costume pastel, et des dames en robe d'été. Tous bavardaient gaiement comme si c'était le jour de la Confédération ou la fête de la Reine. Ils partaient en promenade. Les matelots étaient aussi bruns que des ours.

O'CONNOR'S HOTEL,

W. Brighton Beach
Coney Island

CHAMBRES AVEC VUE SUR LA MER

BAINS DE MER

Pension complète
Prix raisonnables

DÉPARTS ET RETOURS TOUTES LES HEURES

Alors qu'il regardait les dernières personnes monter à bord du petit vapeur, celui-ci siffla deux fois, impatiemment.

Personne ne l'attendait sur l'autre rive. Personne non plus à Chicago, à Minneapolis, à Winnipeg ni à Calgary. Une fois sur la côte Ouest, il lui faudrait s'atteler à devenir quelqu'un, à construire quelque chose à partir de rien. Ou plutôt à partir du Pontiac, de l'adversité la plus radicale, de cette image gravée en lui de mains rudes laçant des bottes. Ses seuls points d'ancrage désormais.

Être rendu à lui-même, hors du monde pendant quelques jours, voilà ce qu'il souhaitait à l'instant. Il en sortirait plus fort, c'était certain.

Ramassant son sac, il descendit rapidement la rampe abrupte et embarqua à bord du bateau à aubes. Ses cinquante cents réglés, il se posta à la proue. Quelques instants plus tard, les amarres furent larguées et l'embarcation s'éloigna du quai à reculons puis descendit le cours du fleuve en longeant l'arrière sombre des quais en ruine.

L'air était aussi tourbillonnant que la vapeur qui jaillit d'une bouilloire. Joe observa les vols de canards noirs striant la surface de la baie tandis que le petit vapeur glissait au pied de la palissade d'édifices gris pareils à des poings serrés criblant de coups le ciel de Manhattan. Désormais, personne au monde ne le connaissait. Cette liberté subite l'emplissait d'un effroi merveilleux.

À Coney Island, il prit une chambre à l'O'Connor's Hotel : quatre dollars la nuit, petit déjeuner compris, repas en supplément. Sous un soleil éblouissant, il marcha sur la plage au bord de l'eau, son canotier sur la tête, ses chaussures à la main. Des hommes et des jeunes femmes en costume de bain se ruaient dans les vagues glacées. Il s'acheta un costume en flanelle, noir. Dans un saloon de Surf Avenue, il mangea des huîtres, en buvant deux chopes de Milwaukee bien fraîche, et il pensa à ces jeunes filles dont les pères possédaient des boutiques à Shawville ou travaillaient dans des bureaux, des filles à qui il n'avait jamais adressé la parole et qu'il ne reverrait jamais.

Il avait l'impression d'être un homme sans nom. Ce n'était pas désagréable.

Debout au bar en acajou, un pied sur la barre de cuivre, il acheta une bouteille de whisky sans savoir vraiment pourquoi et la glissa dans la poche de sa veste. Il n'avait jamais aimé l'odeur du whisky.

Surf Avenue étincelait sous l'éclairage de milliers d'ampoules. Ignorant les racoleurs en tout genre devant les salles de jeu et les musées des horreurs, il s'en retourna à son hôtel en sentant contre lui, dans sa poche, le poids et la pression de la flasque incurvée.

Il avait laissé sa fenêtre ouverte. Les rideaux légers flottaient dans la brise du soir. Prenant du papier à lettres et un crayon dans le petit écritoire en cuir, il tira un fauteuil devant la fenêtre et s'assit. De là, il avait une vue sur l'Iron Pier, la jetée en acier massif que soulignaient les lumières électriques, et sur l'océan noir au-delà. Il déboucha le whisky et en but une gorgée. Le goût était amer, mais brutalement satisfaisant. Il se força à avaler une deuxième lampée puis ouvrit le bloc de papier à lettres et entreprit d'écrire les noms de ses ancêtres. Leur nombre dépassait l'entendement. Puis ceux de ses parents, de ses frères, de ses sœurs, avec leurs dates de naissance. En dernier, il écrivit son propre nom et à la ligne suivante :

femme

puis

fils

puis

filles

Après quoi, il se mit à dresser la liste de toutes les sommes d'argent qu'il avait gagnées dans sa vie, avec la date et le lieu, en précisant s'il s'agissait d'un salaire ou d'un bénéfice. Il fit ensuite celle de ses économies et un inventaire de tout ce que contenait son sac de voyage, jusqu'aux faux-cols et aux chaussettes reprisées.

La chambre était un espace hors du temps. Les choses de la vie y marquaient un temps d'arrêt. Il avait la sensation d'être rendu à lui-même, de pouvoir exister sans avoir à se battre.

Sans cesse il portait la flasque à ses lèvres et buvait à petites gorgées rapides. Il revoyait Hope et Kate sur le quai de la gare à Ottawa qui lui disaient au revoir de la main. Sojer Boy, bravache et sûr de lui. Le visage pâle de Petit Prêtre à Fordham.

Avant d'avoir pu additionner ses colonnes, il s'endormit, se réveillant une bonne heure plus tard affalé dans le fauteuil, l'étoffe vaporeuse des rideaux caressant son visage. Par la fenêtre soufflait un air moite de temps de brume. Il tituba jusqu'au broc et à la cuvette, s'aspergea d'eau, urina dans le pot de chambre, se déshabilla et se jeta sur le lit. Il avait la tête qui tournait, et pourtant, pendant un temps indéfini, il fut près de voir la jeune fille qu'il allait trouver, celle qu'il allait épouser – la personne claire, fraîche, aux mains blanches et au cou gracieux, à la voix calme qui lui expliquerait tout. Un corps pareil à une fleur : beau, secret.

Il se réveilla au matin devant une fenêtre blanche aveuglante ; il s'en détourna. Il mit son habit de bain en flanelle puis sa veste, sans oublier son chapeau et ses chaussures. L'ascenseur hydraulique le déposa en silence dans le hall de l'hôtel, il traversa la large véranda et dévala l'escalier en bois jusqu'à la plage.

Le sable mou rendit d'abord sa marche fastidieuse puis, au bord de l'eau, ses pieds rencontrèrent une surface compacte et humide. Il ôta sa veste, la plia avec soin et la posa sur ses chaussures avant de descendre affronter les vagues.

À mesure qu'il y entrait, il sentait la morsure de l'eau froide sur ses pieds, ses chevilles, ses mollets. Lorsqu'elle lui arriva à mi-cuisse, il plongea dans le rouleau. Une immersion fulgurante qui le piqua partout. Il dut lutter contre la crête écumeuse mais dès qu'il passa la barre, la mer devint calme. Il se tourna sur le dos et battit des bras et des jambes en faisant gicler l'eau et tourbillonner des gouttelettes dans les airs, savourant le goût du sel sur ses lèvres ; les yeux levés vers la lune blanche et glacée encore suspendue dans le ciel.

S'il y avait un endroit au monde où il pouvait larguer son passé, c'était ici. Flottant, bercé par la houle, il n'éprouvait plus rien. Rien en tout cas pour ses frères et ses sœurs. Il n'y avait plus que le sel, la lune et le roulis de la mer. Et une sorte d'euphorie fragile, une petite flamme à l'intérieur d'une curieuse chaleur, au-dedans.

À Coney Island, Joe commençait sa journée par un plongeon dans l'océan et la terminait assis devant la fenêtre de sa chambre d'hôtel face à la jetée en acier et à la mer obscure, avec la bouteille de whisky.

Il se jetait dans les vagues et marchait de long en large sur la plage, le regard vers l'horizon. Sa peau se cuivra, ses dents et ses yeux brillaient. Chaque fois qu'il envisageait les défis et les risques qui l'attendaient, il se sentait découragé et avait peur de se lancer. Le rivage et sa chambre d'hôtel : il lui arrivait de se dire qu'il n'avait peut-être pas besoin d'autre chose. Il n'y croyait pas vraiment et, la plupart du temps, il avait conscience de l'absurdité de cette pensée. Cette vie n'était pas pour lui qui souhaitait tellement plus – une femme, des enfants, de l'argent, du pouvoir. Cependant, chaque jour – chaque nuit – un sourd instinct, quelque petite voix intérieure, lui soufflait de rester là pour toujours. Rester là. Se cacher. Se figer. Ne pas aller plus loin. Se contenter de la mer, de cette chambre, du silence.

Il ne parlait à personne hormis aux serveurs dans la salle à manger et aux barmen qui lui vendaient son whisky. À la fin de la semaine, des averses glaciales s'abattirent sur le littoral. L'assombrissement du ciel et de l'atmosphère fit naître en lui une nouvelle détermination. Fourrant dans un sac les cadavres de bouteilles, il régla sa note d'hôtel, se débarrassa du sac dans une poubelle sur Surf Avenue, embarqua à bord du petit vapeur pour le quai de la 10e Rue, puis à bord du ferry de Penn Central jusqu'à Hoboken, où il sauta dans le premier train pour Chicago, en route pour l'Ouest.

VENICE BEACH, CALIFORNIE
1912

L'orpheline

Dans le New Hampshire, Iseult avait souffert d'asthme au point de ne plus pouvoir mener une vie normale, mais sa santé s'était améliorée dès qu'elle était arrivée en Californie en compagnie de sa mère, une veuve elle-même déjà plutôt mal en point. À Pasadena, Iseult, qui avait la taille fine et la gorge généreuse, devint presque belle – hâlée et radieuse, le soleil ayant posé ses doigts d'or sur sa chevelure châtain. Néanmoins, après la mort de sa mère, elle projeta de vendre la maison de Pasadena pour migrer au bord de la mer, là où les végétaux allergisants étaient encore plus rares, là où elle respirerait l'air frais de l'océan.

Elle avait lu dans *The Examiner* des articles sur Venice, en Californie. Mr Abbot Kinney, un innovateur, avait asséché des marais au sud de Santa Monica et creusé là-bas un réseau de canaux. Il y bâtissait des maisons où l'on serait susceptible de vivre à la mode vénitienne du Quattrocento. Il avait aussi construit une promenade en béton et une jetée accueillant un parc d'attractions. Par ailleurs, il avait convaincu la Pacific Electric Railway d'ouvrir une ligne depuis Hill Street Station jusqu'à la nouvelle communauté. La Venise américaine avait déjà acquis la réputation d'être un lieu de prédilection du libertin et du bohème, là-bas tout au bord de la Terre, sur une côte souvent infestée d'un brouillard blanc et tenace connu sous le nom de *marine layer*.

Par un beau dimanche d'hiver, six semaines après le décès de sa mère, Iseult se rendit en trolley à Los Angeles, puis poussa jusqu'à Venice. Des milliers de visiteurs s'y déversaient pour la journée, et avec eux elle déambula sur la promenade du front de mer, passant devant une grande bâtisse censée être « la plus grande piste de danse du monde », puis devant un autre bâtiment trapu qu'une pancarte qualifiait de « plus grande piste de patins à roulettes du monde ». Plus loin, un restaurant de poissons épousait la forme d'un navire de plaisance. L'ambiance bruyante et vulgaire était aux antipodes de Pasadena. Elle acheta un hot-dog et le mangea en regardant des hommes adultes faire un concours de châteaux de sable.

Elle monta sur la jetée, longea le Mystic Maze et l'exposition sur le canal de Panama pour aboutir à l'Incubatorium. Elle avait lu à ce propos un article dans *The Examiner* : des bébés nés prématurément y étaient soignés... et exhibés. Une enseigne racoleuse annonçait :

UNE VISION INOUBLIABLE

tandis que sur un autre on lisait :

TOUT LE MONDE AIME LES BÉBÉS !

Depuis quelque temps, effectivement, les bébés la fascinaient. Seule à présent, elle n'était plus la fille de personne, et elle en avait par-dessus la tête d'entendre répéter qu'elle était de santé délicate. Elle n'était pas dupe d'elle-même, de ses bonnes manières, de sa gentillesse. Au fond, elle n'était qu'un petit monstre enragé et complexé, un monstre de désir.

Iseult avait vingt ans lorsque son père bien-aimé – érudit de tempérament, industriel du textile par héritage, un gentleman de la Nouvelle-Angleterre comme on n'en faisait plus – s'était suicidé. Il n'avait jamais eu à se battre contre autre chose que sa propre nature et une mélancolie innée, et elles avaient eu raison de lui.

À Pasadena, les semaines qui avaient suivi la mort de sa mère, elle avait eu l'impression d'être un drapeau fané battant dans le vent, une bannière oubliée ne signifiant plus rien. Elle aspirait à quelque chose mais ignorait à quoi, sachant toutefois que cette chose, latente, était plus grande qu'elle. Elle avait souvent – de plus en plus depuis la disparition du seul parent qui lui restait – imaginé qu'elle retenait dans son lit un homme musclé et brutal. La brutalité lui paraissait une preuve de force.

Le désir se conjuguait ainsi : effrayant et prometteur – même si tout ce à quoi elle avait pu se livrer jusqu'ici se résumait à contempler le plafond en se caressant d'une manière à la fois excitante, gênante et frustrante.

Elle versa ses vingt-cinq cents à la guichetière costumée en infirmière, bonnet blanc et blouse empesée sans un pli. Une fois à l'intérieur, Iseult ne put s'empêcher de regarder par une fenêtre ce qui se passait dans une lumineuse salle blanche occupée par deux longues rangées de couveuses. Ces incubateurs numérotés évoquaient des glacières ou des petites cuisinières en émail blanc à l'aspect lisse et brillant, pourvues de fixations en acier et de portes en verre. Sous ses yeux, une infirmière ouvrit un des appareils – le numéro treize – et en sortit un bébé pas plus gros qu'une miche de pain, à la tête ornée de touffes rousses.

Iseult observa, comme hypnotisée. L'infirmière démaillota l'enfant et tenta de l'alimenter en lui versant du liquide dans la bouche à l'aide d'une cuillère étroite. Presque tout le liquide dégoulina sur le minuscule menton.

Elle se tenait si près de la fenêtre d'observation qu'elle sentait l'odeur de son haleine contre la vitre où se dessinait un rond de buée. La petitesse de la vie se profilant devant elle la remplissait d'effroi. Le bébé se tortilla un peu et donna quelques faibles coups de pied. Peut-être était-il affamé. L'infirmière ne pouvait-elle faire mieux ? Où était sa mère ? Ces bébés en couveuse n'avaient-ils pas de parents ?

Du côté de son père, elle avait une ribambelle de tantes, d'oncles et de cousins. Des gens froids et collet monté. La famille de sa mère était plus chaleureuse et amicale, une famille du textile de Lille ; elle les voyait rarement.

Comment un être aussi minuscule et sans défense que le numéro treize pourrait-il survivre ? Ayant renoncé à le nourrir, l'infirmière, avec des gestes brusques, lui changea sa couche miniature, l'emmaillota, et, aussi tendre et maternelle qu'un boulanger enfournant une miche de pain, le replaça dans son incubateur.

Iseult développa une douleur lancinante dans la poitrine. N'y tenant plus, elle prit la fuite. Le souffle court et oppressé, elle se força à marcher jusqu'au bout de la jetée. Elle devait rester calme. L'air froid et aigre de la mer dégagea ses bronches. De vieux pêcheurs à la ligne japonais poussaient des cris d'oiseaux furibonds : ils espéraient ainsi éloigner les pélicans qui s'abattaient sur leurs poissons frétillant dans les paniers et sur leurs appâts dans les seaux. Elle était donc bien seule, seule au monde.

Iseult n'avait jamais su cultiver l'amitié d'autres jeunes filles. À l'internat de New York, la majorité de ses camarades de classe issues de familles nombreuses catholiques se liaient facilement ; elles avaient l'habitude d'évoluer dans un réseau complexe et stratifié de relations sociales. En qualité d'enfant unique de parents relativement âgés, ce n'était pas son cas. À Harrison, New Hampshire, presque tous les habitants étaient pauvres et tous avaient travaillé à un moment ou un autre dans la filature de sa famille. Pendant ses années d'internat, elle avait toujours été souffrante, isolée dans l'infirmerie du couvent, ou en convalescence dans les White Mountains.

Il lui arrivait de penser qu'il lui manquait la glande rendant les autres filles charmantes et libérant dans leurs veines non seulement le nectar qui leur permettait de devenir sûres d'elles mais aussi l'instinct vital qui les poussait à avoir besoin les unes des autres. Ses camarades tiraient leur identité de leur entourage, des secrets partagés, des disputes et des rituels de réconciliation. Elles se toquaient des religieuses les plus jeunes et les plus jolies, faisaient dire des messes à leurs favorites dans des chapelles et des églises de l'Upper East Side, et même à la cathédrale Saint-Patrick. La deuxième année qu'Iseult passa au pensionnat, ces messes étaient devenues la nouvelle manie de ces demoiselles, et la mère supérieure avait été obligée de les interdire après que des parents se furent plaints des sommes folles que leurs filles engloutissaient; à la cathédrale, même une messe basse expédiée dans une chapelle du bas-côté coûtait jusqu'à vingt-cinq dollars. Les plus audacieuses s'adressèrent alors à des paroisses obscures, italiennes ou allemandes, du Lower East Side, de Yorkville ou même de Brooklyn. Elles leur commandaient secrètement contre rétribution des intentions de messe imprimées et des messes célébrées – même si personne du pensionnat n'était là pour y assister.

Iseult avait la nette impression que le pensionnat tout entier avait le béguin. La seule exception était Mère Power, une grande femme avec son franc-parler, qui enseignait les mathématiques et s'occupait de l'infirmerie. Les religieuses du Sacré-Cœur de Jésus étaient en général françaises ou irlandaises, mais Power, elle, était originaire de San Antonio, Texas. Elle se montrait distante et n'encourageait pas les tocades. Les filles avaient peur d'elles. Celles qui se présentaient à ses cours sans avoir révisé étaient sévèrement interrogées, et parfois en pleuraient. Beaucoup la détestaient, la surnommant « mère Longhorn[1] » ou « la vache texane ».

1. *Longhorn* : « Longues cornes ».

Mère Power faisait du travail missionnaire chaque samedi après-midi dans le quartier de Hell's Kitchen. Un samedi, Iseult se trouvait seule à l'étude devant son carnet de croquis où elle dessinait sa main gauche, lorsque Mère Power entra pour prendre une sacoche. À la vue d'Iseult, d'un ton brusque, elle l'invita à l'accompagner.

C'était peut-être le fruit du hasard, ou bien avait-elle remarqué qu'Iseult était la plus solitaire de toutes, celle qui entretenait les plus mauvaises pensées et était la plus avide de contacts. Ou encore avait-elle observé la façon dont Iseult combattait la maladie et décidé qu'elle était plus coriace qu'on ne voulait le croire.

« Autant que vous découvriez comment vit l'autre moitié de l'humanité. Je vous préviens, j'y vais et je reviens à pied. Je ne prends pas le bus, et sûrement pas de taxi.

— Cela me plairait d'aller avec vous.

— Autre chose : votre attitude. Vous n'êtes pas une dame de charité. Et ils ne sont pas des mendiants. Vous recevrez plus d'eux qu'eux ne recevront de vous.

— Oui, ma mère. J'aimerais quand même vous accompagner. »

Mère Power parcourut la 54ᵉ Rue à grandes enjambées, avec les jupes de son habit de religieuse qui se soulevaient en tournoyant au rythme de sa marche. Sa sacoche en bandoulière était bourrée de missels, de chapelets dans des étuis en fer-blanc, de pommes et de sucres d'orge.

« La maladie peut vous donner des forces, dit-elle à Iseult. L'air de la ville n'est pas aussi mauvais que l'on a tendance à le penser. Elle est stupide et convenue, cette peur de la vie et de la saleté que l'on cultive chez vous, les jeunes demoiselles. Étudiez donc la vie de Mère Cabrini, Iseult. Une gamine chétive durant toute son enfance en Italie, beaucoup plus malade que vous ne l'avez jamais été. Et plus petite avec ça, une crevette. Vous avez une forte constitution, Iseult ; vous allez vous endurcir. Cabrini, que Dieu la bénisse, n'était qu'une ombre, mais voyez ce qu'elle a accompli, les orphelinats et les écoles qu'elle a ouverts pour ses compatriotes immigrés italiens. Tirez votre force de vos faiblesses, Iseult, et vous serez bientôt plus robuste que n'importe laquelle de ces petites princesses. »

Elles avaient cet après-midi-là visité les immeubles entre la 8e Avenue et la rivière. La religieuse examinait les enfants malades, faisait leur toilette, les épouillait, leur donnait des médicaments et grondait les mères. Iseult vit à quoi ressemblaient des enfants couverts de bleus et de bosses, de croûtes laissées par des piqûres d'insecte, des enfants avec des bras en écharpe. Mère Power tenait une liste de médecins et de dentistes qui accepteraient de les soigner gratuitement à la vue du mot qu'elle épinglait à leurs vêtements. Elle ouvrait en grand toutes les fenêtres à portée de main et envoyait les gosses en bonne santé jouer dehors dans les rues où les acacias, entre autres arbres malingres, se paraient des premières feuilles de l'été. Elle distribua des pommes et des bonbons à une bande de vendeurs de journaux qui logeaient dans une écurie de la 9e Avenue.

À Times Square, la bonne sœur texane avait l'air de connaître tous les pauvres hères stationnés aux coins des rues ou sous les auvents. « Des artistes de variétés tombés dans l'alcool, des reines du burlesque enceintes, des gens du cirque sur la paille… Vous ne trouverez nulle part ailleurs autant de nécessiteux que sur Broadway et la 42e, Iseult. »

Au nord de la 42e, Mère Power s'arrêta pour parler à un clochard. Le flot humain sur Broadway les contourna. Iseult observa la religieuse alors qu'elle tendait au bonhomme un chapelet et une pièce d'un dollar en argent extirpé des plis de son ténébreux habit. Dans un loft de la 34e, Iseult l'aida à répartir les chapelets entre les jeunes Polonaises assises derrière des machines à coudre Singer, occupées à confectionner des costumes de bain en laine noire. Des centaines de costumes terminés étaient empilés dans des caisses sur le sol de l'atelier. La puanteur de la lanoline et de l'empois lui rappela le New Hampshire, la filature où les métiers mécaniques marchaient jour et nuit.

Rien que de gravir les escaliers gras jusqu'aux ateliers et aux logements constituait un effort. Au mieux cela sentait le renfermé. Iseult fut atterrée par l'apathie de ces gens face à la maladie et à la misère. Dans un troisième étage sans ascenseur de la 47ᵉ Rue, alors qu'elle tenait dans ses bras un tout-petit qui se débattait en couinant et en urinant afin que Mère Power puisse lui désinfecter au mercurochrome une morsure de rat, Iseult eut la sensation de participer à un combat nécessaire, important, capital même. Elle qui avait toujours voulu lutter pour quelque chose qui la dépassait. C'était chaque fois dans les moments où son mal ne lui avait laissé que la force de mépriser la maladie qu'elle s'était sentie le plus déterminée, le plus courageuse, le plus vivante.

Ce soir-là, allongée dans son lit en fer peint en blanc, Iseult se dit qu'elle avait trouvé sa vocation. Elle ferait vœu de pauvreté, de chasteté et d'obéissance, entrerait chez les Sœurs du Sacré-Cœur de Jésus et se rendrait chaque semaine dans le quartier de Hell's Kitchen en faisant voler les jupes de son ample habit noir.

Elle ne confia à personne cette décision. Elle avait peur que Mère Power se moque d'elle. Et elle était sûre que ses parents ne seraient pas d'accord. Son père, un congrégationaliste de Nouvelle-Angleterre marié à une catholique, cultivait une sainte horreur des religieuses, même s'il s'efforçait de ne pas le montrer – des sorcières, voilà ce qu'elles étaient pour lui. Ses parents la retireraient du couvent pour l'envoyer dans un sanatorium des White Mountains.

Le lundi, la mère supérieure, une petite Irlandaise aux joues roses, interrogea Iseult sur son expédition. «Une jeune fille dans votre état de santé en mission à Hell's Kitchen ? Je n'ai jamais entendu une chose pareille. À quoi pense Mère Power ? Il n'est pas question que vous retourniez là-bas.»

Toutefois, le samedi suivant, Mère Power entra dans la salle d'études comme la première fois et Iseult se dépêcha d'aller chercher ses gants et son chapeau avant qu'on puisse l'arrêter.

« Ne vous croyez pas différente des autres, Iseult, parce que vous ne l'êtes pas, proclama la religieuse en haussant la voix pour se faire entendre dans le vacarme de la 8e Avenue. Et ne cédez pas non plus au sentimentalisme. Efforcez-vous d'examiner les choses de près, de voir autant que possible les choses comme elles sont. »

L'atmosphère se réchauffa étrangement à mesure qu'elles s'enfonçaient au sud de Hell's Kitchen dans le quartier des abattoirs où l'air puait le sang, la suie des chemins de fer et le bétail entassé dans des corrals. Sur le quai de chargement d'un abattoir, elles distribuèrent des chapelets et récitèrent une dizaine d'*Ave* avec des bouchers allemands et autrichiens. Des hommes aux bottes et aux grands tabliers maculés de sang. En remontant vers le nord par la 9e Avenue, Mère Power désigna des coins de rue où des nègres avaient été torturés puis pendus au cours de la guerre de Sécession.

« Ce sont des catholiques qui ont fait cela, Iseult. La douleur de l'innocent Lui est infligée multipliée par cent. Le Christ éprouve dans Sa chair chaque coup de fouet, chaque brûlure, chaque plaie. Ici ont péri des martyrs et aujourd'hui c'est un marché de viande. »

À présent, la plupart des coins de rue à ce niveau de la 9e Avenue étaient occupés par des jeunes femmes vêtues tout de blanc qui faisaient tournoyer leurs ombrelles.

« Vous savez ce qu'est la prostitution, n'est-ce pas, Iseult ?

– Oui. »

Patrick Dubois, un garçon qu'elle connaissait dans le New Hampshire, prétendait que les prostituées – il les appelait des « chipies » – habitaient le Thatcher, l'hôtel entre la filature et la gare. Ses parents ne disaient jamais rien à leur propos, tout comme ils ne parlaient jamais des enfants rachitiques et sales qu'Iseult apercevait assis sur le perron des petits immeubles à deux étages de Textile Street. Il lui était souvent arrivé, en passant, d'entendre les hurlements d'hommes et de femmes se querellant à l'intérieur.

Ferme ta gueule, toi, putain de cochon*!

À croire que ces gens n'avaient plus toute leur raison. Elle se demandait dans ces cas-là si son père embauchait des aliénés. Ou bien les métiers mécaniques les rendaient fous? Ce fut Patrick Dubois, et non ses parents, qui lui raconta la célèbre bataille, sur le pont au-dessus des chutes, entre d'une part les ouvriers et contremaîtres irlandais et d'autre part les migrants canadiens français: un homme était tombé à l'eau, un autre avait été roué de coups de pied jusqu'à ce que mort s'ensuive. Elle aurait aimé questionner son père sur ses souvenirs, mais savait que la curiosité de sa fille ne ferait que l'irriter.

Les eaux vives de la rivière, voilà ce qui avait attiré son arrière-grand-père dans le New Hampshire au cours des années 1820, car à cette époque les machines pour tourner dépendaient directement de la vitesse du courant. Son aïeul avait réussi à domestiquer le torrent et à régulariser son cours, d'abord en construisant des barrages, puis en installant des turbines à vapeur. L'usine n'a que faire de la nature sauvage.

Au commissariat de la 35e Rue, Iseult et Mère Power récitèrent le chapelet avec des policiers agenouillés, puis elles visitèrent la prison. Les cellules étaient plutôt tranquilles l'après-midi du samedi, en attendant les bacchanales hebdomadaires entre Times Square et les quais, même si, en ce lieu, un véritable silence était chose impensable. Des ivrognes et des morphinomanes ronflaient et gémissaient, quelqu'un grommelait des paroles qui n'avaient ni queue ni tête, on entendait des pleurs. Iseult aida la religieuse à glisser entre les barreaux des chapelets, des missels et des images saintes. Une odeur nauséabonde à vous soulever le cœur.

Iseult s'agenouilla auprès de Mère Power pendant qu'elle encourageait les prisonniers à réciter une neuvaine, puis la suivit, attentive à la façon dont elle réconfortait une prostituée allemande du nom de Flossie, laquelle avait la veille poignardé un homme. Cramponnée des deux mains aux barreaux de fer, Flossie est jolie dans un genre déchu. On lui donne entre dix-huit et trente ans. Sa robe jaune est déchirée à l'épaule et quoi qu'il lui soit arrivé, elle préfère que sa mère ne sache rien.

« Ma vieille à Brooklyn habite. J'écris une lettre, je dis à elle je rentre en Allemagne, chez nous. »

Toute sa vie, Iseult a été traitée comme un objet fragile soigneusement emballé. Lorsque la religieuse posa ses mains sur celles de Flossie agrippées aux barreaux et que la jeune femme éclata en sanglots, Iseult, saisie par les sons, les odeurs et la candeur du désespoir, ressentit avec une acuité presque écœurante sa propre situation de privilégiée.

Prostituées. Ruisseaux d'eau sale. Ivrognes. Verre brisé, violence, crasse. La faim dans tous ses états. C'est la curiosité qui l'avait attirée dans ce quartier, pas un sentiment religieux. Elle n'avait jamais réussi à sentir la présence de Dieu. L'idée qu'elle avait trouvé sa vocation était un leurre, une preuve d'orgueil, un fantasme.

Flossie lâcha les barreaux et se mit à tousser. La respiration sifflante. Mère Power pria la geôlière de lui chercher un pichet d'eau fraîche et essaya d'en faire boire à la jeune femme, sans résultat – l'eau froide ne servait à rien, songea Iseult qui était bien placée pour savoir. Cette toux les poursuivit alors qu'elles quittaient le commissariat.

Même si elle ne devait jamais devenir une religieuse comme Mère Power, Iseult pouvait tenter de se voir dans les autres, et voir les autres en elle-même. Elle l'accompagna chaque samedi jusqu'à la fin du semestre. La mère supérieure était sûrement au courant, mais pour une raison ou une autre, elle s'abstint d'intervenir. Certes, elle se moquait de Mère Power dans son dos mais, comme tout le monde, elle la redoutait.

Le premier samedi du mois de juin était le jour des prix au couvent du Sacré-Cœur. Iseult et ses camarades de classe, tout en blanc, des petits bouquets à la main, entrèrent dans la chapelle où les parents les attendaient déjà assis. Le cardinal Farley célébrait la messe. Ensuite on servit du thé à la fraise. Ce fut un après-midi amical plein d'émotions. Des filles qui en trois ans avaient à peine adressé la parole à Iseult l'embrassèrent affectueusement.

Mère Power assista à la messe avec les autres religieuses mais, au moment du thé à la fraise, disparut avant qu'Iseult ait eu le temps de lui dire au revoir. On était samedi, n'est-ce pas ?

Ce soir-là, ses parents l'emmenèrent dîner au Delmonico où elle but sa première coupe de champagne. Le lendemain, en Pullman, ils montèrent jusque dans le Maine, à Kennebunkport, où son père avait loué pour l'été un spacieux cottage bien aéré. En compagnie de sa mère, elle s'inscrivit à un club de peinture pour dames et passa un bon nombre d'après-midi à peindre des marines qui n'étaient ni plus laides ni moins laides que celles des autres. À l'automne, elle entra en première année d'université à Smith, mais une crise d'asthme particulièrement méchante l'ayant éreintée, ses parents ne lui permirent pas d'y retourner après Noël ; elle passa plus ou moins l'hiver au lit. L'année suivante, son père mourut, et quelques mois plus tard, sa mère et elle quittèrent le New Hampshire pour s'installer à Pasadena.

Bien qu'Iseult n'ait jamais revu Mère Power, elle pensait souvent à elle. Intrépide, pas commode, animée par une flamme intérieure, la religieuse avait été la première femme dans la vie d'Iseult à posséder une vision puissante de sa place dans le monde.

Vêtue d'une robe d'été, une robe en popeline de coton d'un bleu lumineux avec des rayures blanches, elle sentait la patte chaude du soleil californien dans son dos. Sa famille de Nouvelle-Angleterre aurait détesté voir qu'elle ne portait pas le deuil.

Personne de sa connaissance n'aurait eu l'idée d'emménager à Venice. Sa famille de Boston pensait Dieu sait pourquoi que, sa mère disparue, Iseult reviendrait vivre auprès d'eux dans leurs maisons sombres et étriquées de Back Bay à Boston. Il n'en était pas question, jamais de la vie.

Des colonnades – sans doute la touche vénitienne – ombrageaient les trottoirs de Windward Avenue, même si les colonnes étaient en plâtre et non en pierre italienne : elles sonnaient creux quand on tapait dessus. S'y succédait une demi-douzaine de saloons bruyants. À Pasadena et L.A., les saloons ainsi que presque tous les commerces étaient obligés de fermer le dimanche, mais Venice vivait selon ses propres lois.

Elle dénicha une agence immobilière dans une rue perpendiculaire à la plage, entre un restaurant de fruits de mer et une boutique qui vendait des mocassins indiens, des bateaux dans des bouteilles et des serviettes de plage à rayures. En se penchant vers la vitrine pour mieux voir à l'intérieur, elle distingua des bureaux vacants et une plante en pot de proportions gigantesques. Elle se dit que la boutique était sans doute fermée quand, tout au fond, elle avisa, derrière un journal ouvert, un homme assis, les pieds sur son bureau. Une clochette tinta quand elle poussa la porte, et l'homme abaissa son journal. Dès qu'il la vit, il descendit ses pieds et se leva.

« Puis-je vous aider ?

– J'aimerais visiter des maisons.

– Ah, ça, vous ne pouviez pas mieux tomber. »

Il avait peut-être un an ou deux de moins qu'elle. Le visage hâlé, les yeux bleus, les dents très blanches.

« Vous voulez sans doute terminer votre repas. » Un sandwich au poulet à moitié mangé était posé sur son bureau.

« Absolument pas. De toute façon, il n'est pas très bon. » Il cueillit son chapeau au passage. « Je vais me faire un plaisir de vous montrer ce qu'il y a. Je n'ai pas beaucoup de propriétés à vendre, mais il y a parmi elles quelques bijoux. Je me présente : Grattan O'Brien.

Certains hommes prenaient la main d'Iseult et l'écrasaient comme s'ils essayaient d'empêcher un oiseau de s'échapper. Sa mère avait désapprouvé ces poignées de main échangées entre hommes et femmes, jugeant que c'était là un américanisme vulgaire. Celle de Grattan était ferme et rapide, pourtant elle avait quelque chose d'intime ; un frottement pénétrant toute la profondeur de son épiderme jusqu'à l'os. Elle sentit ses joues s'enflammer quand des pensées surgirent non sous forme de mots, mais plutôt d'émotions qui, bien qu'indécises, s'agrippaient à ses sens, et la sidéraient.

Mais il était possible d'ignorer ses émotions ; on n'était pas forcé de les manifester.

Sur Windward Avenue, à l'ombre des colonnades, les voix résonnaient et il flottait dans l'air des odeurs de friture. Les passants mangeaient des glaces dans des pots en carton. Un homme devant un magasin avait des chaînes de montre enroulées autour du bras. « De l'or véritable ! criait-il. Allons, messieurs, ne suspendez pas une belle tocante à une chaîne de quatre sous ! Ce que j'ai là, c'est des vraies chaînes en or, seulement un dollar ! »

Tout en marchant, Grattan O'Brien lui raconta que Mr Abbot Kinney projetait de faire de Venice la plus extraordinaire communauté résidentielle d'Amérique, une ville-jardin où des canaux étincelants remplaceraient les rues poussiéreuses. Elle s'efforçait de l'écouter, omnubilée qu'elle était par le sentiment de la mort, de la présence de la mort derrière toute chose.

« On va passer par le Lagon voir si on ne peut pas sauter dans une gondole. Il n'y a que deux maisons à visiter. Les terrains se vendent bien, mais jusqu'ici, peu de gens ont encore construit. »

Je suis une orpheline, songea Iseult. *Une orpheline que guide vers l'ouest un jeune homme dont les poignets et les mains sont aussi bruns, lisses et luisants que les branches du manzanita.*

Le « Lagon » était un étang verdâtre flanqué par ce qu'il appela l'« amphithéâtre ».

« Il y a eu une compétition ce matin, de natation. L'amphithéâtre peut accueillir deux mille cinq cents personnes. C'était un marécage lorsque Mr Kinney est venu la première fois. Rien que de la vase et des oiseaux. »

Plusieurs rangées de colonnes et de statues en plâtre surplombaient des gradins branlants : un croisement entre la ruine romaine et la piscine de Dartmouth College, se dit Iseult. Sur l'autre rive du Lagon, trois gondoles noires étaient amarrées à un ponton sur lequel des gondoliers en polo rayé fumaient en jouant aux cartes. Un peu de brume soufflait de la mer, modelant la lumière plate et crue du soleil. Non loin, les vagues battaient le sable de la plage.

« *Luigi, per piacere*, nous emmenons la *signora* à Linnie. »

Les gondoliers levèrent les yeux de leurs cartes. L'un d'eux jeta les siennes avec un haussement d'épaules et se leva.

« Bien sûr, Mr Grattan.

– Comment vont les affaires ? demanda Grattan.

– Ah, pas formidable. »

Une fois l'homme descendu dans son embarcation, Iseult prit la main qu'il lui tendait. C'était agréable d'être sur l'eau, bercée par une douceur soyeuse, une profondeur liquide, un mystère. Grattan s'assit à côté d'elle, le gondolier enfonça sa rame et ils se détachèrent du ponton.

Avec son arrière relevé muni d'une pointe crochetée à la façon d'une queue maléfique, la gondole ressemblait à un dragon. Elle était aussi étroite et frêle qu'un canoë. Le gondolier chantonnait tout en manœuvrant.

« C'est tellement plus plaisant qu'à pied, vous ne trouvez pas ? » dit Grattan.

Une sensation merveilleuse : l'arôme du bois goudronné et l'étrave noire glissant sans bruit à travers le bassin en direction du Grand Canal. Dans les eaux paresseuses clapotait une bande de canards.

« Qu'est-ce qui distingue ces canaux des canaux normaux ? »

Il sourit. « Bonne question. En général, on creuse des canaux quand on effectue des travaux d'abduction d'eau, dans le but d'assécher un marais ou d'irriguer des plantations. Ceux-ci ont été conçus pour l'agrément des gens qui aiment vivre au bord de l'eau. C'était l'idée d'Abbot, en tout cas. En été, il fait souvent dix degrés de moins ici qu'à Los Angeles. Vous dormez sous une couverture. Vous êtes de la côte Est ?

– Oui.

– Moi, je viens du Canada. Alors il ne faut pas me lancer sur l'air marin que l'on respire dans ce pays, ou vous allez me prendre pour un bonimenteur. »

Ils continuèrent à filer entre les rives du canal. Au nord, elle reconnut les montagnes vert olive de Santa Monica, et à l'est, les teintes pourpres des monts San Gabriel, au-delà de Pasadena. Leur avancée régulière et silencieuse s'apparentait au rêve, au demi-sommeil. Sa mère aurait qualifié cette journée d'escapade. À juste titre ? Elle se sentait légère, dégagée de tout.

La gondole se coula sous deux passerelles. Les promeneurs étaient rares le long des canaux. Elle remarqua qu'il y avait beaucoup plus de bornes témoins et de tas de sable que de maisons.

« Pour tout vous avouer, nous n'avons pas vendu beaucoup de parcelles. Les gens n'apprécient guère les canaux ; ils veulent de vraies rues de manière à pouvoir garer leurs automobiles devant chez eux. Ils n'en ont pas tous, mais espèrent un jour en avoir une.

– Vous ne faites pas un très bon vendeur. Vous ne devriez pas me donner des raisons de ne pas acheter.

– Bon, mais nous avons le trolleybus. Los Angeles n'est qu'à cinquante-deux minutes. Je tiens à vous brosser un tableau complet de la situation. Venice n'a pas pris la tournure voulue par Mr Kinney. Je ne devrais pas vous le dire mais, à mon avis, il en a assez. Les gens, voyez-vous, n'ont aucune attirance pour la beauté. C'est pourquoi il a été obligé de mettre à leur disposition des parcs d'attractions, des manèges et le reste. Une personne telle que vous serait peut-être plus heureuse à Ocean Park ou à Santa Monica.

– Une personne telle que moi? C'est quoi dans votre esprit exactement?

– Eh bien, Santa Monica est plus civilisé, c'est mon point de vue. Je ne suis pas débordé au bureau… vous l'avez peut-être remarqué. Tous les autres vendeurs ont donné leur démission, et je suis en train de me tâter moi-même. Quand on n'a rien à faire de ses journées, on finit par se sentir un peu seul.

– Seul? Sur la plus grande piste de danse du monde? le taquina-t-elle. Avec en plus, une piste pour patins à roulettes!

– Vous devriez rencontrer ma femme, dit-il. Elle vous mettrait au parfum de ce qu'est la vie par ici. »

Iseult se détourna, trempa sa main dans l'eau, jouissant de la pression du courant entre ses doigts. Elle avait la gorge serrée, sèche.

« On entend les coyotes la nuit », ajouta-t-il.

Soleil sauvage, ciel bleu acier, glissement de l'étrave dans l'eau verte. Pas un choix d'habitation bien raisonnable.

Le gondolier interrompait de temps à autre son fredonnement pour entonner une aria. Chantait-il en son honneur, se demanda-t-elle, ou parce que cela faisait partie de son travail? Cela importait-il, après tout? Elle ferma les yeux; la musique flotta autour d'elle tandis qu'elle offrait son visage à la caresse du soleil.

Ce dont elle avait surtout conscience, c'était d'être empoignée par une volonté animale: l'élan du désir. Grattan, mince et vif. Elle avait envie de le mordre, de goûter à sa peau.

Il lui fit visiter deux bungalows sur Howland Canal, puis un troisième sur Linnie Canal, tous construits selon le même plan. À l'intérieur, cela sentait le bois brut, la sciure, l'enduit et la peinture fraîche rance. Au milieu de la cuisine d'une des maisons de Howland, des écureuils ou des ratons laveurs avaient confectionné un nid de chiffons, d'herbes séchées et de brindilles.

Les grandes et blanches demeures de la Nouvelle-Angleterre pouvaient être des boulets au cou de leurs habitants. Elle avait vu son père emporté peu à peu vers la mort par la tristesse et le poids d'une telle maison, jusqu'au dimanche après-midi où il était monté au grenier pour se tirer une balle dans la tête avec le Colt Navy que son propre père avait rapporté de la guerre de Sécession.

Le Linnie Canal était son préféré. Peut-être à cause du nom. *Linnie*, une jolie fille ; *Howland*, lugubre, masculin. C'était étrange de se trouver seule dans une maison vide en compagnie d'un jeune homme inconnu. Elle se sentait vulnérable, ouverte à tout et sans limites.

Grattan lança : « Franchement, je ne comprends pas ce qu'ont tous ces gens à vouloir posséder des maisons.

— Tout le monde a besoin d'un toit, Mr O'Brien.

— Vous croyez ? Moi, je pense que je transporte ma maison dans ma tête.

— Et votre femme, qu'en pense-t-elle ?

— Oh, elle veut que nous achetions, dit-il d'un ton lugubre. Nous habitons son studio sur Windward. Au-dessus du blanchisseur chinois. Elle dit que ce n'est pas bon pour le bébé. La naissance est pour dans deux mois.

— Mes félicitations.

— J'aime bien l'idée que je peux partir quand je veux. Un jour ou l'autre, tous les lieux deviennent ennuyeux. Je préfère les regarder de l'extérieur. »

Mr Grattan O'Brien avait la bougeotte. Elle se demanda si cela inquiétait sa femme.

Une minute suffit à en faire le tour. Fenêtres sales, poussière de plâtre, odeur de renfermé. Repoussant ses sensations lubriques, elle s'efforça d'observer l'espace, la manière dont la lumière éclairait les petites pièces. L'évier, les carreaux rutilants des plans de travail jaune et noir. La glacière. La baignoire, le w-c en porcelaine, le lavabo, le carrelage blanc du sol. Les fenêtres du salon donnaient sur le chatoiement vert du canal. Pourrait-elle vivre ici ?

« Je suppose qu'elle vous plaît, à moins qu'elle ne vous plaise pas, dit-il. C'est une belle heure tout de même, vous ne trouvez pas ? Regardez la façon dont le jour entre par les fenêtres. Ces maisons sont très lumineuses. Vous devriez musarder un peu, voir comment vous la sentez. Je ne vais pas vous imposer ma présence. Je vous attends dehors. »

Elle essaya d'imaginer sa femme : active, jolie, jeune. Plus ambitieuse que Grattan peut-être, gagnée par l'impatience.

« Merci. Je ne serai pas longue, répliqua-t-elle.

– Prenez votre temps, Miss Wilkins. »

Il sortit en refermant la porte derrière lui. Comme elle ne bougeait pas, elle l'entendit gratter une allumette. Et le gondolier qui chantait toujours, qui chantait pour nul autre que lui-même.

Iseult explora une deuxième fois, seule, les pièces claires et nues. Leur disposition était la plus simple qui soit. C'était une petite maison de rien du tout. La chambre avait la moitié de la taille de celle qu'elle occupait à Pasadena. Pourtant, elle ruisselait de lumière. Difficile de se figurer quiconque y mourant. L'autre chambre pouvait devenir sa bibliothèque, son atelier, son « pensoir ».

De quelle nature serait une passion susceptible de se déverser dans cet intérieur ? Les maisons qu'elle avait connues parlaient toutes la langue sombre de sa famille. Venice, Californie, était éloigné de tout et de tous, mais qu'importait ? Elle touchait assez de rentes pour vivre modestement. Elle était prête à adopter une existence solitaire pour quelque temps. Dans une petite maison dépourvue de tout vestige de son passé, elle aurait une chance de rencontrer le calme et la clarté d'esprit, elle trouverait peut-être ce à quoi elle était destinée.

Pendant qu'ils remontaient le Grand Canal, Grattan s'abstint de lui demander ce qu'elle avait pensé du cottage. En fait, il garda le silence. Comme s'il s'était déconnecté, ou avait tourné son esprit vers l'intérieur.

Une fois à quai, il insista pour l'accompagner jusqu'à l'arrêt du trolley où une rame de trois voitures embarquait les passagers.

« J'espère que vous n'avez pas l'impression d'avoir perdu votre temps, dit-il.

– J'espère que je ne vous ai pas fait perdre le vôtre.

– Certainement pas. » Il sourit. Ils se serrèrent la main et elle monta dans la dernière voiture. Le plancher était saupoudré de sable qui crissait sous les pieds. Elle trouva une place près d'une fenêtre. Grattan O'Brien était toujours debout sur le trottoir, chapeau à la main. Il avait un on ne sait quoi d'inachevé ; un être à la carapace à peine ossifiée. Il lui faudrait un homme plus dur. Têtu, volontaire. Un homme qui l'emmènerait là où elle n'irait jamais d'elle-même.

Le trolley démarra dans un soubresaut et elle se détourna de la fenêtre. Autour d'elle s'entassaient des mères et des petits enfants aux figures cuites par le soleil, des parasols, des paniers à pique-nique, des pères et des oncles qui déjà s'assoupissaient en dodelinant de la tête, des enfants plus grands et capricieux. Apparemment, elle était la seule à voyager sans personne.

La veille de la mort de sa mère, le fils d'une des amies de celle-ci, de retour de Yale à l'issue de sa première année, avait téléphoné à Iseult pour l'inviter à jouer au tennis et à prendre le thé au Pasadena Club. « Demain après-midi, mettons… à trois heures ? »

Ce fut la première fois, et la seule. Elle s'effondra. Le combiné pressé contre son oreille, elle sentit ses poumons se vider de leur oxygène comme si elle poussait son dernier soupir.

Le téléphone était fixé à la boiserie sombre du couloir qui empestait le détergent. Depuis des semaines, la gouvernante, Cordelia, supplantée auprès de sa maîtresse par les infirmières qui se succédaient à son chevet, n'avait plus rien d'autre à faire qu'épousseter les pièces dépouillées, à peine habitées. Cette grande femme de couleur à la taille élancée, originaire d'Oklahoma, paraissait sans âge. Vu sa minceur et l'étroitesse de ses hanches, on aurait presque pu la prendre pour un homme. Sous la fluidité de ses gestes, on devinait la vigueur d'une force physique exceptionnelle. Décidée à ne pas perdre sa place, elle n'arrêtait pas de frotter, briquer, cirer avec une telle ardeur que la maison de Pasadena reluisait d'un éclat à la limite cruel, tant tout était rutilant, laid et parfaitement en ordre ; on se serait cru dans une société de pompes funèbres.

Donc, lorsque Iseult entendit cette voix jeune et si joyeuse vibrer à son oreille, son chagrin fondit sur elle et lui broya les poumons. Incapable de résister au poids qui l'écrasait, elle lâcha l'écouteur et le laissa se balancer au bout de son fil tandis qu'elle se mettait à quatre pattes sur le Tabriz et y posait le front. Elle s'allongea sur le côté, la joue contre les points colorés du tapis, la respiration sifflante, suffocant, jusqu'à ce que Cordelia, qui dévalait le couloir avec un plateau, trébuchât sur elle en poussant un cri.

Cordelia appela le médecin. Il arriva au volant d'une automobile et fit une piqûre à Iseult. Après quoi elle se remit à respirer normalement ; quelques minutes plus tard, elle sombra dans un lourd sommeil. Cordelia ordonna aux jardiniers japonais de la porter dans sa chambre à l'étage, puis elle la déshabilla et la mit au lit.

Iseult se réveilla le lendemain matin avec un mauvais goût dans la bouche et un terrible mal de tête, elle s'habilla et descendit sans passer voir sa mère comme à l'accoutumée. Elle prenait son café dans la salle de petit déjeuner lorsque Cordelia entra et posa une main brune sur son épaule. « Mon petit, votre maman s'en est allée. »

Elle était morte pendant la nuit. L'infirmière de garde avait réveillé Cordelia, fait son sac et vidé les lieux dès l'aube.

Cordelia se servit une tasse de café. Iseult monta seule.

On avait fait le ménage dans la chambre et ouvert grand les fenêtres. L'odeur était presque partie. Cordelia avait cueilli des fleurs dans le jardin et déposé le bouquet sur la table au pied du lit. La mère d'Iseult gisait sous un drap immaculé, parfaitement lisse, qui lui remontait jusqu'à la gorge. Ses mains étaient croisées sur sa poitrine. Sous sa tête, un oreiller propre et joufflu.

D'abord son père, ensuite sa mère – avec chaque mort, elle s'endurcissait un peu plus. Elle était seule désormais, et elle allait devoir montrer davantage d'audace. Il fallait s'engager dans la vie, commencer à vivre.

Non, elle ne resterait pas à Pasadena.

Même avec les glaces baissées, l'air dans le trolley puait le métal brûlant, le caoutchouc du revêtement de sol et la nourriture rance dont s'exhalaient des effluves douceâtres. Sous elle, comprimées par les roues d'acier, les rails couinaient. Toutes les places étaient prises. De l'autre côté de la travée, une jeune fille dorée par le soleil dormait, la tête sur l'épaule de son jeune voisin qui lui tenait la main.

Les appétits animaux avaient ceci d'embarrassant qu'on ne pouvait les nier, et qu'on les contrôlait difficilement. Avant que ses parents ne l'envoient au pensionnat du Sacré-Cœur, dans l'école de leur ville du New Hampshire qu'elle fréquentait, il y avait ce Patrick Dubois, une petite brute qui sentait la laine. Par une belle journée d'avril, Patrick l'avait poussée, marche après marche, jusqu'en bas de l'escalier en bois de la cave de l'école. C'était soi-disant un jeu : elle était sa captive sans défense.

Persuadée qu'elle tirait les ficelles de cette émoustillante petite joute, elle s'attardait sur chaque marche en le mettant au défi. « Tu ne peux pas me forcer.

– Ah, si, si.

– Essaye un peu, tu verras. »

C'était le signal. Patrick posait alors ses mains grasses sur ses épaules et appuyait jusqu'à ce qu'elle descende d'une marche. Treize en tout et, au bout du compte, ils se retrouvaient tous les deux debout sur le sol en terre battue de la cave. Cela leur avait pris une dizaine de minutes. Patrick était grand et devait baisser la tête pour ne pas se cogner aux poutres.

Il habitait avec ses parents et ses sœurs un des immeubles que le grand-père d'Iseult avait fait construire pendant la guerre de Sécession. Il fréquentait la même école où il avait un job rémunéré en plus. Pendant l'hiver, trois ou quatre fois par jour, il s'absentait discrètement de la salle de classe pour descendre à la cave jeter des pelletées de charbon dans la chaudière. Il y gardait une serviette, un seau d'eau chaude et un morceau de savonnette jaune afin de se débarbouiller, sans beaucoup de résultat. Lorsqu'il reprenait sa place au fond de la classe, il avait toujours un peu de noir sur le visage, ou le cou, ou bien le bras. Et pour elle, il sentait toujours le charbon ; l'anthracite avait une odeur de vieux feu éteint, un parfum de souterrain.

Au bas de l'escalier, ils se tenaient face à face. Le peu de lumière qui tombait d'en haut permettait tout juste à Iseult de deviner son expression, et son air aux abois l'effrayait.

«Tu m'embrasses ?» demandait-il. Il se passait la langue sur les lèvres, les yeux brillants et le regard fuyant. Il s'était sans doute mis au défi d'arriver jusque-là et maintenant rien n'allait l'arrêter. Sinon il se détesterait ; elle pouvait faire ou dire n'importe quoi, cela n'y changerait rien. Rien à voir avec elle. Avec lui non plus d'ailleurs, dans un sens. Ce n'était plus entre ses mains.

En avril, les journées étaient longues dans le New Hampshire, pas comme en novembre, mettons. Le soleil était encore haut dans le ciel après les cours, le jour éclairait l'escalier de la cave. À entendre la mère d'Iseult, l'école était excellente pour les enfants de la ville, mais elle devait s'ouvrir à d'autres horizons. Elle était déjà inscrite au couvent du Sacré-Cœur à New York, un internat qui accueillait des jeunes filles d'un peu partout aux États-Unis, du Mexique et d'Amérique du Sud, et où on lui enseignerait des choses importantes.

« Quoi ? » avait-elle demandé.

Sa mère avait souri. « Comme ne pas dire "quoi ?"

– Pourquoi pas ?

– C'est vulgaire. » Sa mère, née à New York de parents français et ayant grandi en Europe, parlait avec un léger accent.

« Pourquoi ?

– Parce que c'est laid. Et mal poli. »

Ainsi Iseult s'en irait dans cinq mois à New York, mais, pour l'heure, elle se trouvait toujours dans la cave en compagnie de Patrick Dubois. Sa question n'appelait pas de réponse verbale, pourtant elle avait fini par rétorquer :

« Non merci. »

Chaque fois qu'elle se remémorait cet après-midi, elle se rappelait la qualité de la lumière. Si on avait été en novembre, elle ne serait jamais descendue avec lui.

« Allez. Sois gentille.

– Je crois que je vais remonter.

– Fais pas ta mijaurée. Juste un petit baiser.

– Je crois que je vais remonter.

– Allez. Ça va pas te faire mal, Iseult.

– Il faut que je rentre chez moi. S'il te plaît, laisse-moi passer.

– Pas tant que tu ne m'as pas embrassé, dit Patrick Dubois. Allez, Iseult, je ne voudrais pas salir ta robe. Tu es tellement pure. La plus pure du monde, je te jure. »

Il n'avait pas bougé, ne l'avait pas touchée. Il se contentait de la regarder. En s'y prenant comme il faut, elle pouvait redresser la situation.

« Bon, d'accord, dit-elle.

– Sur la bouche. Maintenant, c'est obligatoire. Un vrai baiser. »

Courbé sous les poutres du plafond, les bras ballants : un grand garçon pataud. Si elle était assez rapide, elle réussirait à s'esquiver et à remonter plus vite que lui. Elle se figea. Elle n'avait plus peur de lui.

« Alors, dit-il. Tu m'embrasses, oui ou non ? »

Elle se rapprocha d'un pas et, debout sur la pointe des pieds, effleura très brièvement ses lèvres avec les siennes. « Voilà. » Elle fit un pas en arrière. « Maintenant, tu vas raconter à tout le monde que je t'ai embrassé. Tu vas dire que c'est moi qui ai eu l'idée ? »

Il avait les lèvres sèches et râpeuses, un goût de route poussiéreuse sous les roues d'un cabriolet.

Il secoua la tête. « Mais pas du tout, Iseult.

– Tu promets.

– Je te le promets.

– Si tu ne dis rien à personne, je redescendrai peut-être avec toi un de ces jours. »

Le laissant planté devant la porte d'entrée de l'école, un balai à la main, elle sortit dans le jour limpide. Balayer faisait aussi partie de son job, ainsi que laver les tableaux noirs, aligner les bureaux et veiller à ce que l'école soit fermée à clé. Combien était-il payé pour toutes ces tâches – vingt dollars par an ? Son père empochait sans doute l'argent.

Combien de fois était-elle descendue à la cave avec Patrick Dubois ? Elle ne lui avait jamais permis de l'enlacer ni de la caresser, mais leurs baisers s'étaient épanouis. Elle explorait les saveurs de sa bouche et de sa langue. Elle nouait les bras autour de son cou de taureau, pliait les genoux et sentait son pénis en érection battre à travers leurs vêtements tandis qu'elle se soulevait du sol, pesant de tout son poids sur sa nuque, suspendue à lui – lui le tronc, elle la branche.

Ses proches s'étaient acharnés à revendiquer le droit de diriger sa vie. Elle connaissait très mal son propre corps. La tension du désir, c'était comme lorsqu'elle tournait son visage vers le soleil.

Un autre que soi pouvait vous paraître aussi transparent qu'un verre d'eau, mais même l'eau recelait un mystère, n'est-ce pas? Jaillissant des profondeurs comme elle le faisait. Tombant du ciel.

L'avocat de sa mère à Pasadena, un Spaulding de la famille Spaulding du Massachusetts, déclara: «Vendre la maison ne sera pas un problème, mais Venice? Voyons, Iseult. Ces villégiatures de bord de mer sont sordides.»

Spaulding était un gentleman yankee plutôt strict, fondateur de la Société théosophique de Pasadena. Il avait réussi à persuader la mère d'Iseult d'adhérer à l'association lorsque s'était déclaré le cancer de l'estomac qui finirait par la tuer. Iseult avait assisté à quelques réunions; tout un tas de sornettes, avait-elle conclu. La Californie avait un effet singulier sur les sévères protestants de la Nouvelle-Angleterre, comme sur les pieux catholiques, au demeurant. Peut-être était-ce le soleil, ou le jus d'orange, ou encore la douce poussière du désert qui irisait l'air. Iseult ne pouvait pas se figurer ces mêmes personnes, de retour dans le New Hampshire, discutant candidement de réincarnation, de corps astral, de symbiose avec l'univers.

«Êtes-vous déjà allée à Venice?» demanda-t-elle à Spaulding.

L'avocat tressaillit ostensiblement. «Non, mais j'ai lu dans le *Times* que le tramway électrique y a transporté vingt mille personnes rien qu'au cours de ce dernier week-end. Une véritable horde! Ce n'est pas un endroit pour moi, merci beaucoup.

– J'ai des actions de Pacific Electric, si je ne me trompe?»

Il acquiesça. «Oui. Quelques-unes.

– Et vous?

– Je pense que oui.

– Alors ne devriez-vous pas vous réjouir de voir cette foule se précipiter là-bas?

– Cela ne signifie pas que je dois me joindre à eux. Vous devriez

84

voir du côté de Santa Barbara, si vous tenez absolument au bord de mer. »

Deux semaines plus tard, Mr Spaulding, tout en maintenant sa réprobation puritaine, la conduisit à Venice dans son automobile afin qu'elle signe l'acte de vente. La vue de Mr Grattan O'Brien au fond de son bureau miteux, les pieds sur la table, plongé dans un livre, porta à son comble l'agacement de l'avocat. Un deuxième homme, un brun au physique râblé, presque trop bien habillé, était assis à un autre bureau et lisait le journal.

« Mon frère, Joe O'Brien, Miss Wilkins. Joe est en route pour le Mexique. Il a passé l'été à construire un chemin de fer au Canada.

– Quelle ligne ? interrogea Mr Spaulding.

– La compagnie Canadien du Nord, répondit poliment Joe O'Brien. Une section dans la montagne, à travers la chaîne de Selkirk en Colombie-Britannique.

– Vous êtes ingénieur ?

– J'en emploie quelques-uns. J'ai une concession sous contrat, voyez-vous. »

Il n'était pas beau comme son frère mais il possédait une magnifique chevelure noire. Il était rasé de près, son col affichait la blancheur de la neige, et pourtant il avait quelque chose chez lui de sombre et de dur, de luisant.

Spaulding étudia le jeune homme plus attentivement. « J'ai toujours dit que les seuls à s'enrichir sur les chemins de fer sont ceux qui les construisent. Personne ne gagne rien à y faire rouler des trains, les actionnaires moins encore que les autres.

– Pour le moment, ma section est sous la neige, je terminerai au printemps. Je compte descendre au Mexique voir s'il n'y aurait pas du travail. Ils projettent une ligne depuis Chihuahua jusqu'au Pacifique. Que de la montagne.

– Quel âge avez-vous, monsieur, si je puis me permettre ?

– J'ai vingt-cinq ans. Mais cela fait longtemps que je suis dans le métier.

– Les Mexicains sont au bord d'une révolution.

– Il faudra bien qu'ils construisent cette ligne un de ces jours. Cela m'intéresse d'aller voir ce qui se passe là-bas. »

Ramassant son journal, Joe O'Brien alla s'asseoir à un bureau plus près de la vitrine pendant que Grattan présentait les papiers de la vente à l'avocat qui, ayant perché sur le bout de son nez ses bésicles à monture d'or, parcourut chaque feuillet.

Sans raison précise, Iseult se tourna et surprit sur elle le regard de Mr Joe O'Brien. Il soutint le sien quelques secondes avant de reprendre la lecture de son journal. S'ils devaient se rencontrer de nouveau un jour, elle se rappellerait ce visage. Pas vraiment dur en fait, mais pas doux non plus. C'était son assurance, et non son physique, qui le rendait plus vieux que ses vingt-cinq printemps.

L'avocat fit une observation, mais elle n'entendit pas.

« Pardon, je n'ai pas bien compris, dit-elle, agacée d'avoir été impudemment toisée par ce Joe O'Brien.

– Vous n'aurez le droit de vendre ni à des Juifs, ni à des Mexicains, ni à des gens de couleur. » L'avocat gardait le regard baissé sur le document qu'il avait à la main.

« Mr Kinney a prié ses avocats d'inclure cette clause, expliqua Grattan. Une clause courante, du moins sur la côte.

– Bien sûr, et j'approuve tout à fait, opina l'homme de loi. Cela protège tout le monde.

– Et aux catholiques ? » avança-t-elle pour taquiner Spaulding, lequel était pourtant venu de Pasadena rien que pour lui rendre service.

L'avocat, en fidèle ami de la mère d'Iseult – catholique –, ignora la question.

« Bien sûr, bien sûr, opina Grattan.

– Bon, dit Spaulding en rassemblant les feuillets. Tout est en ordre, mais êtes-vous bien certaine que c'est ce que vous voulez, Iseult ? Trouverez-vous le bonheur si loin de vos amis ? »

Qu'avaient-ils tous à se faire du souci ? Peut-être était-ce davantage pour se donner bonne conscience ?

« J'ai les moyens, non ?

— Là n'est pas le problème.

— Merci de vos conseils. Et merci d'être venu jusqu'ici. Je vous suis très reconnaissante. Mais oui, c'est ce que je veux.

— Si vous êtes prête à signer, j'appelle le notaire, dit Grattan. Il est juste de l'autre côté de la rue. »

L'avocat consulta sa montre. « J'ai un rendez-vous pour le déjeuner au Jonathan Club dans exactement une heure, Iseult. Je peux vous emmener jusqu'à Hill Street.

— Non, merci. Une fois que nous en aurons terminé, j'ai envie d'aller visiter ma petite maison. »

Dès que les documents furent signés devant notaire, Spaulding donna une poignée de main à Iseult, adressa un bref signe de tête aux jeunes gens et, l'air de se laver les mains de toute l'affaire, sortit. Alors que Grattan fouillait dans le tiroir de son bureau à la recherche des clés, Joe O'Brien déclara :

« Mes félicitations, Miss Wilkins. J'espère que vous en serez contente.

— C'est très gentil à vous. Merci, Mr O'Brien. »

Peut-être s'attendait-il à ce qu'elle détourne le regard la première, mais c'était mal la connaître. Elle attendit qu'il baisse de nouveau les yeux sur son journal. Une sorte de bras de fer, et elle l'avait remporté.

Grattan, en attendant, cherchait toujours les clés. Elle cueillit un mince volume sur sa table.

Poems of the Past and Present
by
Thomas Hardy

« Je n'ai jamais compris la poésie, lança-t-elle avec une note de fierté dans la voix.

– Ah, eh bien, c'est peut-être là son intérêt, justement, répliqua Grattan. Hé! Les voilà!» Il lui présenta les clés sur un anneau de métal.

«Pourquoi lire quelque chose que l'on ne comprend pas?

– Pour faire partie du mystère!»

À l'autre bout de la pièce, Joe O'Brien émit un reniflement significatif.

Grattan sourit. «Joe prétend ne pas posséder une once de sensibilité artistique. Il dit qu'il est le seul dans la famille. Un dur de dur, n'est-ce pas, Joe?

– La sensibilité artistique n'a jamais payé une paire de bottes, répondit son frère.

– C'est vrai. Joe, et si tu accompagnais Miss Wilkins? La maison n'a pas été ouverte ni aérée depuis votre dernière visite, Miss Wilkins. Joe pourra vérifier si l'eau est bien mise et si la porte d'entrée n'est pas coincée ou je ne sais quoi.

– Merci, cela ne sera pas nécessaire. Je peux me débrouiller toute seule.

– Oh, laissez-le donc, Miss Wilkins. Notre vieux Joe mène une vie de rentier ces temps-ci.»

Joe O'Brien se leva sur ces entrefaites. «Cela ne m'ennuie pas du tout. Je serais ravi de voir votre maison.»

Grattan était charmant et aimable avec ce petit quelque chose d'inachevé, alors qu'on devinait chez Joe O'Brien un tempérament implacable. Il l'attendit devant la porte, chapeau à la main.

Elle acquiesça. «Très bien.» Mais dès qu'ils furent dehors, elle ajouta: «Ne prenez pas cette peine, Mr O'Brien. Je connais le chemin.

– Mettons que j'aie besoin de me dégourdir les jambes.»

Ils avaient exactement la même taille. Son complet sombre, son col dur et son feutre détonnaient sur Windward Avenue où des hommes du monde déambulaient en costume d'été crème, chaussures blanches et chapeau de paille jaune.

Ils prirent la direction du canal Linnie en suivant à pied le sentier longeant le Grand Canal.

« Je ne suis jamais allé à Venise, dit-il. Est-ce que cela lui ressemble ?

— Pas vraiment.

— Vous avez beaucoup voyagé.

— J'avais douze ans quand on a visité Venise. J'aimerais y retourner un jour.

— J'ai l'intention de faire le tour de l'Europe.

— Vous le ferez, vous verrez.

— Pourquoi voulez-vous vivre seule ? » demanda-t-il.

Elle lui jeta un bref regard.

« Vous n'êtes pas obligé de répondre, reprit-il. Je n'ai qu'à me mêler de mes affaires, mais cela m'intéresserait de savoir. J'ai vécu seul, et pendant un temps ça m'a plu, oui.

— Il me faut de l'espace pour respirer. »

En vérité, elle avait obéi à un instinct qui dépassait son entendement. Sa mère aurait parlé de caprice. C'était plus que cela, mais ce n'était pas non plus un projet réfléchi. Ils cheminèrent un moment en silence. Il paraissait perdu dans ses pensées. Ruminait-il sa réflexion ? Ou songeait-il aux chemins de fer à construire au Mexique ?

« Oui, finit-il par dire. Je comprends, je crois. C'est vrai pour tout le monde.

— Cela ne vous paraît pas absurde, Mr O'Brien ? »

Il la connaissait à peine, mais il ne lui mentirait pas.

« Vous le saurez bientôt. »

Ils continuèrent leur marche. Le silence entre eux n'avait rien de gênant, il était même agréable. Peut-être parce qu'elle sentait que ses pensées étaient tournées vers elle.

« Vous pouvez compter sur mon frère, dit-il au bout d'un moment. Si jamais vous avez des ennuis, n'hésitez pas à faire appel à lui. À lui, et à Elise. Vous devriez la rencontrer.

– C'est une idée. Vous construisez un chemin de fer, Mr O'Brien. Je suppose que vous n'êtes jamais seul.

– Seulement une section, corrigea-t-il. J'ai cinquante-six kilomètres et j'espère en gagner plus. Il y a mille deux cents kilomètres de rail, peu ou prou, à poser.

– Combien d'hommes travaillent pour vous?

– Combien? Avant le gel hivernal, mille cinq cents. Environ. Maintenant, ils sont éparpillés.

– Où sont-ils?»

Il éclata de rire; c'était la première fois qu'elle l'entendait rire. «Bonne question. Je formerai une nouvelle équipe au printemps. Certains ne connaissent pas un traître mot d'anglais. Il y a beaucoup d'étrangers parmi eux, beaucoup de Chinois.»

Il n'était pas chaleureux en surface, mais au-dedans, il y avait quelque chose de chaud, de brûlant. Un homme étrange et dur mais il s'intéressait à elle; il l'écoutait.

«Vous n'êtes pas poétesse, dit-il. Êtes-vous une artiste?

– Je dessine, oh, de simples esquisses. Je joue du piano, malheureusement.

– Malheureusement?

– Pour les autres. Je joue mal.

– "De l'espace pour respirer"… ce n'est pas du tout absurde. Pour ma part, juste respirer ne me suffit pas.»

Cette boutade parut curieuse à Iseult. Elle se tourna vers lui; il lui sourit. Elle fut bien obligée de lui rendre son sourire.

«J'ai des progrès à faire en bonnes manières, admit-il. À force de vivre dans la boue et dans la montagne. J'ai un petit guide du savoir-vivre que j'étudie de temps à autre. Je répète même des phrases devant la glace… Cela vous ferait rire de me voir.

– Vous croyez?

– C'est mon avis. Cet endroit vous rappelle quelque chose, Miss Wilkins?»

Ils étaient arrivés au bord du canal Linnie.

« Oui. Et voici mon cottage. » Plus petit que dans son souvenir.

« Vous préférez sans doute que je vous laisse entrer seule, dit-il. Appelez-moi si vous avez besoin d'un coup de main pour quoi que ce soit. J'attends dehors. »

Il resta sur le sentier du canal pendant qu'elle tournait la clé dans la serrure et poussait la porte. Elle fit rapidement le tour des petites pièces. Ravissantes. Toutes blanches, vides, inondées de lumière. Un peu de ménage et quelques meubles, et ce serait habitable. Légère, généreuse, la maison lui ouvrait les bras ; elle l'invitait à commencer à vivre.

Elle sortit sur le seuil. « Tout va bien, Mr O'Brien. Voulez-vous jeter un œil ? »

Elle lui tint la porte. Il ôta son chapeau. « Vous êtes mon premier visiteur, Mr O'Brien, la première personne à être invitée par moi chez moi.

– C'est un honneur. »

Elle lui fit faire le tour de la petite maison. Il n'y avait pas grand-chose à voir. « C'est la lumière que j'aime, dit-elle. Comme elle est maintenant.

– Vous allez avoir besoin de meubles.

– Oui, mais pas trop. Je ne raffole pas des meubles. Les gens encombrent leurs maisons de gros machins foncés … que sais-je… capitonnés, rembourrés, tout ce bois malodorant ! Le mobilier vous prive de lumière, voilà ce que je pense.

– Mais vous permet de vous asseoir. »

Elle rit. « Oui, c'est vrai.

– Les Chinois n'ont que faire des chaises, ou même des tabourets. Sur les chantiers, ils mangent accroupis par terre en jacassant comme des pies. On dirait des oiseaux. Des oiseaux très malins. Ce sont d'excellents travailleurs.

– Ceci sera ma chambre, je crois. »

Il jeta à peine un regard à l'intérieur. La pièce n'avait rien de féminin ni de personnel, pourtant elle perçut nettement son malaise. Il préféra passer la tête dans une pièce de l'autre côté du couloir. «Vous pourriez loger une femme de chambre là-dedans.

– Je ne veux pas de domestique. Je n'en aurai pas. On se marcherait sur les pieds ici. Je trouverai une femme de ménage qui viendra la journée. Je peux m'occuper de moi-même. Cette pièce-ci, je la laisserai vide.

– Vide? Vous devriez quand même lui trouver un usage.

– Je ne veux pas dire que je ne m'en servirai pas. Je la laisserai se remplir toute seule… d'idées.»

Il la regarda bizarrement.

«Peut-être me mettrai-je à la peinture. Ou je dessinerai. Ou je lirai, ou réfléchirai tout simplement.

– Vous avez une sensibilité artistique.

– C'est possible. Et à moi non plus, cela n'a jamais payé une paire de bottes.»

Durant la semaine qui suivit la prise de possession du «cottage de Linnie» par Iseult, celle-ci vendit le plus gros du mobilier de la maison de Pasadena à un antiquaire. Elle donna la totalité de la garde-robe de sa mère à Cordelia, à l'exception d'un châle. En revanche, elle conserva l'argenterie, la plus grande partie de la vaisselle et tous ses livres. Ainsi que deux malles de linge et une commode en cèdre remplie de couvertures tissées dans la filature familiale.

Le jour du déménagement fut fixé au dimanche. Le mari de Cordelia, Floyd, était copropriétaire d'un camion automobile. Ils débarquèrent avec leur neveu de treize ans, Chisholm, en guise de bras supplémentaires. Cordelia, coiffée d'un immense chapeau bleu, portait un tablier blanc amidonné sur une belle robe du dimanche en satin.

Floyd et Chisholm chargèrent le camion et ils se mirent en route, Iseult serrée sur la banquette avant entre Floyd et Cordelia, le neveu à l'arrière avec les commodes et les malles. Sur l'aire de repos d'une station-service à Palms Junction, elles pique-niquèrent de poulet frit pendant que Floyd et Chisholm mettaient une rustine à un pneu crevé.

En ouvrant la porte d'entrée, la première chose qu'elle vit fut une douzaine de roses blanches dans un seau posé sur le sol. Un billet l'accompagnait :

~~Venice Land Company~~
~~Windward Avenue~~
~~Venice, Calif.~~

Mardi, 2 février

Chère Miss Wilkins,

Bonne chance dans votre nouvelle maison, je ferai bientôt un saut chez vous pour voir si vous avez besoin de quoi que ce soit.

Veuillez croire à mon amical souvenir,

J. O'Brien

Ainsi il n'était pas encore parti pour le Mexique.

Cordelia jeta un regard à la carte de visite mais s'abstint de tout commentaire.

Floyd et Chisholm transportèrent à l'intérieur les malles et les commodes, puis firent la sieste dehors pendant que Cordelia balayait, passait la serpillière et dépoussiérait, Iseult rangeant sa vaisselle et son argenterie dans les placards et les tiroirs de la cuisine. Elle mit certains de ses vêtements dans les penderies, mais jugea inutile de tout déballer alors qu'elle n'avait pas encore d'armoires. Il aurait été plus sage de conserver quelques meubles de plus, mais elle avait un trop mauvais souvenir de ces tables, ces buffets, ces commodes qui chez ses parents absorbaient la lumière et ne dégageaient rien qu'un lustre obscur et l'odeur d'un encaustiquage séculaire.

Cordelia l'aida à dresser sur le sol de la chambre un lit provisoire fait d'une pile de couvertures en laine. Elle désapprouvait, manifestement. Iseult avait-elle fait preuve d'insensibilité en vendant le lit de ses parents? Elle n'avait pas envie de dormir dans le lit où sa mère était morte. Et tous les autres lits de la maison de Pasadena étaient beaucoup trop larges et sombres pour le cottage.

Lorsque tout fut fini, Cordelia plia son tablier, glissa dans son porte-monnaie le billet de vingt dollars qu'Iseult lui avait donné et entreprit de remettre son chapeau. Sa robe était en satin jaune bouton-d'or avec des carreaux d'un bleu roi assorti au couvre-chef.

«Je pense à vot' maman, là. » Cordelia ajustait le large bord du chapeau. Soudain, elle regarda Iseult droit dans les yeux. «Vous entendez ce que je vous dis, Miss?

— Oh, oui.

— Attention aux bonnes que vous embauchez. Y en a qui sont rien que des filoutes et des voleuses.

— Je ne vais pas prendre de bonne, répliqua Iseult. Il est grand temps que j'apprenne à me débrouiller toute seule.

— Vous? Comment vous allez faire? Je vais vous dire, moi : y a qu'à vous rendre à l'église de couleur d'ici et…

— Des millions de gens se débrouillent seuls dans la vie. Ce ne peut pas être aussi compliqué que cela.

— Allez voir le pasteur de couleur, il vous trouvera une brave fille. C'est pas parce que vous êtes au bord de la mer qu'il faut oublier qui vous êtes. Faut vous trouver quelqu'un de bien. Les gens, quand ils voient une jeune fille seule, ils ont vite fait de l'abuser. Faites bien attention à vous. Écoutez pas les faux prophètes mais dites vos prières. Oubliez pas de mettre votre chapeau et de vous couvrir les bras. Prenez un bain chaque jour et soyez sage… pensez à Cordelia. »

C'était la première fois depuis la mort de sa mère qu'on la sermonnait. Elle sentit s'épanouir en elle la fleur du chagrin. Cordelia lui ouvrit grand les bras et Iseult s'y engouffra.

« Faut pas vous faire de souci. Tout va se passer magnifiquement, mon cœur. Ce sera très bien pour vous. »

Après l'effet détersif des larmes, Iseult se sentit affaiblie, et dans un certain sens plus forte aussi.

« Là, là, mon petit, dit Cordelia. Vous voilà en route pour retrouver vos émotions. »

Le lendemain, la brume s'était installée. En chemise de nuit et robe de chambre en soie – une de celles que ses grands-oncles avaient rapportées de Chine –, Iseult virevolta d'une pièce à l'autre, toute à la jouissance de sa solitude. À midi, elle n'était toujours pas habillée et n'avait rien à se mettre sous la dent. Elle s'assit dans un coin de la chambre d'amis avec un roman, *Howard's End*, mais elle avait du mal à se concentrer.

Dans un tiroir du secrétaire, elle trouva un papier à lettres de sa mère et des enveloppes, barra l'en-tête et écrivit à Joe O'Brien ce qu'elle espérait être un petit billet serein et distant.

~~Marie de C. Wilkins~~

Mercredi, le 3 février
Linnie Cottage
Venice, Calif.

Cher Mr O'Brien,

Merci infiniment pour l'accueil en forme de bouquet de roses. Sans elles, le cottage aurait été bien vide. Je m'installe. Tout ici est un peu étrange, mais je m'habitue.

Veuillez croire à mes sentiments amicaux,

Iseult Wilkins

Alors même qu'elle signait, elle eut des remords – une lettre morte, sans racines ni branches – pourtant elle plia la feuille et la glissa dans une enveloppe qu'elle adressa à :

Mr Joseph O'Brien
c/o The Venice Land Co.
Windward Avenue
Venice, Calif.

Elle se mit à la fenêtre. La brume se dispersait dans la brise. La lumière étincelait. Le ciel était d'un bleu sauvage.

Presque en colère contre elle-même, elle sortit sa lettre de l'enveloppe, prit son stylo et ajouta :

P.S. Je vous invite à prendre le thé, n'importe quel jour de
la semaine, vers 4 heures. – I.W.

Elle se lava la figure, s'habilla et se rendit à pied sur Windward Avenue, où elle passa commande à l'épicerie italienne. Le magasin de graines et de semences vendait des blocs de glace ; elle s'en fit livrer un. Le préposé de la compagnie de téléphone lui assura qu'elle pouvait bien sûr avoir une ligne : elles étaient installées le long des canaux. Elle acheta du savon au drugstore et des timbres à la poste, afin d'envoyer sa lettre. La poste se trouvait à deux pas de l'agence immobilière. Elle aurait pu s'y arrêter sous un prétexte ou un autre et, avec un peu de chance, elle y aurait vu Joe O'Brien, mais elle préférait qu'il vînt à elle.

À son retour, sa commande l'attendait dans deux caisses posées sur le sol de la cuisine. Un bloc de glace duveté de sciure de bois avait été casé dans la glacière. Elle mit près d'une heure à ranger ses achats, trouvant à chaque chose sa place. Un travail satisfaisant, elle peaufinait son indépendance.

Elle passa le reste de la journée à arpenter la maison dans tous les sens. Non par inquiétude, elle était heureuse, mais elle se sentait presque trop contente pour se tenir tranquille. Les pièces vides, le calme, voilà ce qu'il lui fallait. Pour son dîner, elle se réchauffa une boîte de soupe à la tomate qu'elle consomma en y émiettant un cracker. Et pour le dessert, elle mangea la moitié d'une énorme poire de Californie, un fruit sans goût.

Elle dormit par terre dans son nid de couvertures et se réveilla tard. Il n'y avait pas de brouillard. Elle se prépara du café et se promena de nouveau dans la maison avec sa tasse brûlante à la main, se délectant toujours de ces espaces vides inondés de lumière. Elle ne sortit pas, ne s'habilla même pas. Vers la fin de l'après-midi, elle se fit couler un bain et s'allongea dans la baignoire en laissant la fenêtre ouverte au vent et au soleil. Elle caressa ses seins qui semblaient flotter à la surface de l'eau et tenta de s'imaginer enceinte et mettant un enfant au monde. Cela paraissait impossible, pourtant des tas de gens l'avaient déjà fait, même dans sa famille.

Elle ne savait pas encore ce qu'elle allait devenir. Pour le moment, elle ne demandait qu'à *être*. Se recueillir. Jusqu'ici sa vie avait été pour l'essentiel la réfraction des désirs de ses parents. Elle avait envie de lumière, et de temps pour réfléchir – si l'on pouvait qualifier ainsi le simple fait de vivre suivant ses propres idées, ses pulsions, sans autre compagnie que la sienne. Plus en animal qu'en humain : c'est tout ce à quoi elle aspirait pour l'instant.

Cela dit, les animaux ont besoin de la chaleur des autres. Elle commençait à se demander pourquoi Joe O'Brien n'était pas passé la voir comme promis. Après tout, à en croire son frère, il menait «une vie de rentier». Elle eut une brève montée d'angoisse. Peut-être était-il déjà parti pour le Mexique.

Il ne lui devait rien, après tout, sinon qu'il avait promis de lui rendre visite.

Elle sortit de son bain, se dépêcha de s'habiller et se mit à ranger les pièces vides. La pensée qu'elle ne le reverrait peut-être jamais plus la troublait. Un homme sensible et intelligent, avec un côté ténébreux, et ces yeux d'un bleu si vif… Il l'avait écoutée attentivement. Elle se figura qu'avec le recul, il l'avait trouvée naïve et bête, et avait décidé qu'il ne voulait plus la revoir.

Pourtant il avait sondé ses pensées. Elle avait eu la sensation d'exercer sur lui un pouvoir physique – elle ne se l'était pas avoué à elle-même jusqu'à cet instant, mais c'était vrai. Elle en avait la certitude intime. Après avoir redressé la pile de couvertures, elle nettoya la cuisine, récura l'évier, épongea les plans de travail, jeta à la poubelle les pelures d'orange, la mouture de café et les boîtes de soupe vides. Elle ne pouvait plus s'arrêter. Elle allait de pièce en pièce et époussetait les rebords de fenêtres en respirant par à-coups, le cœur battant à tout rompre. Au bout d'une heure, la maison était parfaitement en ordre, impeccable, pourtant elle n'était toujours pas satisfaite, et ne savait pas ce qu'elle pouvait faire d'autre. Puis elle se rappela qu'à Pasadena, Cordelia lavait les carreaux une fois tous les quinze jours.

En sortant de leur seau les roses blanches de Joe O'Brien, elle respira leur parfum. Elle les mit dans le lavabo de la salle de bains et remplit le seau d'un mélange d'eau et de vinaigre. Elle attaqua par la fenêtre de la cuisine, puis passa aux autres pièces. Au départ, les carreaux n'avaient pas l'air sales, mais à mesure que les rayons du soleil devenaient plus obliques au cours de l'après-midi, la lumière souligna chaque trace. Elle eut beau frotter, des tourbillons se dessinaient toujours au travers.

Lorsqu'elle eut utilisé toute sa réserve de chiffons, elle fouilla dans ses vêtements et finit par trouver une robe, en soie grise, de chez une couturière chinoise de la 5e Avenue qui fournissait ces dames du Pasadena Club et leurs filles. C'était la robe qu'Iseult avait portée pour les funérailles de sa mère. Elle la déchira et se servit donc de chiffons de soie pour ses vitres. Elle briqua chaque morceau de verre dans la maison, y compris le miroir au-dessus du lavabo. Et les carreaux n'étaient toujours pas propres – jamais on n'en avait vu d'aussi sales.

Soudain, elle se sentit épuisée. Elle flanqua le seau dans l'évier, le remplit d'eau et alla chercher les roses de la salle de bains. En enjambant la robe en lambeaux qui traînait par terre, elle fut prise de honte. Sans manger ni se déshabiller, elle se coucha sur sa pile de couvertures et s'endormit presque instantanément.

Se réveillant dans le noir complet, au beau milieu de la nuit, elle fut incapable de se rendormir. Sa belle sérénité envolée, mentalement fourbue, elle ne savait plus où elle en était.

Dehors, les coyotes aboyaient. À Pasadena, il y avait aussi eu des coyotes ; elle était habituée à leurs aboiements hystériques. « Les chiens de la mort », ainsi les avait un jour appelés sa mère, la seule fois où Iseult l'avait entendue prononcer ce mot.

Une maison n'était qu'une maison. Lui, il avait son chemin de fer, ses montagnes. Un projet pour l'avenir. Elle tentait d'en avoir un aussi, mais elle n'avançait pas beaucoup. La lumière, l'espace, les canaux, tout cela composait un cadre de vie, non une raison de vivre. Comme le vent qui souffle sur la plaine n'est pas la plaine. Elle devait se fixer un but, trouver son propre chemin.

Seule, c'était impossible. Un jour, elle aurait besoin d'avoir des enfants, d'éprouver la sensation que son existence s'élargissait au lieu de rétrécir.

Patrick Dubois sur les marches ; son père dans sa bibliothèque ; Joe se débattant avec son petit guide du savoir-vivre – les hommes paraissaient peut-être plus durs, plus costauds, mais en réalité ils étaient aussi peu sûrs d'eux que les femmes.

Le désir, voilà ce qu'il y avait de plus intéressant.

Elle vibrionnait. Saisie d'impatiences dans les jambes, elle donnait des coups de pied sous ses couvertures. Elle perçut, provenant de l'extérieur, des bruits, bruissements, grattements. Les coyotes ? Elle lutta contre une attaque de panique. Finalement, un plaid autour des épaules, elle se rendit au salon. D'après l'horloge Leavenworth, il était trois heures du matin. De la fenêtre, elle apercevait les centaines, les milliers d'ampoules électriques qui déroulaient au-dessus de la jetée un halo étincelant. L'Incubatorium était-il fermé, les nouveau-nés endormis ? Où se trouvaient les infirmières ? Peut-être ouvraient-ils leurs portes aussi pendant la nuit. Et si elle s'habillait et s'y rendait tout de suite, songea-t-elle ; nulle part ailleurs elle ne s'était sentie aussi vivante.

Non.

Reprends-toi, se dit-elle, ou tu vas perdre la boule.

Elle traîna son nid jusque dans le salon. Une fois qu'elle fut allongée, les lueurs électriques à la fenêtre se mirent à ressembler au clair de lune. L'énergie qu'elle déployait depuis quelques jours pour se trouver elle-même était épuisée. Enveloppée dans les vieilles couvertures, elle se sentait sans force, dépitée, vidée ; pourtant elle resta réveillée longtemps avant que le sommeil l'emporte.

Le brouillard matinal était blanc et mouillé. Avant de s'habiller, elle prit un bain. Elle fit bouillir l'eau pour se faire du café en mesurant bien la dose de mouture, se beurra une tartine qu'elle grignota, chaque geste calculé de manière à la remettre d'aplomb. La légèreté, la gaieté, la liberté, tout cela semblait loin. Tout avait le goût de rien. Ces pièces vides n'étaient rien, elle non plus n'était rien.

Elle avait peur de sortir de la maison, de crainte de ne jamais plus pouvoir y rentrer.

Le brouillard, à midi toujours persistant, était plus grumeleux que jamais.

C'est l'après-midi que Mr J. O'Brien choisit pour venir prendre le thé.

Le coup à la porte la fit sursauter. « Miss Wilkins ? Vous êtes là ? »

Iseult envisagea de ne pas répondre et de se cacher dans sa chambre. Elle n'était pas assez forte pour recevoir, surtout un visiteur comme lui. Mais, si elle se dissimulait, elle se mépriserait encore plus. Au moins elle était propre et présentable.

Elle ouvrit la porte d'entrée, sourire aux lèvres. « Mr O'Brien, quelle bonne surprise ! Entrez ! »

Il tenait d'une main un bouquet d'iris emballé dans du papier journal et de l'autre un paquet cadeau. Il brandit les fleurs sous son nez.

« Comme c'est gentil ! J'étais tellement ravie de vos roses. Je vous en prie, entrez. » Elle emporta le bouquet à la cuisine et commença à couper les bouts des tiges. Comme elle ne possédait pas de vase, elle remplit un verre d'eau avant de retourner au salon.

Il portait un complet bleu, une chemise rayée, son éternel col dur blanc et une cravate bordeaux. Il était beau, ténébreux et fort.

« Un cadeau pour la maison. » Il lui tendit le paquet.

« Vraiment, c'est trop, Mr O'Brien.

– Pas du tout. Ouvrez-le. »

Elle défit le papier. C'était un énorme livre : *La Décoration intérieure et l'ameublement du bungalow californien.* S'agenouillant sur le sol, elle ouvrit le volume et en tourna lentement les pages. Des photographies, des plans, des dessins entre autres de fauteuils, de lampes.

« Oh, ça a l'air passionnant ! Vous pensez donc à tout.

– Je me disais qu'il pourrait vous être utile. »

Elle vit qu'il jetait un coup d'œil à son nid de couvertures. « Je n'ai pas encore un vrai lit, s'empressa-t-elle de préciser. Ni de chaises, ni même une table. Votre livre, vous voyez, va me servir de guide.

– J'espère que vous pourrez y glaner une ou deux idées. Je ferais peut-être mieux de revenir à un autre moment, quand vous aurez eu le temps de vous installer ?

– J'ai du thé, du sucre et du lait. Je crois que nous avons tout ce qu'il faut. »

Il la suivit dans l'étroite cuisine. Elle sentit son regard sur elle tandis qu'elle allumait le feu sous la bouilloire et sortait le service à thé de sa mère.

« Avez-vous assez d'air pour respirer ? » demanda-t-il.

Elle se tourna vers lui et lui sourit. « Ce brouillard va-t-il se lever un jour, Mr O'Brien ?

— Oh, il ne va pas durer. Au fait, vous pouvez commander du bois de chauffage chez le grainetier de Washington Boulevard. Un bon feu, ça remonte le moral. »

Il porta le plateau au salon. Jusqu'ici, elle avait été plutôt lamentable, mais la présence d'un autre corps que le sien entre ces murs avait quelque chose de rassurant. Sa voix et son odeur mâles relâchaient un peu la pression.

« Asseyons-nous par terre, dit-elle. Si cela ne vous dérange pas.

— Bien sûr que non. »

Avec Joe O'Brien, la pièce n'avait plus les mêmes dimensions. Le vide ne paraissait plus monstrueux. Il servit le thé pendant qu'elle ouvrait le livre et étudiait les photographies, les aménagements d'espace, les plans d'architecte. Chaque maison, chaque pièce, chaque meuble affichait des lignes pures et horizontales.

« On avait des amis à Pasadena qui habitaient des cottages semblables à ceux-ci. On les appelle ainsi, des cottages, mais en fait ce sont de belles demeures. » Elle tourna lentement les pages. « Ma mère ne les aimait pas, mais moi, je les trouve magnifiques.

— C'est le genre de maison que j'aimerais construire, vaste, où l'on respire. Vous avez un déménagement qui arrive de la côte Est ?

— Non. Je vais acheter du neuf.

— Il y a un type à Santa Monica, un ébéniste… Il vous fera ce que vous voulez du moment que c'est du moderne. Il a sculpté une hélice pour Grattan.

— Une hélice ?

— Grattan détient une part d'une machine volante. Il est toujours à l'affût de la nouveauté. Cette hélice représente, j'imagine, le principal de sa contribution. Au départ, l'aéronef avait une hélice en métal à quatre pales, mais quand ils ont remplacé le moteur, ils ont décidé qu'une hélice en bois à deux pales était plus appropriée. Plus légère que celle en métal.

– Vous êtes aviateur ?

– Non. J'ai volé plusieurs fois avec mon frère. Autrefois, je volais dans mes rêves, mais ce n'est pas tellement comme dans les rêves : le moteur est bruyant, et puis il y a le vent. On est tout le temps obligé de régler la dérive et d'ajuster le trim. Pour voler, il faut pas mal de muscles.

– Vous n'avez pas peur de vous écraser ?

– Plusieurs vols se sont déjà terminés par un accident, juste un peu de casse. Le décollage et l'atterrissage, ce sont les deux moments les plus périlleux.

– Mais vous n'avez pas eu peur de mourir ?

– Je n'y ai pas pensé. Ce ne serait une perte pour personne en ce moment. Cela dit, je n'approuve pas mon frère. Il est marié, et va bientôt avoir un enfant. Qu'est-ce qu'il fabrique à voltiger dans le ciel ? Il passe trop de temps dans les nuages…

– Alors qu'il devrait garder les deux pieds sur terre ?

– Exactement. Je pourrais l'employer sur ma concession. Elise est d'accord, mais lui, non. Il n'a pas le sens pratique. Personne dans ma famille. Ma mère croyait qu'on pouvait lire l'avenir dans une bouteille bleue. Grattan et moi sommes les seuls à vivre dans le monde. Les autres sont dans les ordres ; ils n'ont pas à se préoccuper de leur prochain repas. J'espère qu'Elise parviendra à lui faire entendre raison. La vie ne nous doit rien. Peut-être devrait-elle tout nous apporter, parce que, n'est-ce pas, qui a demandé à naître ? »

Ses mains tenant la tasse étaient entaillées de cicatrices et paraissaient plus vieilles que le reste de son corps.

« Vous devriez rencontrer Elise. Ils habitent son studio de photographe. Elle gagne sa vie grâce à ses cartes postales et ses portraits, mais tous les dimanches, elle sort sur la promenade et prend des photos des passants… Je ne sais pas pourquoi, parce que ça ne lui rapporte rien. En plus, le film doit lui coûter cher. Elle est juive, Elise. Le curé à Santa Monica a refusé de les marier alors qu'elle était d'accord pour que leurs enfants soient baptisés. Je lui ai écrit pour voir s'il n'y avait pas moyen de le faire changer d'avis ; mon frère Tom a pris lui aussi sa plume, mais le curé ne nous a jamais répondu. Grattan et Elise se sont mariés à la mairie finalement, à Santa Monica. »

Il voulait qu'elle ait de lui la vision d'un homme ancré dans la réalité, un homme responsable. C'était sûrement vrai. Mais une partie de lui était plus sombre, plus forte, et plus souple.

Elle n'avait aucune famille à moins de trois mille kilomètres.

« Quand partez-vous pour le Mexique, Mr O'Brien ?

— Dans pas longtemps. Je peux vous aider à la vaisselle ? Je sais que vous ne voulez pas de domestiques. »

Il rapporta le plateau dans l'étroite petite cuisine. Il était méticuleux, raffiné, tout le contraire de Patrick Dubois. Décelait-elle aussi en lui de la bonté ? Peut-être cherchait-il seulement à obtenir quelque chose d'elle.

Elle lui tendit son chapeau et lui tint la porte d'entrée ouverte. Le cottage était toujours enseveli sous un brouillard blanc.

« Merci encore pour les fleurs, Mr O'Brien.

— Miss Wilkins, je n'ai de ma vie jamais connu quelqu'un comme vous. »

Elle sentit l'émotion lui réchauffer peu à peu la poitrine. La brume de mer glacée qui rampait jusqu'à eux avait un goût âcre, presque aigre.

« Je repasserai, si vous me le permettez.

— Bien sûr.

— Au revoir.

— Au revoir, Mr O'Brien. »

Sa présence ne disparut pas tout à fait d'entre les murs. Une maison en exigeait – des fantômes, des hommes, des feuilles de thé, des conversations. Autrement, n'importe quelle maison était un piège, et un bungalow sur un canal à Venice, Californie, une boîte enfouie sous un linceul blanc et vaporeux, où l'immobilité oppressante de l'atmosphère ne voulait rien dire.

Même mêlée à la foule d'un dimanche après-midi, on ne pouvait pas manquer Elise O'Brien : petite, sans chapeau, manifestement enceinte, un appareil photo autour du cou. Avec une lenteur calculée, elle remontait la promenade ; elle avait l'air à peu près du même âge qu'Iseult. À intervalles réguliers, elle se plaçait dans le flot de ceux qui descendaient vers le sud et, parfaitement immobile, laissait les gens la contourner pendant qu'elle regardait dans son viseur.

Iseult aurait été bien en peine de deviner ce qu'elle photographiait. Le grouillement humain lui rappelait Broadway entre le quartier des abattoirs et Hell's Kitchen par un chaud après-midi. Elle ne voyait pas quelle image on pouvait composer, ni le moindre personnage remarquable ou haut en couleur, seulement une masse qui s'écoulait, refluait, un flot de gens bronzés mangeant des glaces. Quelques personnes, très peu, s'arrêtaient pour parler à Elise. En général, ses sujets ne semblaient pas faire attention à elle. Après quoi la jeune femme reprenait sa marche.

Iseult tenta de s'insérer dans la foule à contre-courant. Les individus disparurent, remplacés par des formes mouvantes et floues. Telles des notes discordantes, des détails lui sautaient aux yeux : canotiers, landaus aux roues grinçantes, langues léchant des cornets de glace.

Elle en avait le tournis.

Elle suivit ainsi Elise O'Brien pendant près d'une heure, fascinée par son culot et sa mystérieuse activité. Lors de leurs après-midi à Hell's Kitchen, Mère Power avait ouvert les yeux d'Iseult sur la ville. Elle se demandait si Elise possédait elle aussi les clés d'un monde plus vaste.

La fin de l'après-midi trouva Iseult en train de gravir trois volées d'escalier au-dessus de la blanchisserie chinoise. Effluves de vapeur et de linge bouillant. Au troisième, une pancarte sur une porte :

E C PHOTOGRAPHIC PARLOR

Iseult frappa.

« Qui est là encore ? s'écria une voix féminine à l'intérieur.

– Je m'appelle Iseult Wilkins.

– Oui ? Qu'est-ce que vous voulez ?

– Je suis une amie de Joe O'Brien.

– Une minute s'il vous plaît. »

Quelques instants plus tard, la porte s'ouvrit en grand sur Elise en blouse bleue. Elle était plus petite qu'elle ne lui avait paru sur la promenade, et aussi plus enceinte. « Ainsi, vous êtes Miss Wilkins. Grattan m'a parlé de vous. »

Iseult tendit une main gantée de blanc. « Comment allez-vous ? »

Elise O'Brien essuya la sienne sur sa blouse ; elles échangèrent une poignée de main. « C'était donc vous qui me suiviez ce matin sur la promenade.

– Pardonnez-moi. J'aurais dû me présenter.

– Oh ça, quand je m'y mets, je n'ai pas le temps pour les politesses. Surtout quand je prends des photos personnelles, comme aujourd'hui. Vous avez senti l'énergie qui se dégage là-dehors ? C'est incroyable, non ? J'ai laissé tomber les cartes postales. Grattan s'en fiche, mais Joe pense que je suis folle, et il a sûrement raison, parce qu'on a sacrément besoin de cet argent… Eh bien, Iseult Wilkins, entrez, je vous en prie. J'étais en train d'examiner la pêche du jour. »

Le studio était une grande pièce. Il y flottait une odeur chimique. Des tirages sur papier étaient suspendus à une corde à linge ou punaisés aux murs. Une extrémité de la pièce était aménagée en salle de séjour, avec une table de cuisine, une glacière et des livres empilés sur le sol de part et d'autre d'un lit défait.

Elise ramassa un appareil photo. «C'est celui-ci qui est en vente, un FPK… un Folding Pocket Kodak. Il donne une image de 8,25 par 14 cm du film format 122. Objectif Anastigmat Zeiss Kodak. C'est du bon matériel si vous aimez le format panoramique. Le corps est essentiellement en aluminium, mais les côtés sont en bois, donc il est un peu lourd. Trop léger, il transmettrait les vibrations. Voilà, prenez-le en main. Joe vous a-t-il parlé du prix?

Iseult saisit l'appareil. «Il ne m'a rien dit.

– Alors qu'est-ce qui vous amène ici?

– Pourquoi voulez-vous le vendre?» Sa complexité et son lustre prêtaient à l'appareil une beauté inattendue.

– Comme je vous le disais, on a besoin d'argent. Je garde ma chambre pour les prises de vue en studio et j'ai mon Wilkin-Welsh pour la promenade. Les portraits me permettent de payer les factures, mais j'aime bien le travail en extérieur, comme aujourd'hui. C'est pas commode sur le front de mer, il y a tellement de lumière et en plus elle varie sans cesse… mais, quand je suis bien concentrée, il se produit toujours quelque chose, juste une fraction de seconde, et c'est là que je prends mes photos démentes, toutes de traviole. Quand je suis dehors, l'appareil fait partie de moi, ce n'est pas un objet que je tiens. En réalité, je suis extrêmement timide. Là d'où je viens… à Brooklyn… on me croit très timide. »

Elise était assise sur un canapé défoncé. Un chat gris se frotta contre sa jambe. Elle tendit la main pour le caresser, mais elle était gênée par son ventre. Elle rit. «Je suis grosse comme une baleine. Ce gros bébé irlandais. »

L'appareil gainé de cuir était froid et lourd dans les mains d'Iseult. Elle admira le cuivre et l'acier poli. L'objectif coulissait devant un soufflet en cuir rouge. Une poire en caoutchouc actionnait l'obturateur. Elle se rappela avoir longé Textile Street dans le New Hampshire et entendu – senti – le battement incessant des métiers à tisser. Sa famille tirait sa fortune de cette filature, pourtant elle avait été éduquée dans le mépris et la crainte des machines.

« J'ai rencontré Grattan sur la promenade. Regardez, là-bas. » Elise désigna du doigt un mur où des douzaines de tirages étaient affichées au petit bonheur. Toutes les photos avaient été prises sur la promenade. Aucune n'était posée, et les sujets paraissaient penser à autre chose. Iseult mit un certain temps à repérer Grattan. Il portait un canotier, un blazer et un pantalon blanc. Son bronzage faisait ressortir ses yeux clairs.

« Il m'arrive de passer une matinée entière à arpenter ces fichues planches sans que rien se passe. Puis quelqu'un surgit. À vélo par exemple. Ou une glace à la main. Parfois ils sont heureux, mais pas toujours. Quelque chose chez eux m'interpelle et tout à coup je suis une boule de nerfs, je me mets à trembler. Dès que ça bouge, je suis tellement anxieuse que c'est plus fort que moi, je dois appuyer sur le bouton, saisir l'image au vol, rien que pour décharger ce trop-plein d'énergie. J'aime bien votre robe, Miss Wilkins. Elle est jolie. *Très chic**. »

Iseult regarda par-dessus son épaule. Elise avait les yeux baissés sur le viseur d'un appareil photo qu'elle tenait braqué sur elle.

« Merci.

— Si je passe autant de temps sur la promenade, c'est peut-être parce que cela convient à mon tempérament. Avez-vous vu les bébés de l'Incubatorium, Miss Wilkins ?

— Oui.

— Avant Grattan, j'avais l'impression d'être comme eux. C'est horrible. Je payais mes vingt-cinq cents. Quelquefois, le gosse que j'avais observé la veille n'était plus là, et ce n'était pas parce qu'il était en meilleure santé. Vous voulez le FPK, Miss Wilkins ? Il est à vous pour sept dollars. Verre dépoli compris plus un tas de film 122.

— Vous voulez bien m'apprendre à m'en servir ? »

Le film 122 venait dans une boîte, enroulé autour d'une petite bobine en bois, et au cours des jours suivants, Iseult en consomma des quantités. Les leçons avaient forcément lieu sur la promenade, pour la simple raison qu'Elise ne s'intéressait à aucun autre lieu. L'après-midi, Elise commença à lui enseigner les techniques et les procédés chimiques en usage dans la chambre noire. L'odeur putride fit froncer le nez d'Iseult, mais quand elle vit ses premières images émerger du dernier bain, elle jubila.

Le vendredi après-midi, après des heures passées à développer et à tirer, elle avait la tête saturée d'effluves. L'heure de rentrer venue, elle décida de marcher jusqu'au bout de la jetée afin d'admirer le coucher de soleil et dans l'espoir que l'air de la mer délogerait de ses narines les relents chimiques. Elle demanda à Elise si elle souhaitait l'accompagner, mais celle-ci fit non de la tête.

« Je préfère continuer à travailler. Après la naissance, je ne vais plus pouvoir faire ça, n'est-ce pas ? Il faut que je prenne des photos, il faut que je les développe. Si vous passez devant le bureau, dites à Grattan de rapporter quelque chose pour le dîner. »

Elle tomba sur les frères O'Brien en train de fermer pour la journée. Elle ne les avait pas vus de la semaine. Joe O'Brien avait l'air grognon, et elle eut la sensation qu'il y avait un problème entre les deux frères. Elle fit part à Grattan du message d'Elise.

« Je vais aller acheter du *chowder*[1] et des crackers, dit Grattan. Tu es des nôtres, Joe ?

– Non, merci. Si vous allez du côté de la jetée, je vous accompagne, si je puis me permettre », ajouta Joe O'Brien à l'adresse d'Iseult.

Il lui offrit son bras. Le soleil était un ballon rouge et la brise chargée d'une odeur saumâtre aussi piquante que celle dégagée par l'ammoniaque. Il ne faisait pas chaud. Les pêcheurs japonais

1. Soupe épaisse à base de palourdes et de pommes de terre.

s'étaient enveloppés dans des couvertures. Joe O'Brien était silencieux, comme préoccupé.

« Un penny pour vos pensées, Mr O'Brien.

– Oh, je m'inquiète pour mon frère. Rien de nouveau sous le soleil.

– Et pourquoi donc?

– Il est mon frère, Miss Wilkins; l'un ne va pas sans l'autre. De toute façon, il n'y a que moi pour le faire. Elise ne s'inquiète pas assez du tout, si vous voulez mon avis. Une femme qui attend un enfant et dont le mari ne gagne pas dix dollars par mois. »

Ils regardèrent le soleil rouge couler sous la ligne d'horizon. Dès qu'il eut disparu, le froid devint mordant. Elle frissonna.

« Je vais vous raccompagner chez vous.

– Et le Mexique, Mr O'Brien? Quand partez-vous?

– Vous ne voyez donc rien? » Il paraissait impatient, presque furieux.

« Que dois-je voir?

– Si je suis toujours ici, c'est à cause de vous, Miss Wilkins. »

Ils continuèrent à marcher en silence, bras dessus bras dessous. Elle était comme sur un nuage. Ils remontèrent Windward Avenue, passèrent devant la blanchisserie chinoise et le studio où Elise et Grattan étaient sans doute en train de dîner, à la condition que Grattan ait rapporté le *chowder*. Elise détestait faire la cuisine, et ils n'avaient qu'un petit réchaud à gaz.

Il faisait sombre et froid au long du Grand Canal et du canal Linnie. Quand ils arrivèrent enfin à la hauteur du cottage, ils s'arrêtèrent. Elle hésita, puis libéra doucement son bras.

« Bonne nuit, Miss Wikins.

– Merci de m'avoir ramenée chez moi.

– Je reste ici jusqu'à ce que vous soyez rentrée.

– Vous reverrai-je? »

Il attendit un moment avant de répondre. « Si vous le souhaitez.

– Je le souhaite. Oui.

– Dans ce cas, vous me reverrez. »

Il resta sur le sentier au bord du canal pendant qu'elle ouvrait la porte. L'inviter à entrer était hors de question. Il y avait trop de désordre et toujours pas de meubles, à l'exception d'un splendide lit flambant neuf. Elle ne pouvait quand même pas le faire asseoir sur son lit. Et puis elle n'aspirait qu'à être seule pour réfléchir à ce qu'il lui avait dit. Pour l'instant, elle ne voulait pas en entendre davantage.

« Miss Wilkins ? »

Elle se retourna.

« Toute cette affaire est drôlement bizarre.

– Oui, en effet. Bonne nuit, Mr O'Brien. »

L'exhalaison âcre de la mer, des herbes folles et du sable froid.

« Bonne nuit, Miss Wilkins. »

À entendre Elise, l'avantage d'un déménagement en Californie, c'était qu'on laissait beaucoup de choses derrière soi. « Tout le monde devrait venir vivre ici au moins une fois dans sa vie. Pense à ce que serait ton existence si tu étais restée au Cow Hampshire[1], Iseult. Pense à quoi tu échappes.

– J'avais quelquefois du mal à respirer là-bas », admit Iseult. Elle n'avait pas rapporté à Elise les paroles de Joe sur la jetée.

« Je n'ai pas besoin des autres, repartit Elise. Les gens font tout un plat de leurs familles, ça me dépasse. Moi, je viens d'une famille de rats. Papa Rat, Maman Rat, Bébé Rat et tous les ratons de Williamsburg, Brooklyn. J'en ai soupé de leurs petites griffes et de leurs dents de rongeurs. Ma propre compagnie me suffit.

– Et ton mari ? Et le bébé ? »

Elise ne répondit pas.

---

1. Péjoratif pour le New Hampshire qui compterait plus de vaches que de citoyens (*cow* : « vache »).

« Tu tiens à Grattan, non ?

— Bien sûr que oui. » Le visage fin d'Elise accusa soudain quelques années de plus. « Je me suis moi-même enfermée dans une cage, Iseult. Tu crois que je ne m'en rends pas compte ? Rien n'est fait en ce monde pour laisser aux femmes leur liberté. J'aurais peut-être dû me cramponner à ma vie, je me suis laissé avoir. »

Iseult lui jeta un bref regard.

« Sniff-sniff, reprit Elise. Pauvre de moi, hein ? Allez, on sort prendre des photos.

~~Venice Land Company~~
~~Windward Avenue~~
~~Venice, Calif.~~

20 février

Chère Miss Wilkins,

Une démonstration de surf aura lieu dimanche prochain dans l'après-midi entre les jetées. Voulez-vous y assister ? Sauf contre-ordre, je viendrai vous chercher à une heure.

Avec mes meilleurs sentiments,

J. O'Brien

P.S. Apportez votre costume de bain, si vous voulez, et nous irons au Plunge.

Iseult eut du mal à trouver cette pièce de sa garde-robe, rangée au fond d'une malle qu'elle n'avait pas encore déballée. Elle mit du temps à s'endormir et se réveilla de bonne heure le dimanche matin, prépara son café, chargea un film dans son appareil et nettoya l'objectif. Toutes les trois secondes, elle vérifiait l'heure à l'horloge Leavenworth. Elle se disait qu'il pouvait avoir oublié l'invitation. Qu'il était parti pour le Mexique. Était-ce possible ? Aurait-il fait une chose pareille ? Il était déjà bien engagé dans la vie, alors qu'elle n'était que posée à la surface de la sienne.

Elle se mit à faire le ménage, déployant dans cette activité une frénésie que rien ne justifiait. À midi, elle était épuisée. Lorsqu'elle ouvrit les fenêtres de la chambre, l'air était tiède, caressant, imprégné de l'odeur de la mer. Se laissant tomber sur son lit, elle se coula peu à peu dans un rêve où elle faisait un voyage en train. Pas dans un wagon, mais à califourchon sur la locomotive noire, la chaudière en ébullition, les essieux battant une mesure d'enfer. Elle se réveilla avec un oreiller entre les jambes et apercevant un mouvement à la fenêtre, elle se leva d'un bond. Joe O'Brien tournait autour de la maison sur une motocyclette rouge vrombissante et pétaradante flanquée d'un side-car qui bondissait sur les mottes de terre et les touffes de graminées jaunies en soulevant un nuage de poussière. Dès qu'il la vit, il pila. Des lunettes de motard au-dessus d'un énorme sourire. Il se pencha pour couper le moteur. S'ensuivit un brusque silence parfumé à l'essence.

« Qu'est-ce que vous en pensez ? s'écria-t-il. Elle n'est pas magnifique ? »

Il gara la motocyclette sur Rose Avenue devant l'immense établissement nautique en brique rouge. « Allons d'abord voir les surfeurs, ensuite nous reviendrons nous baigner. C'est une piscine d'eau de mer… chauffée. »

Elle ôta les lunettes protectrices qu'il lui avait fait porter et sortit son chapeau de paille. S'extraire du side-car s'avéra presque aussi laborieux que d'y grimper. Elle se sentait à l'étroit, mal dans sa peau. Pas à cause de son habillement – la jupe bleue et le corsage blanc bien frais convenaient parfaitement, en revanche le costume de bain… Était-ce l'effet combiné d'un soleil de plomb et de petits coups de vent chaud ? Elle avait l'impression d'être détachée de tout, légère, vertigineuse.

« Vous êtes prête ? » Joe O'Brien portait son costume de bain sous une veste en seersucker et un pantalon en coton. Tous ses vêtements étaient neufs. Il ramassa le panier à pique-nique, lui offrit son bras et ils descendirent Windward Avenue en direction de la bande bleu d'acier de l'océan. Sur la plage, entre Fraser Pier et Ocean Park, des centaines de personnes étaient rassemblées pour assister au spectacle. Il loua un parasol rayé et deux fauteuils de plage. Ils regardèrent les surfeurs – trois Hawaïens et trois jeunes Blancs – s'éloigner vers le large, à genoux sur de longues planches en bois poli qu'ils manœuvraient en ramant vigoureusement. Dans leurs maillots noirs, avec leur peau sombre et leurs cheveux plaqués, ils avaient des allures de phoques. Une planche, soulevée par une vague, se cabra et chavira. Les autres continuèrent à se propulser à l'assaut des crêtes de houle. Par-delà la zone de déferlement, ils se mirent à califourchon sur leurs planches puis, s'élevant et s'abaissant tels des bouchons, ils attendirent.

Il n'y avait là aucun intérêt à inaugurer son petit appareil photo. L'objectif ne tirerait rien de ce spectacle : la distance était trop grande, les personnages minuscules. Une bonne paire de jumelles eût été plus appropriée.

Un surfeur se mit debout. La main en visière devant les yeux, il observa le large. Puis il s'agenouilla et, très rapidement, fit faire volte-face à sa planche jusqu'à ce qu'elle pique droit vers la plage.

« La voilà, dit Joe. Voilà celle qu'ils attendent. »

Derrière les surfeurs, la mer faisait le gros dos, verte et bleue, semblable à une bosse liquide qui avançait à toute allure. Comme s'ils cherchaient à la gagner de vitesse, ils se mirent à ramer furieusement. Un, deux, trois surfeurs furent emportés jusqu'au sommet de la volute, mais les deux autres parvinrent à se glisser le long de la ligne de déferlement qu'ils chevauchèrent, debout sur leurs planches, dans un équilibre parfait, d'un calme olympien. Iseult n'avait jamais vu personne capter avec autant d'élégance la force de la nature. Un frisson d'excitation la parcourut, et elle comprit soudain que sa vie devait changer de registre, qu'elle devait passer à quelque chose de plus rude, de plus risqué. Être seule ne suffisait pas. En suivant des yeux les surfeurs qui évoluaient paisiblement à travers le violent tohu-bohu des flots, sa poitrine s'ouvrit à l'espace, ses poumons se dilatèrent ; elle respirait profondément, elle respirait avec volupté.

Dans le vestiaire, elle donna une pièce de dix cents à une dame aux cheveux couleur pêche qui lui tendit la clé d'une cabine. Elle se déshabilla et suspendit ses vêtements aux patères. Debout, nue, dans l'espace étriqué, elle baissa les yeux sur sa peau blanche, sur ses mamelons dressés à cause du froid – ou de l'excitation, à moins que ce ne fût de peur ? Dehors, des bruits de douche, des rires de femme, des couinements de bébé.

Son costume de bain était en flanelle noire : un pantalon au-dessus du genou auquel s'attachaient une jupe et une longue blouse peu seyante. Ses seins lui semblaient lourds, trop visibles. Sa mère l'avait toujours complimentée sur ses jambes : belles, longues, robustes.

Enfant, elle avait barboté plutôt que nagé. Les femmes – ses tantes, ses cousines – se baignaient entre elles à Squam Lake juste après le lever du soleil.

Comment lui apparaîtrait-elle ? Pleine d'appréhension, Iseult se disait qu'elle devait sortir de cette cabine.

Elle le trouva assis au bord d'un gigantesque bassin. Il l'attendait. Des centaines de baigneurs faisaient trempette, nageaient, plongeaient. Sous la halle résonnaient les ploufs, les cris, les rires. Il portait son costume de bain.

Un corps d'homme est semblable à un tronc d'arbre, songea-t-elle. Solide. Vibrant. Débordant d'une énergie contenue.

« On y va ? dit-il.

– On est là pour ça. »

Ils descendirent ensemble les marches carrelées du bassin. Elle se laissa glisser la première dans l'eau salée et fit quelques brasses, le bout des seins durs sous la laine mouillée qui la gênait dans ses mouvements. Il la rattrapa et ils firent une longueur côte à côte, leurs têtes seules émergeant de l'eau. Des hommes aux moustaches tombantes et des jeunes filles aux anglaises collées aux joues s'éclaboussaient avec des hurlements de joie. Cette nage silencieuse avec Joe O'Brien au milieu de tout ce tapage : jamais elle n'avait partagé un moment aussi intime avec personne. Elle se sentait nue, confortable, libérée de toute peur.

Il la raccompagna chez elle à motocyclette. Elle avait les cheveux mouillés et sur les lèvres un goût de sel. L'après-midi tirait à sa fin. La lumière était plus fraîche. Ne s'étant pas changée pour ne pas se doucher au milieu d'inconnues, elle portait la veste en seersucker de Joe sur son costume de bain, et le reste de ses vêtements ainsi que ses chaussures dans un baluchon. Il avait toujours son maillot sous son pantalon et aux pieds des tennis. Tentée de l'inviter à boire le thé, elle ressentait toutefois le besoin d'être seule après ce moment de folle dissipation ; la plage, le surf, la piscine. D'un autre côté, elle n'avait pas envie qu'il s'en aille.

« Puis-je vous prendre en photo ? » Elle qui n'avait pas ouvert son appareil de l'après-midi tenait à présent à faire son portrait. Elle y tenait absolument. La dernière fois qu'elle s'était sentie aussi proche d'un homme, c'était dans la cave de l'école, avec Patrick Dubois. « Sur votre engin, ça fera une superbe photographie.

– Bon, mais laissez-moi me rhabiller. Une minute, je fais un saut derrière la maison.

– Non, je vous assure. Tel que vous êtes. S'il vous plaît. »

Son regard sur elle était tellement grave qu'elle se demanda si elle ne l'avait pas fâché. Il croyait peut-être qu'elle se moquait de lui ?

« S'il vous plaît. »

Il haussa les épaules. Alors qu'elle ouvrait le boîtier, il enfourcha sa machine et s'assit sur la selle. L'espace d'un instant, elle craignit qu'il n'empoigne le guidon pour prendre la pose, comme s'il roulait. Mais il se pencha légèrement en arrière et croisa les bras sur la poitrine.

Au travers du viseur, ses yeux se plantèrent droit dans les siens avec plus de force et de détermination qu'elle n'en avait jamais perçu dans le regard d'un homme. Il y avait chez lui un rempart de solitude qui correspondait à quelque chose en elle, quelque chose qui comblait son propre vide. Il était presque beau. Et elle, elle l'était peut-être aussi, belle.

Elle prit six photos sous des angles différents.

« J'aime l'odeur de la mer, dit-il. Elle va me manquer. Vous aussi.

– Quand partez-vous pour le Mexique, Mr O'Brien ?

– Au diable le Mexique. Je me plais ici. »

Si tu veux m'embrasser, tu devrais en profiter pour le faire maintenant, pensa-t-elle. *J'ai envie de m'ouvrir, pas de me fermer.* Et si elle laissait glisser au sol la veste en seersucker et faisait passer par-dessus sa tête sa chemise en flanelle noire ? Et si elle s'offrait à lui ? Une femme tremblante de désir et de solitude, telle une porte claquant dans le vent.

Lançant le moteur, il donna quelques coups d'accélérateur. Assourdissantes pétarades. L'instant d'après, il s'éloignait sur le sentier du canal dans un nuage de poussière. Pas une fois il ne regarda en arrière.

Était-il furieux d'avoir été pris en photo sur sa motocyclette ? Peut-être n'était-ce pas l'image qu'il avait de lui-même. Bon, mais elle avait sa veste. Il serait bien obligé de revenir la chercher.

Elle développa les films et montra ses premiers tirages à Elise.

« Mmm, c'est très bon, approuva Elise. Coquin.

– Que veux-tu dire ? »

Les bras qu'il croisait sur sa poitrine étaient nus, ses lunettes de moto remontées sur le front. Yeux clairs, visage hâlé. Ses cheveux noirs raidis et grenés par le sel.

« Peut-être as-tu saisi un côté de Mr Joe O'Brien qu'il aurait préféré que tu ne voies pas. »

Iseult réexamina les photos. *Il ressemble à l'avenir*, murmura en elle une petite voix. Lucide, rayonnant, avec cependant une certaine retenue.

Elle rentra chez elle, dormit profondément et le lendemain matin se rendit à pied à Santa Monica pour acheter chez le photographe de Third Street une boîte de papier allemand très coûteux. Puis elle alla au studio, choisit l'image la plus forte et la tira et la retira jusqu'à ce qu'elle fût satisfaite.

~~Venice Land Company~~
~~Windward Avenue~~
~~Venice, Calif.~~

Le 1ᵉʳ mars 1912

Chère Miss Wilkins,

Que diriez-vous d'aller voir des machines volantes ? Dimanche prochain, mon frère et ses associés seront à l'aérodrome de Griffith Park. Je pourrais passer vous prendre mettons à neuf heures du matin, pour la journée. Qu'en dites-vous ? Au fait, je crois que vous avez ma veste,

Avec mes meilleurs sentiments,

J. O'Brien

Linnie Cottage
Le 2 mars

Cher Mr O'Brien,

Si vous passez à neuf heures, je serai prête.

Avec mes sentiments les meilleurs,

Iseult Wilkins

La motocyclette rugit d'un bout à l'autre du canyon puis en descendant au fond de la San Fernando Valley qui s'étirait dans la chaleur caniculaire à la façon d'un animal épuisé. Le nuage de poussière qu'ils laissaient dans leur sillage les rattrapa au moment où Joe bifurqua de la route principale devant un panneau :

CLUB AÉRONAUTIQUE DE LOS ANGELES

À mesure qu'ils approchaient, le terrain d'aviation ressemblait de plus en plus à une exploitation agricole à l'abandon. Elle aperçut une grange. Une énorme automobile de luxe, une Pierce-Arrow, était garée à côté de deux machines volantes arrimées au sol. Les portes de la grange étaient ouvertes. À l'intérieur, Grattan et deux autres hommes s'affairaient autour d'un troisième aéroplane. Alors que Joe l'aidait à s'extraire du side-car, ils s'avancèrent à leur rencontre. Tous les trois portaient des salopettes bleues.

« Qu'est-ce que t'en dis, Grattan ? lança Joe à son frère. Tu as l'intention de voler aujourd'hui ?

— Belle journée pour faire un tour en l'air, non ? » Grattan présenta Iseult aux deux Français, M. Levasseur, un grand échalas aux gestes hésitants qui faisait penser à un héron, et M. Tourbot, un brun râblé, qui lui donna une poignée de main impatiente.

« On vient de monter la nouvelle hélice, expliqua Grattan. Si Miss Wilkins et toi voulez bien nous aider à pousser. Je vais faire un premier saut de puce. »

Cahin-caha, ils sortirent la machine de la grange, Iseult et Joe poussant une aile, Tourbot et Levasseur poussant l'autre tandis que Grattan s'occupait de la queue. De construction délicate, fragile, l'aéroplane avait l'air d'une libellule géante.

Pendant que Grattan sanglait son casque de cuir et enfilait ses longs gants, les Français effectuaient les derniers ajustements des haubans et des longerons. Lorsque M. Tourbot actionna une paire de pédales en bois devant le siège en rotin du pilote, Iseult remarqua la flexion des ailes entoilées.

« Alors, Miss Wilkins, cela vous plairait-il de faire votre baptême de l'air ? » lui proposa Grattan.

Un éclair de panique la traversa, si foudroyant qu'elle retint un rire nerveux. Tout lui paraissait soudain irréel, les couleurs changeaient, les lunettes de M. Levasseur lançaient des étincelles.

« Bien sûr, s'entendit-elle répondre. Avec grand plaisir. » Pourvu que Joe O'Brien ne la prenne pas pour une froussarde.

« Non, Grattan, ne fais pas l'idiot. Elle ne volera pas, pas question, affirma Joe. Ce n'est pas pour ça que je l'ai conduite ici.

— Mais j'ai envie, insista-t-elle.

— Non, je ne le permettrai pas, répliqua Joe.

— Puisque je vous dis que je veux voler.

— C'est trop dangereux.

— Joe a raison, appuya Grattan. C'est trop dangereux.

— Miss Wilkins, il n'a jamais été question que vous montiez dans une de ces machines.

— Alors pourquoi m'avoir amenée ici ? De toute façon, qui vous permet de me dicter ma conduite ? » Elle se tourna vers Grattan. « Grattan O'Brien, si vous êtes un gentleman, vous ne supporterez pas d'être aux ordres de votre frère. Votre offre tient-elle toujours, *sir* ?

— Eh bien, sans doute, Miss Wilkins. Puisque vous le prenez comme ça.

— Si vous croyez que je ne vais rien faire pour vous empêcher de vous rompre le cou, Miss Wilkins, dit Joe, vous ne me connaissez pas. Ce n'est pas mon style. » Il prononça ces mots avec une intensité rageuse, une passion qu'elle ne lui connaissait pas en effet ; il avait les yeux qui brillaient.

Iseult posa sa main sur son avant-bras. Il était en acier. « Joe O'Brien, prononça-t-elle tout doucement, je voudrais vous parler. »

Quel ne fut pas son étonnement quand il se laissa docilement entraîner à l'écart pendant que Grattan et les autres retournaient à leurs bricolages. Joe et elle foulèrent le tapis de chaume qui avait jadis été un champ d'herbe. À chaque pas, des nuées de criquets s'élançaient vers le soleil.

Elle était suspendue à son bras. « Je veux être plus proche de vous, vous comprenez ? lui souffla-t-elle. C'est ce qui compte maintenant pour moi. C'est ce qui m'intéresse avant toute chose. Vous n'avez pas cette sensation ? »

Il s'immobilisa. Debout dans la lumière crue, les yeux rétrécis entre ses paupières plissées, il la dévisagea d'un air songeur.

« Vous n'avez pas cette sensation ? répéta-t-elle.

— Bon, vous avez gagné. Allez-y, si c'est ce que vous voulez. Je ne vous en empêcherai pas. Seulement vous devriez m'épouser, Miss Wilkins. Ce serait mieux, à mon avis, si vous m'épousiez. Je veux vous épouser tout de suite.

— Vous êtes sincère ?

— Oui. »

Le vent sifflait dans les entretoises et les haubans. Elle regarda par-dessus son épaule du côté de Grattan et des deux Français qui s'affairaient toujours, à moins qu'ils ne fissent semblant. Pas moyen de savoir s'ils entendaient ce qu'ils disaient.

Entre-temps, Joe O'Brien avait retrouvé son quant-à-soi. « Et voilà, Miss Wilkins, ironisa-t-il. Une belle proposition de mariage que je vous ai faite là, vous avouerez ?

— Souhaitez-vous la retirer, Mr O'Brien ?

— Pas pour tout l'or du monde. »

La peur n'a rien de nocif tant qu'on ne la montre pas. Iseult n'avait rien mangé depuis le petit déjeuner : cela expliquait peut-être pourquoi elle se sentait si faible. Ou était-ce seulement une sainte terreur qui lui tordait les boyaux ? Sa bouche était sèche. *Je n'ai aucune envie de me transformer en chair à pâté*, se dit-elle. *Je n'ai pas envie d'être brûlée. Mais si je monte là-haut et que j'en redescende vivante, tout aura meilleur goût. Et j'aurai acquis une meilleure connaissance de moi-même.*

« Il va falloir encore changer l'orientation de la machine, je pense, le vent est en train de tourner », déclara le grand et maigre M. Levasseur avec son accent français.

M. Tourbot et Joe s'emparèrent chacun d'une extrémité d'aile et elle aida M. Levasseur et Grattan à soulever la queue. Le train d'atterrissage était un assemblage d'entretoises en bois verni supportant une paire de roues de bicyclette à rayons. Les ailes et la partie avant du fuselage étaient recouvertes d'une toile jaune. Le reste de la structure, laissé nu, ressemblait à un squelette.

Ils orientèrent l'aéroplane face au vent. Tourbot et Joe soutenaient les ailes. Grattan grimpa lentement sur le siège du pilote avant de faire signe à Iseult de s'installer à la place de l'observateur. Elle s'efforça de retenir sa jupe contre ses jambes, pressentant que, si elle posait le pied au mauvais endroit, elle déchirerait la toile tendue sur l'aile. Son siège était équipé d'une sangle en cuir. M. Levasseur lui montra comment s'attacher et fermer la boucle. Puis il courut devant l'appareil et se mit à tourner l'hélice, donnant un coup, puis un deuxième. Au second, le moteur hoqueta et se mit à crachoter.

Iseult sentit trembler la machine, aussi frêle qu'une lanterne en papier – si l'on faisait exception de l'odeur d'huile brûlée qui sortait des cylindres et du battement infernal des pales. L'appareil s'ébranla et se mit à avancer par bonds irréguliers. Les trois hommes le suivaient en soutenant les ailes et la queue. Le moteur rugissait, l'ossature du fuselage craquait, les haubans et les entretoises grognaient et grinçaient sous la pression de la voilure qui se déformait.

Ils commencèrent à prendre de la vitesse. Joe et M. Tourbot couraient pour accompagner la machine, soutenant à peine les ailes. En regardant le sol qui fuyait, Iseult vit un lapin bondir dans un trou, et l'instant d'après, ils prenaient leur envol, les roues de caoutchouc blanc frôlaient l'herbe et s'élevaient, se détachaient, se libéraient en tournoyant tandis que la machine se cabrait dans les airs. Ils grimpaient doucement dans le ciel. Elle percevait la puissance de l'hélice qui les tirait toujours plus haut au milieu des hurlements stridents du moteur. Un courant d'air invisible donna un coup de boutoir à la machine qui fit une embardée, mais Iseult n'en continua pas moins à sentir la force ascensionnelle générée par l'hélice. Elle fixa le cou nu de Grattan, sa nuque caparaçonnée de chevreau marron. Il poussa sur le palonnier, gauchissant l'aile droite qui bascula vers le bas. Ils viraient. Elle se cramponna au dossier de son siège, terrifiée à l'idée qu'elle allait tomber. Ils montaient encore tout en tournant. En contrebas, des pâturages desséchés, les carrés fauves des champs de blé, un mince filet de route grise, des vaches, des bâtiments bleus à la périphérie de Glendale, les cimes des monts San Gabriel.

Ils volaient droit à présent. Grattan se retourna vers elle et lui fit un large sourire.

Exaltation.

L'atterrissage fut rapide et terrifiant. Alors qu'ils chutaient brutalement, la peur serra la gorge d'Iseult. Un vent de travers secoua la machine qui dériva, mais Grattan la redressa et réussit à la remettre d'assiette à la dernière seconde. Iseult sentit le choc des roues heurtant le sol. Elles rebondirent puis reprirent sans douceur contact avec la terre ferme avant de rouler sur le sol inégal.

Joe et les deux Français attendaient devant la Pierce-Arrow. M. Tourbot avait dans les mains cinq flûtes à champagne et une bouteille verte qu'il tenait par le goulot. M. Levasseur s'avança et aida Iseult à descendre. Elle l'entendit dire à Grattan qu'ils étaient restés dans les airs vingt-sept minutes. M. Tourbot remplit les verres, et, debout à côté de l'aéroplane, porta un toast. «En votre honneur, *mademoiselle. Félicitations**!»

Le champagne était délicieux. Elle caressa la toile de l'aile. Le monde était clair sous le soleil éclatant, avec un peu de vin pétillant, l'odeur prégnante du moteur et la petite senteur de roussi de l'herbe jaunie. Même la poussière que soulevait le vent du désert était parfumée. Elle toussa et sentit dans sa poitrine les premiers picotements. Elle promena son regard autour d'elle en quête de son écharpe de soie, dans l'intention de se protéger le nez et la bouche, mais ne la vit nulle part.

Tourbot et Levasseur tiraient à la courte paille pour voir qui piloterait le prochain vol. Grattan, à genoux par terre, s'occupait de graisser les moyeux des roues.

«Allez-vous voler?» demanda-t-elle à Joe.

Il fit non de la tête. «Non, pas moi. J'ai assez de sujets d'intérêt sur la terre ferme. Avez-vous réfléchi à ce que je vous ai dit?»

Elle fut prise d'un accès de toux.

«Joe! Miss Wilkins! Venez nous donner un coup de main!» cria Grattan.

M. Levasseur avait gagné. Il grimpa dans le siège du pilote. Pendant qu'il enfilait ses gants et coiffait son casque, Iseult et les autres prirent position autour de l'appareil et commencèrent à l'orienter vent arrière.

Sa quinte de toux était terminée, mais ses poumons la démangeaient toujours. C'était un fait: au cours de sa vie, chaque moment d'euphorie avait débouché tôt ou tard sur une crise désastreuse; les bronches en feu avec une sensation d'oppression dans la poitrine qui la menait au bord de l'évanouissement; la respiration sifflante.

Elle avait ainsi appris à rechercher la solitude et l'absence de stimulation comme gages de tranquillité.

M. Tourbot courut devant l'appareil afin de brasser l'hélice. Dès que le moteur démarra, il grimpa à bord et se coula dans le siège de l'observateur. Il n'avait pas terminé d'attacher sa ceinture quand l'aéroplane se mit à avancer. Joe soutenait une aile, Iseult l'autre, Grattan la queue. La machine vibrait et se déformait sous la contrainte du train d'atterrissage qui transmettait les irrégularités du sol. L'appareil commença à prendre de la vitesse. Iseult fut obligée d'accélérer le pas puis de courir pour ne pas être distancée. L'aile en s'élevant lui échappa. L'aéroplane avança encore cahin-caha sur quelques mètres, puis les roues se détachèrent du sol. Iseult pila, mit sa main en visière pour ne pas être éblouie par le soleil et, en regardant le frêle engin grimper tant bien que mal dans le ciel bleu, elle tenta d'oublier la douleur qui vrillait sa poitrine.

Il y avait encore du champagne dans la glacière rangée sous la Pierce-Arrow. « C'est épatant d'avoir des Français comme associés », déclara Grattan. Joe ne voulait plus rien boire, mais Grattan remplit le verre d'Iseult et le sien. En restant dans la mince bande d'ombre ménagée par l'automobile, ils piochèrent dans le panier à pique-nique des œufs durs, des sandwichs au concombre et des pêches.

Iseult demeura assise sur le marchepied tandis que Joe et Grattan s'étendaient dans l'herbe. À un moment donné, Joe lui enlaça la cheville entre pouce et index. Électrisée, elle demeura néanmoins très calme. Rien n'était plus impossible. Ses poumons lui faisaient mal, mais avec un peu de chance, si elle restait bien tranquille, l'inflammation se résorberait. Peut-être quelques gouttes de plus de champagne glacé… Elle remplit son verre.

Les frères O'Brien, allongés sur le dos, se passaient une paire de jumelles. Le lointain bourdonnement du moteur de l'aéroplane n'était pas plus fort que celui d'un insecte. Elle but son champagne à petites gorgées. Elle avait ôté son gilet. Même à l'ombre, elle souffrait de la chaleur, une chaleur sèche et brûlante, comme si elle était assise trop près d'un poêle. De temps à autre, Joe lui caressait la cheville.

« C'est dangereux, vous savez, lui dit Grattan. Joe a raison. Pour tout vous avouer, Iseult… j'ai refusé qu'Elise vienne aujourd'hui, dans son état. »

Le sol ardent emmagasinait encore de la chaleur. Elle sentit la crise venir. C'était la poussière, la poussière dorée. Le vent sec, la course à pied, la peur. À chaque inspiration, de minuscules aiguilles picotaient ses poumons.

Joe avait enlevé son chapeau, sa veste, son col de celluloïd et sa cravate. Sa chemise blanche était entrouverte et il en avait roulé les manches. Ses yeux étaient fermés, son visage baigné de soleil. Il n'avait qu'un an de plus qu'elle. Il n'y a pas si longtemps, il n'était encore qu'un enfant.

Quel effet cela lui ferait d'être couchée sur lui ? Qu'éprouverait-elle s'il posait ses mains sur elle ? C'était si limpide dans son esprit qu'elle en fut à la fois étonnée et gênée. Ramassant la bouteille de champagne toujours fraîche et humide, elle appuya le goulot contre ses lèvres.

« Il le fait virer un peu sec », observa Grattan.

Elle leva les yeux et vit l'appareil qui évoluait très haut au-dessus du terrain suivant un parcours chaotique avec un bruit de mouche. Les ailes basculèrent et la machine continua à virer. Grattan se leva et colla les jumelles contre ses yeux. Joe bondit à son tour sur ses pieds pour se planter à côté de son frère.

« Quelque chose ne va pas ? demanda Joe.

– Trop haut. »

Elle but une lampée de champagne, dans l'espoir d'enrayer la nouvelle quinte de toux, mais rien ne pouvait l'arrêter et elle fut secouée par des spasmes. Joe lui jeta un coup d'œil puis leva de nouveau les yeux vers le ciel.

« Redresse un peu ! disait Grattan. Vas-y, *mon vieux**! Sors-toi de là ! »

Elle prit une petite gorgée, eut un hoquet, s'étouffa, cracha le champagne et se mit debout. La bouteille serrée dans son poing, guidée par un instinct de fuite, celui qui vous pousse à courir, à vous cacher, elle se mit à marcher au hasard en longeant les aéroplanes qui sentaient le vernis, la toile et la graisse. Sous ses chaussures, l'herbe sèche crissait. Elle toussait, versant du vin et des larmes.

« Merde ! » fit la voix de Grattan.

Quand elle entendit le moteur hurler, elle leva les yeux et vit que la machine était en vrille. Grattan arrivait en courant. Il la dépassa et se dirigea vers l'endroit où l'appareil... où les hommes allaient s'écraser ! Joe passa aussi devant elle en courant.

La machine volante percuta la terre avec un bruit de branche qui casse. Un son insignifiant. À peine si elle le remarqua. Le cri strident de la mécanique se tut à l'instant de l'impact.

Silence. Ni fumée, ni choc, ni résonance. Seulement le souffle du vent.

Après le suicide de son père, elle avait senti dans toutes les pièces de la maison une odeur de poudre, âcre, salée, qui avait persisté pendant des semaines. Sa mère lui avait affirmé, peut-être à juste titre, qu'elle avait trop d'imagination. Par une chaude journée du mois de mars, trois semaines après le suicide, le chauffagiste était venu allumer tous les poêles et les âtres de la maison et avait jeté des pelletées de charbon dans les flammes. Deux femmes de chambre irlandaises, assistées de trois ouvrières canadiennes françaises détachées spécialement de la filature, ouvrirent toutes les fenêtres et récurèrent chaque pièce du sol au plafond. Peine perdue. Iseult sentait toujours l'odeur de poudre.

C'était après ce frénétique et inutile nettoyage de printemps que sa mère avait commencé à parler de tout vendre et de déménager à Pasadena.

Grattan et Joe traversaient à toutes jambes la prairie grise en direction du minuscule tas blême que formait l'épave. Elle se mit à courir à son tour. Un mouvement instinctif. Une gesticulation sauvage et affolée marquant la gravité de la mort. En respirant n'importe comment, le regard brouillé par les larmes et le champagne, elle courut avec la sensation de déchirer ses poumons. Lorsqu'elle trébucha sur un câble qui amarrait un des appareils, elle s'entailla le tibia sur le fil de fer et s'étala par terre. Le côté de sa tête heurta le sol gris, et tout à coup elle n'était plus là.

Ils se marièrent dans une chapelle de l'église de Santa Monica. Elle connaissait Joe O'Brien depuis cinq semaines. La noce se résuma à Mr Spaulding, Cordelia, Grattan et Elise près d'accoucher. Ils déjeunèrent dans le Ship Restaurant sur l'Abbot Kinney Pier. Grattan, le garçon d'honneur, lut le télégramme de félicitations du frère séminariste, Tom, puis les meilleurs vœux des tantes et oncles de Boston d'Iseult, suivis des félicitations en français de sa famille lilloise. Pas un mot n'arriva des sœurs O'Brien, cloîtrées dans leur couvent à Ottawa. Joe ne lâchait pas la main d'Iseult sous la table. Après le déjeuner, Grattan les conduisit dans la Pierce-Arrow jusqu'à la gare de Los Angeles. Il essayait de vendre l'automobile pour le consul de France qui était aussi l'exécuteur testamentaire des deux pilotes décédés. La motocyclette rouge de Joe était déjà à la gare où l'on s'occupait de la charger avec les bagages. Ils avaient l'intention d'explorer la Sierra Madre et le parcours de la future voie ferrée au Mexique.

Le cuir des sièges exhalait au soleil une odeur capiteuse. Iseult se sentait fraîche et en forme. Comme cadeau de mariage, Joe lui avait offert un équipement complet de chambre noire afin qu'elle puisse développer et tirer ses propres plaques, le tout empaqueté dans des boîtes en acier qui avaient été acheminées chez ses agents à Edmonton, Alberta. Grattan et Elise lui avaient pour leur part donné un petit Vest Pocket Kodak tout neuf, format 4,5 par 6 sur film 127 ; assez compact pour tenir dans le creux de sa main.

Le cottage Linnie était fermé. Ils comptaient retourner à Venice une fois terminée la saison de construction en montagne. N'empêche, elle avait été triste en tournant une dernière fois la clé dans la serrure de sa porte d'entrée. Avait-elle quelque part failli à ses devoirs à l'égard de la petite maison ? Peut-être. Mais elle avait besoin de prendre des risques, la vie à bras-le-corps. Sa seule compagnie ne suffisait pas.

Los Angeles se parait d'une certaine beauté sous le soleil printanier, même si les édifices gris du centre-ville, des banques, des immeubles de bureau avaient une allure quelque peu irréelle dans une lumière aussi limpide et dure. Joe portait un chapeau de soie, une jaquette et il serrait très fort la main d'Iseult dans la sienne. Son silence ne la surprenait ni ne la troublait. Ils étaient de ceux qui suivent leur instinct ; il y aurait toujours entre eux des moments où la parole n'était ni utile ni nécessaire, des moments où les mots ne réussiraient qu'à compliquer les choses et à les encombrer. Elle avait la sensation qu'ils étaient l'un comme l'autre sidérés par ce qu'ils venaient de faire, par l'engagement qu'ils venaient de contracter.

Il avait réservé une suite avec salon sur le Sunset Limited. À El Paso, ils débarqueraient, traverseraient à moto la frontière et reprendraient un train pour Chihuahua.

Un porteur noir les fit monter dans leur suite Pullman. Ils avaient à leur disposition une chambre, une salle de bains et un salon, où ils pouvaient prendre leurs repas s'ils ne souhaitaient pas se rendre au wagon-restaurant. Le salon était rempli de fleurs. Ils restèrent assis sur le canapé main dans la main pendant que le train suivait en cahotant et en bringuebalant l'entrecroisement sans fin des voies de la gare de Los Angeles. Le soleil tapait et clignotait aux fenêtres.

« J'ai envie de vous », dit-il.

Il regardait par la vitre en prononçant ces paroles.

« Oui, je sais.

« – Ce que vous m'avez dit, à propos de l'espace qui vous est vital pour respirer. Vous l'aurez toujours.

– Oui.

– Je ne vais pas vous emprisonner dans le mariage, dit-il. Cela ne m'intéresse pas. Pour être heureux, il faut jouir de sa liberté. Notre couple, nous le construirons ensemble. Notre maison sera à nous deux. Et on y aura toute la place qu'on veut.

– Et des enfants.

– Oui, sans doute. »

Le train ayant longé les collines pelées aux teintes violettes de Covina prenait de la vitesse lorsque Iseult se leva, ôta les épingles de son chapeau et sa courte veste en soie. Elle dégrafa un peu son corsage, puis se tourna vers son mari.

Sans un mot, Joe se courba et enleva ses chaussures. Puis, à son tour, il se leva et se mit à se déshabiller.

« J'ai déjà connu des femmes. J'aurais dû vous le dire avant.

– Rien ne vous oblige à me le dire maintenant.

– Il n'y a pas grand-chose à raconter.

– Alors, parfait. »

La lumière vive faisait des sauts et des bonds de cabri autour du compartiment. La rame était tellement longue qu'Iseult entendait à peine la locomotive alors qu'ils sortaient de San Bernardino et roulaient à plus grande vitesse encore sur le ballast nivelé longeant les vergers d'orangers et de pacaniers. La fenêtre était un morceau du ciel bleu de Californie. D'un haussement d'épaules, il fit tomber sa jaquette puis délogea sa montre en or du gousset de son gilet. Après avoir enlevé le gilet, il défit sa cravate de soie grise et ses boutons de manchette en or, un cadeau de mariage extravagant de la part de Grattan. Pour finir, il retira son bouton de col en perle, offert par Iseult, puis son col.

« Je pense à votre corps, dit-il. Votre parfum. Il n'y a rien qui m'enivre plus. »

La timidité d'Iseult virait à l'excitation tandis qu'elle dégrafait la ceinture de son étroite jupe grise.

« Vous êtes une fleur, dit-il. Votre corps, c'est la fleur. C'est comme cela que je vous vois. »

L'éveil de tous les sens, une curiosité débridée. Une faim. Elle était en combinaison de lin, bas de soie noirs et bottines. Joe posa ses mains sur les hanches d'Iseult. Il ne portait plus qu'un caleçon de coton. Un torse puissant, des bras puissants. Jusque-là, elle avait eu l'impression que tout se passait comme dans un rêve. Maintenant, elle avait une vision plus nette. Tout devenait clair.

Les gens n'obtenaient jamais vraiment ce qu'ils attendaient. Le monde était varié et variable. Peut-être étaient-ils destinés à se décevoir mutuellement, leur mariage se révélant aussi triste et solitaire que celui de ses parents. Mais, dans le fond, elle était sûre du contraire. Elle était en feu, et Joe O'Brien était robuste. Tout en lui était tourné vers l'avenir, détourné du passé. Leur mariage allait ressembler à une route, pas à un désert où la route s'est arrêtée.

Il glissa la main sous la combinaison et la fit remonter jusqu'à ses jarretières. Alors que ses doigts frôlaient la peau de ses cuisses, elle fut parcourue d'un frisson de… de quoi ? D'espoir. De joie sauvage ? Une sensation sans pareille. Il la toucha avec douceur, tendrement, pile *là*. Le choc et l'excitation dus à la surprise lui arrachèrent presque un cri.

Il déroulait ses bas en murmurant : « Dans le pays d'où je viens, quand une union ne plaît pas aux voisins, ils poursuivent les jeunes mariés pendant leur nuit de noces en entrechoquant des casseroles ou en allumant des feux et parfois ça tourne mal.

— Et à votre avis ils vont nous poursuivre ?

— C'est la raison pour laquelle j'ai réservé ce compartiment sur le Sunset, Iseult. Le train le plus rapide de l'Ouest. Ils ne nous rattraperont jamais. »

Iseult. C'était la première fois qu'il l'appelait par son prénom. Il caressa des deux mains le galbe de ses mollets puis remonta le long de la jambe.

Les parties de son corps déjà dénudées – les bras, les mollets – tremblaient de volupté. Sa peau se languissait de ses mains. Elle débordait de joie. Quel genre de vie, quelle histoire l'attendaient ? Dans l'heure ils se connaîtraient entièrement. Les voilà qui s'enlaçaient, dans le plaisir comme la douleur ; seule la mort pourrait désormais les séparer. Un jour, elle serait forcée de regarder Joe O'Brien mourir, ou bien ce serait l'inverse.

Il la toucha de nouveau, pile *là*. Elle remarqua que le train redoublait de vitesse. Il lui ôta ses bottines, ses bas de soie. Sous la plante de ses pieds, elle perçut le clac-clac-clac des roues d'acier sur les éclisses. Il se remit debout et elle leva les bras pour qu'il lui enlève sa combinaison et sa camisole. Ses seins jaillirent. Il laissa les vêtements glisser au sol et embrassa son cou, sa gorge, la peau entre ses seins, ses mamelons. Il la poussa en douceur vers la chambre puis sur le lit blanc moelleux. Des mille deux cents kilomètres de trajet, ils ne sortirent pas du compartiment.

À El Paso, elle assista au déchargement de la motocyclette rouge. Elle grimpa dans le side-car. Ils prirent le Rio Grande Bridge et quand ils arrivèrent à la gare de Juarez, l'engin fut chargé dans un train pour Chihuahua.

Des cavaliers attaquèrent le train avant même qu'ils aient quitté la gare. La bande de rebelles allait et venait au galop sur le quai en tirant des coups de pistolet en l'air. Joe la plaqua au sol et se coucha sur elle afin de lui faire un bouclier de son corps, et c'est là, sur le plancher douteux d'un wagon de chemin de fer mexicain, qu'elle sentit les premiers signes de grossesse.

La poussière mexicaine, les bruits de verre brisé, les cris en espagnol. Des balles percutant le bois verni. Le corps d'un homme la plaquant au sol. Une vague nausée, une exaltation et le sentiment que la vie s'ouvre, subitement et totalement.

LES MONTS SELKIRK,
COLOMBIE-BRITANNIQUE
1912-1914

La concession

Novembre 1912

Winnipeg ne fut qu'une source de frustrations. Joe détestait perdre son temps en ville, à discuter de choses qui auraient dû être évidentes, alors qu'il avait besoin d'être à la montagne où, sans lui, les travaux n'avançaient pas. La saison tirait à sa fin. Il restait tout au plus deux ou trois semaines avant que le climat l'oblige à fermer pour l'année.

Au bout de deux jours de réunion et de mégotage ridicule, les commanditaires approuvèrent à regret chacune des modifications souhaitées par ses ingénieurs. Joe rentra en toute hâte à son hôtel, envoya deux télégrammes, avala un dîner aussi précipité que gras et, sac de voyage à la main, se dirigea vers la gare.

La gare grouillait d'hommes sans attaches, saisonniers agricoles chargés de sacs en tapisserie et de vieilles sacoches, la couverture roulée en travers de l'épaule. Ils allaient tous quelque part, fuyant Winnipeg avant les grands froids. Il se sentit privilégié de ne pas être l'un d'eux, lui qui avait une femme, bientôt un enfant, lui qui avait une tâche importante à terminer.

Ses responsabilités l'ancraient dans la vie. Avant son mariage, il lui arrivait, en se pressant vers telle ou telle gare, de se sentir submergé par une immense tristesse. Un chagrin si poignant qu'il lui était impossible de continuer, d'atteindre le quai, de monter à bord du train. Il entrait alors en titubant dans la salle d'attente et

s'effondrait sur un banc. Comme si son esprit – son âme – s'était
évaporé, le laissant vide et paralysé. Parfois, il se ressaisissait à temps
pour attraper son train. D'autres fois, il le ratait, point.

Depuis qu'il était marié à Iseult, il avait l'impression d'avoir
un but. La présence lumineuse de cette femme était comme un
défi : la vie valait la peine d'être vécue. Finis les accès de mélancolie
dans les salles des pas perdus. Il ne resterait plus inerte et désorienté au milieu de foules de gens pressés qui savent où ils vont.

À l'aube, alors qu'ils atteignaient Edmonton, il leva le store de
sa couchette et, voyant la neige, se dit qu'il y en aurait davantage
en montagne. Au bureau du télégraphe d'Edmonton, on l'informa
que les lignes à l'ouest du col de Yellowhead étaient en panne
depuis vingt-quatre heures. Vers midi, il sauta dans un train de
transport de vivres et de matériaux. À Yellowhead, la voie était obs-
truée par la neige, la panne de transmission se prolongeait. Alors
qu'il était fou d'impatience de retrouver Iseult, il fut contraint de
passer la nuit dans une pension de famille au grand campement
de la Compagnie Canadien du Nord.

Laissant cinquante cents de pourboire au Chinois qui lui avait
servi son petit déjeuner, il grimpa à bord d'une locomotive 4-8-4
équipée d'un chasse-neige. La tempête avait migré ailleurs et le soleil
brillait. Debout dans la cabine entre le mécanicien et le chauffeur,
il but du thé noir bien sucré. Il respirait mieux. À ces moments-là,
quand il retournait chez lui, du moins là où il estimait être chez
lui, la substance de sa vie lui paraissait aussi dense, aussi palpable
qu'un boulet de charbon.

Si le beau temps persistait, avec un peu de chance, ils avaient
encore deux semaines avant les gelées qui le forceraient à fermer
et à renvoyer les hommes, avant d'emmener Iseult en Californie
pour la naissance du bébé. À un moment ou à un autre au cours
de l'hiver, il lui faudrait sans doute effectuer un voyage d'affaires à
l'Est, ainsi qu'à Winnipeg, mais leur enfant allait voir le jour sous
le soleil et dans l'air marin de la côte.

À l'ouest du col Yellowhead, une série d'avalanches avait enseveli l'emprise sous la neige, mais le mécanicien, en y mettant toute la gomme, parvint à forcer le passage. Trois heures après avoir quitté Yellowhead, la locomotive ralentit en sifflant devant les deux poutres massives servant de butoir de fin de voie au lieu-dit éponyme Head-of-Steel.

D'un bond, il sauta à terre et s'enfonça sur la piste profonde et glacée qui menait à la baraque servant de bureau administratif à la concession. Construite à la va-vite, comme toutes les bâtisses de ce type, avec des rondins récoltés sur place, elle serait abandonnée au terme de la saison. L'année suivante, la tête de ligne migrerait trente kilomètres plus loin à l'ouest, sur la rive de la North Thompson, à un endroit dont ses équipes avaient déjà effectué le relevé topographique et défriché le terrain.

Deux poêles à bois grondaient et soufflaient dans la pièce principale. L'odeur dégagée par ces calorifères était pour lui l'odeur du pouvoir – la fonte brûlante évoquait le commandement, l'autorité, la magnanimité – mais leur rayon d'action étant limité, les commis étaient emmitouflés dans leurs écharpes et leurs cache-cols, certains même n'avaient pas quitté leur paletot ou leur caban, et tous étaient coiffés de chapeaux melons ou de bonnets de laine enfoncés jusqu'aux oreilles. Il y avait parmi eux beaucoup de jeunes Anglais, quoique guère plus jeunes que lui. Il ne détestait pas leur drôle d'accent affecté, et il s'en trouvait toujours un ou deux portés sur la comptabilité, aptes à décortiquer et interpréter le flux de chiffres généré par la vie au quotidien d'une concession.

Après avoir échangé de brèves salutations avec une douzaine d'hommes, Joe entra dans son bureau. Même si les murs n'étaient que des rondins disjoints colmatés au moyen de glaise, de chaux et de paille, il aimait avoir sous ses pieds un morceau de tapis persan ou turc. Chaque fois qu'il achetait un tapis de grande valeur à une vente aux enchères ou à un marchand, il prenait aussi quelques vieilles pièces, dont il se servait pour son bureau. Les enchevêtrements de pourpre, d'écarlate et d'or d'un ancien Tabriz ou d'un Ispahan rehaussé de soie, même usé jusqu'à la trame, revêtaient un sens qu'il ne parvenait pas tout à fait à définir. Leurs motifs étaient splendides et ensorceleurs. Lorsqu'il était fatigué, la contemplation des décors géométriques ou des entrelacs d'un coin de vieux tapis lui apportait un réconfort sans pareil. Il n'avait pas essayé de l'expliquer, même à Iseult. Un beau tapis l'inspirait, et il se foutait royalement que ses hommes le maculent de boue avec leurs bottes; leur magie était inaltérable.

Le reste du mobilier était sobre: un secrétaire à cylindre, une chaise et un classeur industriel en métal vert. Des raquettes accrochées au mur. Au mois d'août, Iseult avait parfois déposé sur son bureau une poignée de fleurs sauvages plongées dans un verre d'eau. Joe était sensible à cette attention féminine, à la générosité du geste, au parfum poivré des petites fleurs alpines.

Les plans levés par les arpenteurs couvraient chaque centimètre des murs, avec le tracé de la ligne en bleu au crayon gras. Un lit pliant militaire, surplus de la guerre des Boers, était dressé dans un coin, avec, soigneusement pliée dessus, une couverture de la Compagnie de la Baie d'Hudson. Joe avait pris l'habitude de faire la sieste l'après-midi pour une raison bien simple: il ne dormait presque jamais une nuit complète. À deux ou trois heures du matin, il se levait sans réveiller Iseult, s'habillait et sortait pour se rendre au bureau. Après avoir allumé une lampe et un poêle, il attaquait les dossiers qui s'empilaient sur son bureau.

Comme tous les grands travaux, un chantier de construction du chemin de fer avait tendance à engendrer désordre et gâchis, mais, moyennant une bonne organisation, une administration tatillonne et une comptabilité rigoureuse, l'entreprise la plus compliquée pouvait être gérée et contrôlée de façon tout à fait satisfaisante. Un homme qui méprise la paperasserie – la juge indigne de lui – abdique son contrôle sur ses propres affaires, abandonnant son sort entre les mains de ceux qui comprennent et maîtrisent les arts de la gestion.

Joe parcourut rapidement la pile de lettres, rapports et télégrammes qui avait grandi pendant ses quatre jours d'absence. Rien qui ne pût attendre ses retrouvailles avec Iseult. Il aurait dû lui apporter un petit cadeau, il n'y avait même pas pensé, de toute façon il n'aurait pas eu le temps de s'en occuper.

Il s'apprêtait à sortir quand son chef de bureau, un Irlandais de Belfast, se matérialisa sur le seuil.

«Monsieur, il faut que je vous parle.

— Bien sûr, à quel propos?

— J'ai de mauvaises nouvelles, monsieur.»

Joe leva les yeux.

«Qu'est-ce que vous racontez?» vociféra-t-il.

Cette année, Head-of-Steel, la fin de la voie de fer, était située dans une vallée de la chaîne Selkirk, à côté d'une rivière verte s'écoulant d'un glacier. Un premier entrepreneur avait fait faillite au cours de l'hiver. Cette nouvelle était arrivée aux oreilles de Joe pendant sa lune de miel, alors qu'ils descendaient des Andes mexicaines. Il avait aussitôt pris une cabine de première sur un vapeur reliant Vera Cruz à La Nouvelle-Orléans. De là, il était monté en train à Chicago puis à Montréal, où il avait rencontré l'ingénieur en chef de la compagnie Canadien du Nord et signé une sous-traitance qui lui agréait la construction, en plus des cinquante-six kilomètres de la section originale, de cent vingt-huit kilomètres de rails à travers les montagnes de Colombie-Britannique.

Le sous-traitant se voyait dans l'obligation d'acheter la totalité de ses outils, crampons et traverses au commanditaire, payant au comptant le prix fixé par ce dernier; Joe expliqua à Iseult que c'était en grande partie ainsi que les donneurs d'ordre s'enrichissaient. Les mêmes cadres avaient par ailleurs persuadé le gouvernement du dominion de soutenir des actions qu'ils avaient déjà vendues à Londres et à New York pour financer leurs travaux de chemin de fer.

Selon les calculs de Joe, il faudrait trois ans pour terminer cette section, à raison de huit mois de travaux par an, d'avril aux premières gelées. Des pénalités de retard étant prévues au contrat de concession, s'il ne terminait pas à temps, il risquait de tout perdre. « Soit nous faisons fortune, Iseult, soit nous y laissons notre chemise. »

Elle avait proposé de vendre la maison de Venice Beach et de lui remettre l'argent, ainsi que la totalité de son héritage, afin qu'il s'en serve comme capital, mais il avait refusé. « Je tiens à ce que tu gardes tout ce qui t'appartient. Mon ambition est de te donner plus de tout, non de t'enlever ce qui est à toi. Je vais le soutirer aux banquiers, tu verras. Ces gars-là savent où est leur intérêt, ils voudront une part de notre gâteau. »

Il avait obtenu des rendez-vous avec des banquiers à Montréal et à New York. Elle avait été sidérée, et quelque peu effrayée, par les sommes astronomiques qu'ils étaient disposés à lui prêter. Lui, en revanche, n'avait même pas eu l'air étonné. « Ils nous octroient assez de corde pour nous pendre, voilà tout. » Il assortit ces paroles d'un sourire ; de toute évidence, il n'avait aucune intention d'y « laisser sa chemise ». Inutile, se disait-elle, de chercher à l'empêcher d'aller jusqu'au bout.

Il y avait des baraquements à Head-of-Steel, mais la majorité des quatre mille hommes employés par Joe logeaient dans des campements éloignés de taille réduite appelés *stations*, qui s'égrenaient sur cent cinquante kilomètres le long de la future ligne. Les remises, entrepôts et ateliers de réparation se trouvaient aussi à Head-of-Steel, ainsi que les corrals et les écuries. Les expéditionnaires, les pointeurs, les télégraphistes et les commis au service marchandises travaillaient dans la baraque en rondins qui servait de bureau administratif. Iseult et Joe habitaient une tente de toile blanche dressée à l'écart et entourée de deux dépendances, la cuisine et les latrines, auquel s'ajoutait un jardin potager. Là, ils se trouvaient loin des baraquements et autres cahutes agglutinés autour de la fin de la voie de fer.

Joe avait fait en outre construire pour Iseult une petite cabane servant de chambre noire. Elle prenait des photos des hommes et des chevaux – au début timidement, avec beaucoup d'hésitation mais, à mesure qu'ils s'habituaient à sa présence, elle avait trouvé de plus en plus naturel d'emporter partout son appareil. Malgré plusieurs rouleaux de toile cirée, elle n'était pas parvenue à oblitérer toutes les particules de lumière dans la cabane. Lorsque Joe travaillait tard, elle en profitait ; la nuit était incomparable pour faire ses tirages. Elle s'accoutumait à se mouvoir et à manœuvrer dans le noir, et apprit à faire confiance à ses mains.

Ses images n'étaient pas, et de loin, aussi captivantes que le spectacle sous ses yeux, mais de temps à autre, l'une d'elles en apparaissant dans le bain de révélateur la surprenait agréablement. Il n'en fallait pas davantage pour l'encourager à persévérer. Prendre des photos était une opération magique, et apportait une satisfaction qu'elle n'avait jamais éprouvée avec une plume ou un pinceau.

Le plancher de bois brut de leur tente disparaissait sous les tapis persans achetés par Joe aux enchères de Montréal. Il avait commandé leurs lits de camp dans le catalogue Abercrombie & Fitch. Leurs draps étaient un cadeau de mariage de Mr Spaulding ; les couvertures Baie d'Hudson, un cadeau de Grattan et d'Elise. Les banquiers montréalais de Joe leur avaient fait présent de deux magnifiques pelisses de bison, qui pesaient des tonnes et dans lesquelles on suffoquait de chaleur. Les deux sœurs O'Brien, cloîtrées dans leur couvent à Ottawa, avaient envoyé une image sainte du Sacré-Cœur de Jésus. Au début de l'été, Joe avait parcouru à fond de train les trois mille kilomètres jusqu'à Ottawa pour les voir avant leurs vœux. Il voulait les persuader de quitter cette vie claustrale.

« Je n'aurais jamais dû les envoyer là-bas, Iseult. Maintenant on leur demande de renoncer au monde... Comment renoncer à ce qu'on n'a jamais possédé ? »

La mère supérieure accepta de parler à Joe à travers une grille en fer. Elle lui annonça que ses sœurs refusaient de le voir. Il menaça de revenir au couvent accompagné de la police, sauf qu'il ne connaissait aucun policier qui eût osé violer le silence recueilli de l'ordre de la Visitation. Il avait réservé une chambre au Château Laurier ; le soir, un télégramme de Head-of-Steel lui annonça que des hommes avaient été tués par une explosion dans un tunnel. Le lendemain, il rentra en train.

Iseult et Joe avaient tout l'été pris leurs repas dans la porcelaine de la mère d'Iseult, avec l'argenterie et les candélabres de son père. La nuit, les lampes à huile rendaient l'atmosphère douillette entre les murs de toile blanche, et un petit poêle à bois leur tenait chaud. Le train de matériel hebdomadaire leur apportait le courrier de Yellowhead et d'Edmonton. Iseult recevait en général une lettre d'Elise, qui avait accouché en juin d'une petite rouquine du nom de Virginia.

> *Je t'épargnerai les détails scabreux, Iseult, mais quand cela t'arrivera, ne t'inquiète pas si tu as un mal de chien, parce que c'est normal.*

La boue était ce qui ne manquait jamais à Head-of-Steel. Les loups rôdaient autour du périmètre du campement ; Iseult avait aperçu sur les pentes des ours qui arpentaient la neige avec des airs de vieux grincheux ainsi que des troupeaux d'orignaux écorçant les jeunes trembles à l'aide de leur langue. La montagne n'avait rien d'idyllique et les risques étaient énormes, mais Iseult, enceinte, partageait avec son mari la sensation d'accomplir quelque chose de grand. Vivre dans l'intimité d'un homme tel que Joe était une expérience euphorisante autant qu'étrange. Il avait des jambes puissantes. Des mains dures capables de tendresses inouïes. À la fin du mois de mai, un tunnel s'effondra sur une équipe de terrassiers, en tuant quelques-uns et en blessant d'autres. Faire l'amour leur permit de traverser cette semaine noire.

Iseult avait dormi dans le lit de camp de son mari toutes les nuits jusqu'au moment où, devenue trop grosse, elle avait été obligée de se contenter du sien. Elle avait soigné les blessés, tenu la main des moribonds. Elle avait pioché, planté et défendu avec passion son jardin potager, et même si le principal des haricots et des oignons avait été dévoré par les orignaux, elle récoltait toujours des betteraves et des pommes de terre malgré le givre qui blanchissait le sol. Les hommes de Joe avaient construit un poulailler, où elle élevait onze poules, toutes de bonnes pondeuses. En début de saison, elle avait commandé au tailleur du campement, un vieux Chinois, Mr Bee, deux pantalons en toile couleur miel. Elle s'était tricoté des chaussettes de laine épaisse et avait acheté sur le catalogue Easton's des bottes de bûcheron taille garçonnet qui lui allaient parfaitement. Après l'avoir réchauffé près du poêle, elle nourrissait le cuir d'une mixture de graisse d'ours et de cendres, qu'elle enduisait à mains nues.

Elle avait fait des centaines de photographies, apprenant à regarder à travers le viseur de ses appareils, à se fier à ce qu'elle ne voyait pas, à se fier à son toucher et à son instinct. Elle avait documenté tous les stades de l'opération. Sur la suggestion de Joe, elle avait envoyé au *Star Weekly* de Toronto ses clichés d'hommes construisant un pont à chevalets. La revue en avait publié une portant la légende : « Un empire se bâtit à la force des bras ». Même si ses pantalons en toile étaient devenus trop serrés, elle était restée résolument en bonne santé pendant sa grossesse, en travaillant sans relâche au potager et en montant sa petite jument, et cela jusqu'au huitième mois. Elle avait parcouru à pied la ligne, chargée de ses appareils, et avait aidé Joe à faire avancer la draisine sur les rails temporaires jusqu'à des stations éloignées, où il vérifiait si l'eau était potable. Et elle livrait des œufs et des produits de son potager aux cuistots, collectait les lettres pour la poste et donnait des remèdes aux malades. Cette vie n'avait rien à voir avec celle qu'elle avait redouté de mener en Nouvelle-Angleterre et à Pasadena. Toute sa solitude s'était dissipée telle une brume de mer.

Sur la fin de la saison, Joe était parti à Winnipeg pour affaires. La main-d'œuvre était rémunérée chaque mois mais les commanditaires de la compagnie échelonnaient les paiements suivant un strict cahier des charges : c'était tant le mètre de voie posée. Dès que ses géomètres ou ses ingénieurs insistaient pour effectuer des modifications de dernière minute coûtant des milliers de dollars, Joe savait qu'il n'obtiendrait jamais l'aval de l'autorité supérieure sans un aller-retour de deux mille kilomètres à Winnipeg et plusieurs jours de négociation. Il avait proposé à Iseult de l'emmener, mais son instinct lui avait dicté de rester sur place.

Le lendemain de son départ, au matin, le premier blizzard de la saison souffla de la côte Ouest, coupant le campement du monde mais aussi Iseult du reste du campement. Pendant les deux premières heures, elle resta au lit où, à l'aide d'une panoplie de brosses douces et de ravissants petits outils qu'un machiniste avait fabriqués spécialement, elle démonta, nettoya et astiqua son Folding Kodak en écoutant tambouriner sur les parois de toile d'abord une grosse pluie, puis de la grêle et enfin de la neige mouillée. Le temps de serrer les dernières vis de cuivre du boîtier, elle commençait à ne plus tenir en place. Elle ferma l'appareil et se leva. En sortant la tête de la tente, elle découvrit dans le corral sa jument favorite prostrée sous les rafales de neige.

Un jeune Chinois, Lee Peng, lavait leur linge et faisait le plus gros du ménage et de la cuisine. Iseult lui avait demandé de lui apprendre à cuisiner, mais dès qu'elle pénétrait dans son antre, il semblait timide et gêné, même si elle se contentait d'émincer les légumes ou de faire la vaisselle. Quand Joe s'absentait, Lee Peng était chargé de donner à manger aux chevaux. Pourtant Iseult trouva à la petite jument bien mauvaise mine. Un peu de foin l'aiderait peut-être à mieux supporter la tempête glacée. Elle mit le caban de Joe par-dessus sa chemise de nuit et chaussa ses bottes de bûcheron.

Dehors, un vent violent et vorace manqua de la renverser. La neige s'amoncelait autour du poulailler. À l'intérieur, les bêtes caquetaient doucement. Les flocons tombèrent soudain si drus que le corral et la petite jument disparurent.

Le blizzard avait chassé de la vallée toute trace des langueurs de l'automne, les remplaçant par un air fleurant l'action et la fumée. Le vent grognait. Dans le New Hampshire, les blizzards n'arrivaient jamais aussi vite, en tout cas pas avec autant de neige.

Iseult se dit que ses poules ne craignaient rien. Leur abreuvoir se couvrirait peut-être d'une fine pellicule de glace, mais cela pouvait attendre le lendemain. Il valait mieux qu'elle batte en retraite sous la tente. Mais voilà que la jument, ayant sans doute humé son odeur, s'avançait vers elle de l'autre côté de la clôture, un fantôme gris, le dos couvert de squames de glace.

Iseult lutta contre les rafales pour atteindre la meule. Saisissant une fourche, elle s'apprêtait à jeter un peu de foin dans le corral quand un méchant pincement dans l'abdomen la plia en deux. Tenant d'une main son ventre tétanisé, elle rentra en titubant, ferma la portière de la tente et s'allongea sur le lit sans enlever le caban mouillé ni ses bottes. En proie au vertige et à la nausée, elle en voulut à Joe qui l'avait abandonnée seule avec les bêtes. Le vent secouait les murs de toile.

Au début, elle tenta de calmer les contractions en respirant profondément. Elle-même était née sous le toit familial – comme la plupart des gens – mais Joe préférait qu'elle ait le bébé à l'hôpital de Santa Monica. Il voulait un cadre tout blanc, propre, disait-il, et qu'elle bénéficie des meilleurs soins de la science médicale.

Les affres de chaque contraction la laissaient haletante et égarée. Elle s'appliquait à reprendre ses esprits quand elle entendit Lee Peng qui murmurait «Madame, madame», de sa voix douce et suppliante. Sa tête pointait dans la portière. Il fixait sur elle ses yeux bruns.

«Madame malade?»

Elle était toujours en caban et en bottes. La neige avait trempé ses draps.

«Je me lève, lui dit-elle. Changez les draps, s'il vous plaît.

— Vouloir thé, madame?

— D'abord aidez-moi à ôter ces bottes.»

Il entra sous la tente et s'approcha du pied du lit d'un pas hésitant. Il tira sur ses bottes.

Iseult ne connaissait pas l'âge de Lee Peng. Elle lui avait posé la question, mais il ne semblait pas savoir, ou peut-être cela portait-il malheur de le dire. Elle lui donnait entre dix-sept et vingt-cinq ans. À croire le chef de chantier de Joe, les Chinois pratiquaient toutes sortes de rites farfelus autour du pouvoir des nombres – c'étaient des joueurs effrénés. D'après les contremaîtres, il était impossible à un Blanc de déterminer si un Chinois était en bonne santé ou souffrant, content ou furieux; c'était une race insondable. Lorsqu'ils dépeçaient un orignal, ils mangeaient tous les morceaux, même le foie, qu'ils cuisaient à la vapeur; même les bois, qu'ils pilaient; même les sabots, qui leur servaient à préparer un bouillon. Ils ne rechignaient certes pas au travail mais n'en demeuraient pas moins imprévisibles. Ils paraissaient ne pas souffrir du manque de femmes.

Les hommes tués ou blessés dans l'explosion du tunnel au mois de mai étaient tous chinois. Les blessés avaient été entassés dans des chariots et ramenés à Head-of-Steel, où Iseult avait fait de son mieux pour les soigner. Deux d'entre eux avaient succombé avant l'arrivée du train transportant le matériel. Leurs visages terrifiés demeuraient à jamais gravés dans sa mémoire.

Les survivants avaient construit un ossuaire pour leurs morts. Aucun Chinois, toujours d'après les contremaîtres, ne souhaitait être enterré en terre étrangère. Il était entendu que les amis ou la famille viendraient retirer les restes de leur défunt au bout de deux ans, les nettoieraient et les rapporteraient, ou les renverraient dans leur village natal en Chine.

La première fois qu'elle avait remarqué Lee Peng, il était debout tout seul devant l'ossuaire, en pleurs, les mains emmaillotées dans des linges sanguinolents. Elle apprit alors que son frère aîné avait été l'une des victimes de l'explosion.

Les mains tendres de Lee Peng l'avaient rendu impropre aux durs travaux du chantier, mais au lieu de le chasser, Joe l'avait envoyé aider Iseult au potager. Puis, au bout de quelques jours, il avait déclaré qu'ils feraient aussi bien de l'engager comme homme à tout faire. « Les gars disent qu'il n'est pas un mauvais cuisinier. »

Iseult avait répliqué qu'elle n'avait pas besoin d'un domestique, elle se débrouillait très bien toute seule. Elle s'inquiétait à la pensée que Joe n'appréciait guère sa cuisine. Avant de s'installer à la montagne, elle n'avait jamais approché un fourneau, alors que Joe, qui préparait souvent à manger à ses frères et sœurs, avait plus d'expérience en ce domaine. Mais, quand il revenait après une longue journée au bureau ou sur la ligne, elle aimait pouvoir lui servir quelque chose, même si ce n'était que du bacon et des œufs, même si le bacon était souvent brûlé.

« Dans quelques semaines, tu n'auras plus envie de te fatiguer, avait dit Joe. Et je ne veux pas le renvoyer dans le tunnel. Je crois qu'il a eu la tête secouée. Certains hommes ne se remettent jamais après une explosion. »

Iseult s'était peu à peu attachée à Lee Peng en dépit de ses silences impénétrables. Vers la fin de l'été, il l'avait accompagnée dans les prairies alpines où le printemps est tardif. Ils ramassaient des fleurs et déposaient des bouquets à l'ossuaire ou les rapportaient au campement. Ils avaient semé des boules de naphtaline sur le pourtour du potager dans le vain espoir d'éloigner les nuisibles, orignaux, porcs-épics et putois, et sans cesse ils ravaudaient et rapiéçaient le grillage. En août, ils avaient récolté de telles quantités de haricots, d'épinards, de persil et de carottes que régulièrement elle apportait des paniers de primeurs et d'œufs frais aux hommes, en prenant soin d'alterner les stations.

Chaque samedi soir, Lee Peng emportait des légumes et deux douzaines d'œufs à la station où il avait travaillé avec son frère, et où tous les ouvriers venaient du même village de Chine. Le dimanche, il revenait à Head-of-Steel pour une autre semaine de cuisine, ménage, jardinage et blanchissage.

Lee Peng l'aidait à se relever quand une douleur fulgurante déchira les entrailles d'Iseult. Avec un grognement, elle s'agrippa à son bras. Sa chemise de nuit était trempée. Prise de vertige, elle serait tombée sans Lee Peng pour la soutenir. Il la soulagea du lourd caban et l'aida à s'étendre dans le lit de Joe.

Le blizzard grondait. Les pins d'Oregon craquaient affreusement. Le liquide amniotique qui imbibait son vêtement avait un parfum suave, ténébreux, étrange.

Lee Peng sortit une chemise de nuit propre de la malle mais Iseult était trop faible pour s'asseoir. Il trouva les ciseaux dans la corbeille à couture et découpa sur elle le vêtement mouillé. Dessous, elle portait une combinaison en flanelle et un caleçon de Joe dont l'étoffe était tendue sur son ventre énorme. Le caleçon était trempé d'eau ensanglantée. Les sourcils froncés, Lee Peng le découpa. Avec une serviette, il épongea les cuisses d'Iseult. Il l'aida à s'asseoir, lui passa la chemise propre par-dessus la tête et enfila ses bras dans les manches. Les draps sur le lit de Joe étaient bons à laver ; le jeune homme se dépêcha de refaire le lit d'Iseult avec du linge propre et l'aida à s'y rallonger. Elle avait la sensation d'être un paquet avec à l'intérieur quelque chose de cassé.

Elle suivit des yeux Lee Peng pendant qu'il nourrissait le poêle. Elle ne pensait pas au bébé, ou alors vaguement. Elle avait en revanche conscience de la hargne sourde, opiniâtre du vent. La tempête et la vue de son propre sang avaient plongé Iseult dans un état proche de la transe, mais elle possédait encore assez de lucidité pour se sentir abandonnée lorsque Lee Peng sortit brusquement sans un mot, emportant sous le bras un ballot de draps et de serviettes souillées.

Une deuxième série de contractions commença peu après, mais beaucoup moins violentes que la première. Lee Peng avait déserté, et où était Joe ? Elle entendait le bois crépiter dans le poêle, elle sentait l'odeur de l'huile qui brûlait dans les lampes. La digue de la raison céda. Elle voulait sa mère. Elle avait aussi perdu le contrôle de ses sphincters et souilla de nouveau le lit.

Impossible de dire combien de temps s'était écoulé. Soudain, elle perçut une présence féminine : une jeune fille qui l'observait. Une silhouette ramassée, un visage rond et rouge, un corps d'homme ou bien travesti par les épaisses couches de vêtements qu'elle avait sur le dos : une veste matelassée, un cache-nez en laine, un chapeau tout esquinté.

En respirant l'odeur, la jeune fille fronça le nez, se tourna et, d'une voix sévère, s'adressa en chinois à Lee Peng, lequel s'était de nouveau matérialisé, miraculeusement. Depuis combien de minutes était-il debout auprès d'elle ? Iseult le vit tendre les ciseaux à la jeune fille. Celle-ci s'assit au bord du lit et découpa la deuxième chemise de nuit souillée. Ses doigts étaient glacés. Iseult se mit à pleurer.

Ôtant sa veste matelassée et remontant les manches de son tricot, la jeune Chinoise lava les jambes d'Iseult avec l'eau d'un baquet posé sur le poêle. Son expression s'adoucit et le rouge produit par la morsure du froid sur ses joues rebondies s'estompa. Elle aida Iseult à passer de nouveau sur le lit de Joe. Lee Peng fit un ballot des draps sales et les jeta dehors dans la tempête.

La douleur montait par à-coups brutaux. Iseult s'entendit gémir : « Ne me laissez pas, ne me laissez plus jamais. »

La fille resta assise au bord du lit pendant que Lee Peng se tenait debout sur le seuil. Tous les deux l'observaient comme s'ils attendaient d'elle un geste, ou une parole. Que voulaient-ils d'elle ? Pourquoi ne pouvaient-ils pas la secourir ? Ne voyaient-ils pas qu'elle était en train de mourir ?

La naissance ne fut pas particulièrement douloureuse, peut-être parce que le bébé, une fille, était chétif, aussi petit que le plus petit bébé de l'Incubatorium sur la jetée de Venice. Plus petit même. La jeune Chinoise le nettoya, l'emmaillota et le coucha sur Iseult pour le mettre au sein, mais le minuscule être ne cherchait même pas à téter. Allongée sur le ventre de sa mère, la petite chose mourut très vite.

Le chef de bureau annonça à Joe que d'après ce qu'il avait compris, l'enfant, une fille, n'avait pas vécu deux heures. La jeune Chinoise s'occupait à présent de Mrs O'Brien.

« Une jeune fille ? D'où sort-elle ?

— Un des coolies l'a amenée avec lui. Elle figurait sur les listes en tant qu'ouvrier, de sexe masculin, apparemment.

— Et la petite… où est-elle ?

— J'ai commandé aux menuisiers un cercueil de petite taille, monsieur, et j'ai fait vider un magasin. On y a installé le bébé en attendant vos ordres. »

Pas question de perdre son sang-froid. Il y avait des décisions à prendre et il allait les prendre.

« Je souhaite envoyer un télégramme à New York dès que la ligne est réparée. »

Le chef de bureau prit d'un geste rapide un calepin et un stylo en or dans la poche de son gilet. Joe dicta le télégramme puis sortit de son bureau et se dépêcha de traverser la salle des commis, défiant quiconque de présenter ses condoléances, défiant quiconque de croiser son regard.

CNCPYELLOWHEAD WU BALTIMORE
4085813-13332 CNCP
9 NOVEMBRE 1912
À: T. O'BRIEN
WOODSTOCK COLLEGE
WOODSTOCK MD

REGRET FAIRE PART MORT ENFANT. TE CONFIE MESSE
FUNÉRAILLES. ARRANGERAI BILLET TRAIN. DIS-MOI. JOE

Lee Peng déclara que la jeune fille était la veuve de son frère. Elle travaillait auprès de son mari quand il avait été tué dans l'explosion du tunnel.

« Présentez-lui nos condoléances, s'il vous plaît, dit Joe. Si son mari attendait son salaire, il lui sera versé, plus cinquante dollars au titre de veuvage. Demandez-lui si elle veut bien rester ici s'occuper de ma femme. Je la payerai deux dollars la journée.

Il trouva Iseult au lit, un livre ouvert devant elle. Il se pencha et déposa un baiser sur la peau fraîche de son front.

« Comment te sens-tu ? »

Sans lâcher son livre, elle le regarda dans les yeux mais ne prononça pas un mot. Quelqu'un lui avait brossé les cheveux, elle n'était pas coiffée comme d'habitude. Il faisait bien chaud sous la tente, bien sec, propre. Le feu ronflait dans l'âtre. Il flottait dans l'air une odeur qu'il reconnaissait, un parfum d'herbes rôties – sa mère en brûlait toujours quand il y avait un malade ou quelque chose qui n'allait pas à la maison. Au chevet du lit était posé un plateau : lait, miel, thé, rondelles de citron dans une soucoupe et un biscuit. Iseult n'avait touché à rien.

« On aura un autre bébé », lui dit-il.

Elle secoua la tête. Des larmes roulèrent sur ses joues. Il voulut lui prendre la main, elle s'esquiva. Le regard fixé sur son livre, elle ne lisait pas, cela lui était impossible, mais, les joues scintillantes de larmes, elle faisait tout comme. Elle tourna la page.

« Iseult, pardon de ne pas avoir été là. »

Il avait envie de lui enlever le livre et de la consoler, mais elle refusait de poser les yeux sur lui, il ne savait pas comment s'y prendre. Elle agissait ainsi seulement pour se protéger, se dit-il. Le chagrin est une lame tranchante et rugueuse. Pendant qu'il cherchait partout le chapelet et le missel que Petit Prêtre lui avait envoyés pour ses vingt et un ans, la jeune fille approcha une tasse fumante des lèvres d'Iseult et, en lui parlant tout doucement en chinois, essaya de la persuader de boire. Iseult avait porté leur enfant en son sein; sa douleur devait être encore plus vive, plus profonde que celle qu'il éprouvait.

Le « magasin » était à peine un débarras. Juste un peu d'espace et d'ombre. S'agenouillant, Joe serra entre ses doigts les grains du chapelet, chacun aussi gros qu'une graine de tournesol. Regroupés par séries de dix – les « dizaines ». Il n'avait pas prié ainsi depuis son départ du Pontiac, mais il devait bien cela à leur enfant. Nul besoin d'un Dieu : il avait abandonné la religion à la mort de sa mère – ce qui ne l'empêchait pas de croire obscurément à l'âme des morts, des vivants et des non-nés: des consciences flottant dans les limbes. En récitant les prières anciennes, il reconnaissait les liens l'unissant aux générations qui l'avaient précédé et à celles qui lui succéderaient.

Sous ses genoux, le sol en terre battue était froid et dur. Les mèches des lampes à huile charbonnaient. Fumaient. Des bougies eussent été préférables. Il devait bien y avoir des boîtes de cierges quelque part dans les réserves.

Je vous salue, Marie, pleine de grâce,
Le Seigneur est avec vous.
Soyez bénie entre toutes les femmes
Et Jésus, le fruit de vos entrailles, est béni.
Sainte Marie, Mère de Dieu,
Priez pour nous, pauvres pêcheurs,
Maintenant et à l'heure de notre mort.

La tonalité râpeuse de sa voix récitant le rosaire dans la pièce glacée aurait pu faire peur à sa fille. Il l'aurait prise dans ses bras, il l'aurait bercée, il lui aurait chanté une chanson, il aurait fait tout ce qui était en son pouvoir pour la consoler.

WU BALTIMORE CNCPYELLOWHEAD-EDMONTON CANADA
3075833-13762 WU 11 NOVEMBRE 1912
À : J. O'BRIEN
O'BRIEN CAPITAL CONST
MILE 84 YELLOWHEAD COLOMBIE-BRITANNIQUE CANADA

PERMISSION VOYAGE REFUSÉE PAR RECTEUR PÈRE MAAS
JE CITE PAS RITES FUNÉRAILLES POUR MORTS SANS
BAPTÊME SELON DROIT CANON NI EUCHARISTIE AVEC
DÉFUNT
LE CONFIER À LA MISÉRICORDE DE DIEU FIN CITATION.
TE SUPPLIE ME PARDONNER. TOM

À la tête de la procession, Joe foulait le gravier du ballast vêtu de son plus beau complet bleu. Il portait dans ses bras le cercueil blanc. Le chef de bureau avait proposé de le poser sur une draisine, mais cela n'avait pas paru approprié. Iseult marchait derrière lui, encadrée par Lee Peng et la jeune Chinoise qui la soutenaient, suivis des commis en chapeau melon, costume de tweed et col en

celluloïd, leurs souliers prenant la boue. Venaient ensuite les ingénieurs, les géomètres et les contremaîtres. Puis deux cents terrassiers, conducteurs et mécaniciens qui avançaient par trois le long
de la voie. Ils avaient un aspect misérable à cette heure tardive de
la saison : salopettes rapiécées à la va-vite, tricots mangés aux mites.
Godillots colmatés au goudron.

Joe avait précisé au pointeur que ces heures non travaillées
seraient payées. Le cortège funèbre était aussi long que le plus
long des trains qui viendraient un jour emplir la vallée de leur
fracas, mais on n'entendait que le crissement de centaines
de paires de semelles sur le gravier, le murmure du vent dans les
sapins et les cèdres, le croa-croa des corbeaux volant d'une cime
à l'autre.

L'ossuaire chinois se trouvait à flanc de colline, sur une pente
exposée aux avalanches, à l'ouest du campement. À peine si quelques
poignées de terre recouvraient çà et là la roche nue et les éboulis.
Trapu, robuste, construit en pierre, l'ossuaire était presque impossible à distinguer des rochers. Peu probable qu'il soit un jour
remarqué par les futurs passagers du chemin de fer. Les murs de
pierres brutes formaient un assemblage méticuleux ; sans mortier.
Pour le toit, Joe leur avait permis de se servir de quelques plaques
de tôle ondulée.

Quittant la voie, franchissant d'un bond le fossé, Joe se mit
à grimper la pente en serrant le cercueil contre lui. Deux jours
ensoleillés et une nuit pluvieuse avaient fait fondre la neige, mais
les sommets des montagnes étincelaient de blancheur. Cela dit,
le temps allait de nouveau changer, la pression atmosphérique
baissait, le vent se levait. La neige ne tarderait pas à enfouir le
paysage sous son grand manteau floconneux. La saison était sur
le point de se terminer.

Jetant un coup d'œil en arrière, Joe vit Iseult qui, toujours aidée
par la jeune Chinoise, commençait à gravir la pente caillouteuse
entre les éboulis calcaires et quelques rares sapins rabougris. Il avait

les biceps courbatus à force de porter le cercueil, les doigts raides et engourdis. Il le posa devant l'ossuaire sur des broussailles d'herbes sèches aux reflets argentés. En contrebas, les hommes montaient en prenant soin de rester à une distance respectable d'Iseult. Il sentit les premières gouttes de pluie : pointues, de petites aiguilles. Bientôt il tomberait de la neige mouillée.

Lorsqu'elle atteignit l'ossuaire, Iseult repoussa la main qui la soutenait et vint se camper devant le cercueil blanc.

« Iseult. »

Il aurait dû lui faire prendre une draisine ou l'obliger à rester au lit. Sous son énorme chapeau, elle était blanche comme la craie, marquée de cernes violets. La pluie devenait plus drue. « Iseult, ce n'est pas la fin, pas pour nous. Nous la retrouverons dans tous nos enfants. Je te le promets. »

Elle leva brièvement les yeux. Elle ne le croyait pas ; il eut le temps de lire dans ce bref regard. Dût-il y passer sa vie, il lui en apporterait la preuve. Il ne l'avait pas épousée et emmenée jusque dans ces montagnes pour qu'elle connaisse cette fin – pour mettre un terme à sa vie, pour la faire périr. Non, bon sang, non ! Il y aurait une suite. Ils avaient devant eux plus de tout, beaucoup plus.

Les hommes les encerclaient doucement. Un terrassier chinois poussa la porte de l'épaule, elle s'entrebâilla. Il fit un signe de tête à Joe. Joe avait de l'eau bénite dans une flasque en argent empruntée à un contremaître. L'eau aurait dû en principe être bénie par un évêque ou au moins un prêtre, mais il s'en était chargé lui-même, en suivant les instructions de son missel. Il faudrait faire avec.

Dès qu'il sortit le missel de la poche de son manteau, le vent froissa les pages diaphanes et il perdit celle qu'il avait marquée. Il cherchait encore à la retrouver quand Iseult lui empoigna soudain le bras. Les hommes se succédaient par rangs de six ou sept devant la petite hutte de pierre sèche, une foule puant le cheveu sale, la laine mouillée, le cuir. Elle se cramponna très fort à lui – cela signifiait-il qu'elle n'avait pas renoncé à lui ? Ou bien qu'il était tout ce qu'elle avait à ce moment-là ? Elle serra de toutes ses forces. À travers l'étoffe, ses doigts étaient des os pointus et furibonds.

Qu'elle lui fît confiance ou pas, il se jura de faire de son mieux pour la mériter. Il se plaça face aux hommes et lut le passage sur le rite des funérailles pour enfants morts sans baptême, le son de sa voix à peine audible sur la pente battue par le vent.

Les outils, les machines et le matériel furent rangés dans des entrepôts ou entassés dans des espèces de caves. Les bâtiments devenus inutiles démolis ou brûlés. Tout ce qui pouvait encore servir mis de côté, le reste jeté sur de gigantesques bûchers. Les hommes des stations éloignées furent payés en traites sur la Banque de Montréal échangeables à Edmonton. Les deux cents chevaux les plus vaillants rassemblés dans des enclos non loin de la tête de ligne en attendant d'être rapatriés ; les autres lâchés dans la nature où, avec un peu de chance, ils trouveraient à brouter dans la neige.

Le dernier matin, alors que Joe s'apprêtait à emballer et ranger la tente pour la saison suivante, Iseult lui demanda de la brûler. C'était une belle tente pourtant, mais il prit un bidon de kérosène et arrosa le parquet et les parois de toile. Après quoi, il imbiba l'ex-trémité d'un bâton, l'enflamma et tourna autour de la tente en appliquant la flamme contre la toile. Pendant qu'ils regardaient la tente se consumer avec les huit premiers mois de leur mariage, le cri d'un train sifflant en contrebas dans la vallée monta jusqu'à eux. Quelques heures plus tard, à bord de ce même train, ils s'en allèrent.

À Venice, cet hiver-là, Joe prit la chambre d'ami pour s'en faire un bureau mais passa quand même le plus clair de ses journées à l'agence immobilière de son frère sur Windward Avenue, où il s'était approprié une table et un téléphone. Il échangeait lettres et télégrammes avec le Canada, Londres et New York.

Le brouillard persistait. Iseult s'ennuyait. Elise O'Brien s'occu-pait de sa fille, Virginia. L'après-midi, c'était un crève-cœur pour Iseult d'accompagner sur la promenade Elise poussant son bébé dans son superbe landau blanc.

Iseult finit par décider que la seule solution consistait à trouver des femmes qui avaient besoin d'aide. Le lendemain, elle se rendit au poste de police de Santa Monica, puis au bureau du shérif d'Ocean Park, et demanda l'autorisation de rendre visite aux femmes en prison. Les policiers comme les adjoints du shérif s'étonnèrent, et s'amusèrent, de sa détermination. Les uns comme les autres lui opposèrent un refus, mais en la voyant le lendemain revenir à l'assaut, ils finirent par céder.

Chaque après-midi, elle rendait visite aux prisonnières, écrivait des lettres sous leur dictée, écoutait leurs histoires. Une jeune Portugaise avait été condamnée à quarante jours de détention pour avoir cassé la vitrine d'un magasin dans le seul but de subtiliser un chapeau. Une autre détenue avait volé une automobile garée devant les bains-douches et l'avait enlisée dans le sable de la plage. Une autre encore avait poignardé un homme avec un canif. C'étaient en majorité des prostituées. Iseult leur apportait journaux, maga-zines, savonnettes, brosses à cheveux, cigarettes, sous-vêtements et toutes sortes de présents. Lorsqu'elles étaient libérées de prison, Iseult leur faisait don de petites sommes d'argent.

Elle avait la sensation que Joe était réticent à partager son chagrin, qu'il n'avait pas envie de porter sa part du fardeau. Leur deuil pesait uniquement sur ses épaules à elle. Un soir, en ren-trant tard de l'agence, il la trouva couchée. Alors qu'il se penchait vers elle pour l'embrasser, elle le repoussa violemment, incapable de contenir sa colère plus longtemps, et se dressa sur son séant.

« Je n'ai jamais senti une once d'amour venant de toi, dit-elle. Tu ne sais pas ce que c'est. Tu en as peur.

– C'est peut-être vrai. Tu as été mise à rude épreuve. J'ai exigé beaucoup de toi.

– Et tu ne m'as jamais rien donné en échange. Rien que de la boue, du froid et de la douleur. J'aimerais ne jamais t'avoir rencontré.

– Les choses sont difficiles en ce moment. Ça va s'arranger.

– Peut-être pour toi. De toute façon, c'est tout ce qui t'importe. Si tu m'avais vraiment aimée, le bébé ne serait pas mort. »

Il avait déjà enlevé sa cravate, son col et descendu ses bretelles ; voilà qu'il les remettait.

« Qu'est-ce que tu vas faire, partir en courant ? » lui lança-t-elle, railleuse.

Il reprit sa veste et son chapeau. Elle savait que ses paroles l'avaient blessé. Il avait l'air fatigué, comme si un ressort avait claqué en lui. Elle n'avait encore jamais réussi à l'atteindre. La satisfaction la mit dans un état jubilatoire.

« Va-t'en alors, cours ! s'exclama-t-elle, triomphante. C'est trop pour toi, n'est-ce pas ? Tu n'es pas aussi costaud que tu voudrais bien le croire. Va-t'en ! J'aurais préféré que tu ne sois jamais venu dans cette maison. Je n'aurais jamais dû t'inviter à entrer. Va-t'en, laisse-moi tranquille. »

Il sortit. Quelques secondes plus tard, elle entendit se fermer la porte d'entrée.

Elle était assise dans son lit. Cela faisait des semaines qu'elle n'avait été aussi éveillée, aussi lucide. Elle rayonnait de colère. Tendant l'oreille, elle s'attendait à son retour d'un instant à l'autre. Où irait-il sinon ? Elle n'en avait pas la moindre idée. Elle se laissa retomber contre son oreiller, commençant à encaisser le contrecoup de son accès de colère.

Il n'allait quand même pas l'abandonner ? Il allait revenir, c'était certain. Leur mariage était encore jeune, il n'avait pas encore pris racine, pourtant elle était sûre de lui, sûr de ça, du moins fallait-il l'espérer.

Une demi-heure plus tard, incapable de trouver le sommeil, elle se leva, prit son Kodak sur l'étagère et se remit au lit avec quelques outils et des brosses sous leur douce enveloppe d'étoffe. L'obturateur frottait un peu ; elle se concentra sur le nettoyage et le réglage de l'appareil. En dépit de son inquiétude, elle se sentait mieux qu'elle ne s'était sentie depuis des semaines… plus propre.

Elle entendit Joe rentrer. Éteignant sa lampe de chevet, elle attendit en retenant son souffle qu'il vienne dans leur chambre. Mais ses pas se dirigèrent de l'autre côté du vestibule, dans la pièce encombrée de casiers de rangement métalliques et de boîtes de paperasse. Il ferma la porte.

Au moins il était à la maison. L'espoir lui revint : ils pourraient faire le point demain matin. C'était un homme foncièrement bon, foncièrement passionné. Il fallait qu'ils aient un autre enfant. Il partageait son sentiment ; mais il refusait de l'admettre. Il ne se livrait pas facilement. Quoi de plus normal, puisqu'il était un homme. Dans quelques minutes, elle irait le chercher pour le ramener dans son lit. Elle était convaincue que, dorénavant, tout allait mieux se passer entre eux.

Elle s'endormit malgré elle, à la fois écorchée vive, coupable et satisfaite. Quelques heures plus tard, quand elle s'éveilla, le clair de lune peignait une bande pâle en travers de leurs lits jumeaux. Elle éprouva soudain dans ses tripes la solitude animale de son mari. Son lit n'était pas défait. Ce qui restait de sa colère à elle avait été lessivé par le sommeil, telle la neige sous une averse printanière.

Elle se couvrit d'un peignoir et alla frapper à la porte du bureau. Joe ne répondit pas. Elle appela. Pas de réponse. Elle tourna la poignée ; verrouillée de l'intérieur. Au souvenir de son père et du Colt Navy, elle fut prise de panique. Elle tambourina sur le bois de la porte en criant son nom, puis elle courut dehors regarder par la fenêtre. Le store était descendu, la fenêtre fermée et bloquée. Elle cherca des yeux autour d'elle un objet à lancer pour la briser. Il n'y avait que des mottes de terre sablonneuse. Elle se jeta de côté contre la vitre ; un bruit mat prolongé par des craquements en cascade. Le verre résistait. Elle se précipita à l'intérieur pour téléphoner et demanda à l'opératrice d'alerter les pompiers. Puis, en courant, elle retourna dehors tambouriner des poings contre la fenêtre du bureau. Sans résultat. Peut-être, au fond, souhaitait-elle que les choses restent ainsi. Peut-être avait-elle peur de ce qu'elle pourrait découvrir.

Elle descendit sur le sentier au bord du canal et, en chemise de nuit, se mit à marcher de long en large le long de l'eau noire et stagnante. Ce n'était qu'un fossé, pas un vrai canal. Venice était une mascarade. Elle n'était pas chez elle dans ce cottage ; elle n'avait pas souhaité vivre au milieu de ce brouillard blanc. Respirer librement, eh bien, cela ne suffisait pas. Les livres et la photographie ne suffisaient pas ; la paix, l'ordre, la tranquillité, rien de tout cela ne suffisait. Ce qu'elle voulait, c'était bâtir avec un homme une vie qui soit le contraire de rangée, une vie pleine d'aléas, de boue et de montagne, de risques et de richesses. Et d'enfants. Elle se remémorait les deux jeunes terrassiers chinois qui étaient morts dans ses bras l'été précédent. Joe n'allait pas expirer dans ses bras, n'est-ce pas ?

Un camion remorquant une échelle à coulisse monta en brinquebalant le chemin en terre battue derrière le cottage. Dans la cabine étaient entassés trois pompiers volontaires – elle en reconnut un, le livreur de l'épicerie italienne. L'un d'eux donna de l'épaule contre la porte du bureau qui céda du premier coup. Ils trouvèrent Joe couché sur le flanc sur son tapis préféré, un Ispahan bordeaux, or et pourpre, un cadavre de bouteille de whisky posé à côté de lui.

Les pompiers le firent revenir plus ou moins à lui et le portèrent jusqu'à son lit. Ils paraissaient amusés. L'un d'eux aida Iseult à le déshabiller, à lui mettre sa chemise de nuit et à le glisser entre les draps, où ils le laissèrent ronfler.

Elle ne l'avait jamais connu aussi vulnérable. C'était peut-être ce qui lui avait manqué jusqu'ici : un engagement profond, total et excessif de sa part. Le renoncement à tout sang-froid, à toute dignité. Une preuve brûlante de sa solidarité.

Elle se fit un nid de couvertures sur le plancher du salon. Un peu avant l'aube, elle se réveilla, retourna dans sa chambre et s'allongea auprès de son mari. Lorsqu'il bougea, elle le caressa puis se coucha sur lui. Ils firent l'amour pour la première fois depuis qu'elle – qu'ils – avait perdu le bébé. En silence. Ensuite ils s'endormirent dans les bras l'un de l'autre.

Elle ne se réveilla pas avant midi. Il s'affairait à la cuisine : moudre le café, surveiller les pains bannock au four, presser des oranges, préparer des œufs brouillés. Il apporta le tout dans la chambre sur un plateau, avec le *Los Angeles Times*.

« On devrait dormir dans le même lit, tu ne crois pas, Iseult ? »

Elle opina vigoureusement. Ils poussèrent leurs lits l'un contre l'autre et passèrent l'après-midi là, à grignoter, à s'échanger les sections du journal, à faire l'amour, encore, dans la chaude lumière jaune de l'après-midi.

Il ne fit pas plus qu'elle allusion aux événements de la nuit. Dans l'esprit d'Iseult, si leur mariage était sauf, c'était parce qu'elle avait réussi à l'atteindre, même si c'était sauvagement, ce qui avait scellé leur union. Elle croyait comprendre le sens de sa curieuse conduite de la veille. D'une drôle de manière certes, il lui avait dit quelque chose. En plus, il y avait des chances pour qu'elle ne revoie jamais dans la maison une seule bouteille d'alcool : à son avis, son mari avait la sobriété dans le sang.

Leurs lits restèrent collés l'un à l'autre. Elle commanda de nouveaux draps, somptueux : une paire en lin de Belfast et deux paires en percale de coton souple et frais. Elle continua à rendre visite aux femmes en prison. Tous les deux souhaitaient un autre enfant, et ce printemps-là, elle partit dans les montagnes canadiennes enceinte pour la deuxième fois.

Août 1913

Cette année-là, des hommes montèrent de la région minière de Cœur d'Alene, engagés comme mineurs-boutefeux. Il s'avéra qu'il s'agissait d'adhérents de l'IWW[1] – les « Wobblies » – qui projetaient d'organiser les travailleurs du chantier. Iseult avait été témoin des dures conditions des terrassiers dans les campements reculés le long de la ligne et ne trouvait pas étonnant qu'ils souhaitent se syndiquer.

Un comité de négociation se présenta, mais Joe refusa de le recevoir. Des balles furent tirées sur plusieurs tentes de contremaîtres. Un matin, Iseult découvrit dans la poche d'une chemise de son mari une menace de mort inscrite sur un bout de papier.

Ni l'un ni l'autre ne voulaient risquer de perdre un nouveau bébé. Déjà il l'enjoignait de partir pour la Californie, alors qu'on était seulement en août. Iseult ayant décidé que le bungalow de Venice serait trop petit pour eux une fois le bébé né, Grattan avait trouvé un acheteur. Joe cherchait une villa sur la plage. Par l'entremise du vieil ami théosophe de la mère d'Iseult, Mr Spaulding, ils avaient loué une maison sur Butterfly Beach à Santa Barbara. Le bébé verrait le jour au Cottage Hospital de Santa Barbara.

1. Industrial Workers of the World : syndicat international, à son apogée dans les années 1920.

Iseult hésitait à quitter non seulement son mari mais aussi son potager qui donnait en abondance des choux, du chou frisé, des haricots, des oignons, des fraises et des épinards. Son jardin approvisionnait la moitié des hommes du campement de Head-of-Steel en légumes frais et ses poules pondaient chaque semaine des douzaines d'œufs. Mais pour leur enfant, elle avait été disposée à quitter la montagne, jusqu'à cette minute où elle exhuma le billet de la poche de chemise de Joe. Tout d'un coup, rien n'allait plus.

O'Brien, tu dois céder à de légitimes revendications, espèce de salaud, ou la grosse Bombe te tuera.

Dès qu'elle posa les yeux sur ce message, elle sut que Joe ne s'en sortirait pas indemne si elle partait. Cette impression avait la force d'une conviction. Iseult retourna à ses valises, ajoutant même quelques effets à sa malle, mais elle était assaillie de visions d'incendie, d'explosion. Finalement, elle s'assit au bord du lit. Les images qui surgissaient de son imagination étaient d'une vérité à crier, et tenaces avec ça. Elle se releva pour aussitôt s'employer à défaire ses bagages. Lorsque Joe rentra le soir, il s'étonna de voir toutes ses affaires encore sous la tente, et aucune malle en vue.

« Je pensais que nous nous étions mis d'accord pour que tu prennes le train du matériel, Iseult.

– J'ai lu la lettre. »

Il fronça les sourcils. « Quelle lettre ?

– La lettre de menace, ils vont mettre une bombe pour te tuer. Pourquoi ? Il y en a eu d'autres ?

– Ne sois pas sotte. Cela ne veut rien dire, Iseult. Ce sont des grandes gueules, ces types du syndicat. Ils ont lu trop de romans russes, voilà tout.

– Ils ont déjà assassiné des gens, non ? Avec l'attentat à la bombe dans les locaux du *Los Angeles Times*, ils ont fait beaucoup de victimes.

– Ne t'inquiète pas comme ça. Ce n'est pas bon dans ton état.

– Je m'inquiéterai encore plus si je suis loin. Je ne pars pas. »

Elle resta. Joe protesta un peu, mais en fait il lui en fut reconnaissant, ce qu'il lui prouva par de menues attentions : le soir en rentrant, il travaillait au potager sous ses ordres ; avant de partir le matin, il lui apportait des toasts beurrés et du café noir bien sucré ; la nuit, il massait ses pieds froids en inventant des noms fantaisistes à leur enfant. Lady Lancelot Boucles-d'Or O'Brien. Rigueur-du-Destin O'Brien. Farniente Superbe-au-Mont O'Brien.

Puis trois caisses de dynamite disparurent d'un magasin. Un clerc écrivit à son frère, journaliste de Vancouver, en lui racontant que des anarchistes étrangers complotaient pour bloquer la construction de la voie ferrée. L'article fut repris par l'ensemble de la presse du dominion et suscita même des questions au Parlement. Douze membres de la police montée du Nord-Ouest, menés par leur officier supérieur possédant le grade d'inspecteur, furent dépêchés par train spécial, chevaux et mitrailleuse compris, avec l'ordre d'arrêter les membres de l'IWW. Le temps que la police arrive, les Wobblies avaient filé, sans doute de l'autre côté de la frontière, en Idaho. Mais le travail n'en fut pas moins arrêté tout au long de la ligne et les ouvriers organisèrent un meeting. Les policiers bivouaquèrent à une extrémité de la vallée, où ils prodiguaient des soins à leurs chevaux et les faisaient s'exercer pendant que les ouvriers affluaient en provenance des stations et se réunissaient sur le terrain défriché le long de l'autre rive.

Iseult avait passé la matinée à travailler au potager et à réparer la palissade. Les orignaux l'avaient de nouveau renversée pendant la nuit, avaient mangé toutes les fanes de radis et déterré une rangée de carottes. C'était à n'en plus finir. Elle avait tout essayé mais rien ne semblait marcher. Quelques jours plus tôt, Joe avait proposé de monter la garde dans la nuit avec une carabine et de les cueillir dès qu'ils montreraient le bout de leur museau.

« Tu veux dire, les tuer ?

– C'est l'idée générale. Un ou deux, de toute façon.

– Pas tant que je porte un enfant!

– Qu'est-ce que ça a à voir?

– Tout!

– Mais ils nous volent notre nourriture, non? Le bébé a aussi besoin de ces légumes… tu te nourris pour deux. Tu tues bien des poulets, n'est-ce pas? Quelle est la différence? Tu vas remonter la palissade et ils vont s'empresser de la piétiner. Rien n'arrête ces bestiaux quand ils ont faim… sauf une bonne balle.

– C'est vrai qu'ils me rendent folle… surtout qu'ils sont si maladroits. Mais je ne veux pas que tu les abattes. C'est nous, les intrus ici. Ce ne serait pas bon pour le bébé. »

Elle ajouta quelques rangées de lattes à la palissade. Joe n'avait rien remarqué, mais cela faisait des semaines qu'elle n'avait pas tué un poulet de ses propres mains. Mr Bee, le tailleur chinois qui l'aidait à la cuisine, s'en chargeait désormais, ainsi que de les plumer. Au début de l'été, elle avait pris sur elle parce qu'il le fallait bien, quelqu'un devait le faire, la sensiblerie n'était pas de mise. Elle avait égorgé, plumé et vidé une demi-douzaine de volatiles. Du sale boulot, sanglant, qui avait cependant eu la vertu de lui révéler l'existence en elle d'une force surprenante, enracinée dans le terreau de son courage et de sa détermination.

Mais au cours des quatre dernières semaines, elle n'avait pas pu s'en occuper. Le bébé prenait sans doute des décisions à sa place. La même chose se produisait dans la chambre noire: pendant l'été, elle avait utilisé plusieurs rouleaux de film, mais l'odeur des bains de développement était devenue répugnante, pour elle et, imaginait-elle, pour le bébé. Elle ne pouvait même pas en franchir le seuil. La grossesse lui donnait parfois l'impression d'être une simple locataire de son propre corps.

À l'aide d'une barre de fer, elle poussa des pierres au pied des piquets afin de les renforcer, et rajouta du fil barbelé, sans illusion. En fin d'été, des troupeaux déambulaient librement au fond de la vallée, en majorité des femelles, avec un ou deux mâles pour les houspiller. Ils constituaient des réserves de graisse pour l'hiver et cherchaient des dépôts de sel à lécher. Le cri de l'orignal mâle était étrange – Joe disait qu'il bramait –, plus un sifflement qu'un cri, en fait. Un son puissant, vibrant, aussi curieux que les hululements de la chouette rayée qui, balisant son territoire de chasse de ses cris sonores, décrivait chaque nuit des cercles autour du campement.

Iseult s'acharna sur la palissade mais quand la fatigue se fit sentir, elle rentra s'étendre sous la tente. Ni Lee Peng ni sa belle-sœur n'étaient revenus cette année. Le vieux Mr Bee l'assistait pour les tâches ménagères. Peu versé dans la gestion des provisions et trop frêle pour le jardinage, il lui permettait néanmoins d'entrer dans la cuisine. Elle avait beaucoup appris cette année auprès de lui.

Joe et elle étaient montés à l'ossuaire au début de l'été, en « pompant » pour faire avancer la draisine sur trente kilomètres de rails instables parce que temporaires. Comme il n'y avait pas encore de fleurs à cette altitude, elle avait apporté une écharpe en chenille ayant appartenu à sa mère – de fabrication française, d'un bel orange vif. Elle l'avait déposée là-haut, entre deux pierres. Ils avaient tous les deux pleuré. Ses paumes s'étaient couvertes d'ampoules et Joe avait dû pomper sans son aide tout du long jusqu'à Head-of-Steel.

Après une courte sieste sur son lit de camp, Iseult se réveilla affamée. Elle se prépara une tartine de beurre à la confiture et une tasse de thé. Puis elle passa autour de son cou son petit Kodak et partit pour la clairière où, d'après Joe, la police montée faisait s'entraîner ses magnifiques chevaux. Il n'y avait aucun ouvrier en vue tandis qu'elle traversait le campement et longeait le ballast. La désolation, le silence étaient déconcertants. Les câbles du télégraphe avaient été coupés quelques heures après l'arrivée du train des policiers.

Le ballast sentait le gravier de rivière, une odeur très ancienne de vase, de limon, de poussière. Il régnait un silence que seul troublait le souffle du vent dans les cimes des pins d'Oregon.

Elle trouva Joe dans la clairière au bord de la rivière, en compagnie des policiers et de leurs chevaux noirs. Le meeting des ouvriers se tenait dans une autre clairière, de l'autre côté de la verte et fougueuse rivière North Thompson. Leurs voix étaient noyées dans le roulement des eaux rapides. Les orateurs se tenaient debout sur une plateforme que les hommes avaient construite au moyen de traverses et de poutres prélevées – «volées», avait grommelé Joe – dans les entrepôts et les magasins éparpillés le long de la ligne.

Les ouvriers sur la rive d'en face pouvaient dire ce qu'ils voulaient, ils pouvaient toujours le traiter de capitaliste et de sangsue ; les mots, de toute façon, le laissaient froid. Joe n'était pas à l'aise avec les outils de l'orateur, comme s'il s'était agi de couverts dont il ne connaissait pas l'usage. Il avait sans doute en un an prononcé moins de mots que la moyenne des gens en une semaine. Les actes seuls comptaient à ses yeux, les actes et tout ce qu'il était capable de toucher, de sentir, de prendre.

Iseult ouvrit son appareil et commença à photographier les policiers, tous des cavaliers chevronnés, qui galopaient autour du terrain aménagé en parcours de saut d'obstacles. Ils avaient utilisé en guise de barres des troncs de tremble soigneusement élagués. Elle savait que non seulement sa vitesse d'obturation était insuffisante pour capter la tension générée par la compétition, mais encore que son objectif ne rendrait jamais la finesse des détails de la scène. En général, son appareil l'aidait à voir, mais parfois, comme aujourd'hui, il lui semblait un accessoire superflu, qui l'empêchait de vivre l'instant au lieu de l'en rapprocher. Elle le rangea.

Elle portait une jupe, une veste courte qui, espérait-elle, cachait son état, et un chapeau acheté chez I. Magnin à San Francisco lorsqu'ils étaient montés vers le Nord au printemps dernier. Un chapeau à la dernière mode parisienne, payé les yeux de la tête sous prétexte qu'elle avait économisé six dollars en se fournissant pour l'été en papier photographique dans un magasin de Third Avenue à Los Angeles qui, d'après Elise, « cassait les prix ». À San Francisco, elle avait senti venir les premiers signes de sa grossesse et s'était fait ce petit plaisir, un superbe chapeau, d'un luxe absurde, dont elle se coiffait dès que s'en présentait l'occasion. Elle ne s'était pas non plus beaucoup servie du papier photo, n'ayant effectué aucun tirage depuis des semaines.

Un faible brouhaha de voix franchissait le cours d'eau tandis que, tour à tour, les tribuns haranguaient la foule des ouvriers – dans une douzaine de langues au moins, à en croire Joe. « Je me fiche de la langue qu'ils parlent. C'est toujours de l'anarchie.

– Ce qu'ils cherchent, c'est l'épreuve de force, déclara l'inspecteur. Nous ne pouvons pas tolérer qu'une bande d'étrangers se prenne pour les chefs. »

Joe secoua la tête. « Vous avez vingt hommes avec vous, ils sont deux mille. Cela ne me plaît pas plus qu'à vous, mais, si vous vous mêlez d'interrompre ce meeting, vous allez récolter la tempête. Laissons les esprits se calmer. Croyez-moi, je vais remettre ces gars-là au travail. Je remonte au bureau étudier mes livres de comptes et voir ce que je peux leur offrir pour faire bouger les choses. La première neige ne va pas tarder maintenant, ensuite arriveront les gelées, et on sera tous coincés ici. S'ils sont prêts à discuter raisonnablement, je suis disposé à les écouter. Du moment que le chantier reprend. Tu viens avec moi, Iseult ?

– Je crois que je vais rester ici encore un peu. » Le campement désert lui avait paru vide, solitaire, lugubre ; elle se sentait mieux dans cette clairière lumineuse, presque gaie, à l'écart de la pénombre du sous-bois. Les tuniques rouges et les bandes jaunes sur les côtés des culottes d'équitation composaient des notes de couleur agréable à l'œil. La couleur n'était pas le fort de Head-of-Steel, surtout depuis que le chantier s'était étendu. La boue prenait le pas sur le reste.

Elle s'assit sur une couverture étalée sur l'herbe et regarda le spectacle des policiers faisant franchir à leurs grands chevaux noirs la série des troncs couchés. Le bruit lointain du meeting se mêlait au fracas de la rivière et au grésillement des insectes. L'herbe de la clairière était parsemée de piloselles orangées et d'échinacées.

Des policiers avaient allumé un feu de camp ; du thé infusait, des biscuits cuisaient dans une cocotte. À un moment donné, l'inspecteur s'avança avec deux tasses en métal émaillé et une assiette de biscuits. Pouvait-il se joindre à elle ?

« Bien sûr. »

Il lui offrit une tasse et lui tendit les biscuits. Ils étaient succulents et le thé brûlant, noir et sucré. Elle se découvrit une faim de loup.

L'inspecteur ôta son stetson. Il avait des cheveux fins, d'un blond roux. Un bel homme, qui avait l'air de manquer de force de caractère.

« Je vois que vous avez des espérances, Mrs O'Brien. »

Elle ne comprit pas tout de suite. Puis la lumière se fit. Elle se sentit rougir.

« Oui… c'est-à-dire. Merci.

– Avez-vous d'autres enfants ?

– Non.

– Ma femme et moi attendons notre premier pour Noël.

– Même chose pour nous. Mes félicitations.

– Bien sûr, je suis horriblement vieux pour un jeune père… J'ai quarante ans.

– Ce n'est pas très vieux, répliqua-t-elle en n'en pensant pas moins.

– Quel âge a votre mari, si je ne suis pas trop indiscret ?

– Joe aura vingt-sept ans le mois prochain. »

— Il est très jeune pour une entreprise pareille.

— Il a toujours eu beaucoup de responsabilités. Il a l'habitude. Ça lui plaît.

— Quarante ans, répéta l'inspecteur en hochant la tête. C'est tard dans la vie pour fonder une famille, mais quand on est dans la police montée, il n'est pas facile de se marier, même pour un officier. Nous nous en plaignons tous. Le gendarme n'est pas autorisé à se marier, il doit attendre de devenir sergent. Et la solde d'un officier est maigre. Ma femme me dit qu'elle est insuffisante pour tenir son ménage. Je lui verse pourtant tout ce que je peux, mais ce n'est jamais assez. »

Iseult était étonnée d'entendre quelqu'un s'ouvrir de questions aussi personnelles à une inconnue.

« Ma femme insinue que je… que je… » Il marqua une pause et battit plusieurs fois des cils. « Je lui aurais présenté ma situation sous un jour fallacieux. Avant notre mariage, je veux dire. Elle m'accuse de lui avoir laissé croire que je touchais une plus grosse solde. C'est absurde… Je n'ai jamais rien fait de pareil. Je lui ai parlé de mes ambitions, sans doute plus que je n'aurais dû. Je suis constamment à l'affût d'une promotion. Le grade d'inspecteur dans les forces de police se situe entre celui de sous-lieutenant et celui de capitaine des armées. Avant que je m'engage dans la police montée, on m'avait pourtant prévenu : il faut être au moins surintendant pour avoir les moyens d'entretenir une famille convenablement. J'aurais dû les écouter. »

Iseult percevait le chant de la rivière. De belles journées d'été dans les Rocheuses, on en avait rarement plus d'une ou deux à la suite. Elle n'avait plus de nausées matinales, pourtant cette grossesse n'était pas aussi légère que la première ; il y avait davantage de nuances. Quand Joe posait les yeux sur son corps, elle devinait qu'il pensait à l'enfant disparu. Elle aussi se prenait à penser autant à la mort qu'à la naissance. Un vague à l'âme, voilà ce qu'elle ressentait. Elle n'était pas mécontente, seulement dolente. Tout ce qu'elle voulait, c'était rester là, assise dans l'herbe, à écouter les insectes gazouiller et frotter leurs pattes.

Pendant que l'inspecteur lui racontait qu'il avait rencontré sa femme à une garden-party donnée par un lord anglais sur son ranch au sud de Calgary, Iseult examinait son visage osseux au teint cireux. Sa petite moustache avait la même teinte argentée que la vieille paille. Sans arrêt il pliait et dépliait ses longues jambes. Il lui confia son intention de démissionner et de retourner en Angleterre dès que se présenterait là-bas une opportunité; l'Angleterre lui manquait terriblement.

Après bientôt dix-huit mois de mariage, Joe et elle étaient-ils vraiment proches l'un de l'autre? Que voulait dire aimer, exactement? Ils avaient perdu un enfant. Ni l'un ni l'autre ne s'en remettraient jamais, c'était certain. Pour l'instant, ils s'efforçaient tous deux d'oublier et, dans l'euphorie d'une nouvelle grossesse, cela semblait presque possible. Mais la cicatrice était si profonde qu'elle ne s'effacerait probablement jamais, n'est-ce pas?

L'inspecteur pérorait toujours sur l'Angleterre. Chaque année, il était plus nostalgique. C'était le seul pays où il faisait bon vivre, le seul endroit au monde où il se sentait chez lui. Les colonies n'étaient pas mal, seulement il était anglais jusqu'au bout des ongles.

Iseult l'écoutait d'une oreille distraite. Pas une fois elle n'avait trouvé Joe ennuyeux. Elle l'avait détesté, c'est sûr. Elle l'avait jugé coupable – parce qu'il fallait bien faire retomber la faute sur quelqu'un.

Elle aimait qu'il la prenne – violence, tendresse et force –, elle aimait sa façon de jouir. Sa main sur elle, tout à la fois ferme et douce. C'est passionnément qu'elle faisait l'amour avec lui; il lui avait même avoué n'avoir pas cru que les femmes puissent être faites ainsi, pour éprouver du plaisir.

Le médecin qu'elle avait consulté à Los Angeles l'hiver précédent l'avait mise en garde contre des grossesses difficiles; ils ne devaient pas compter sur plus de deux, ou trois, enfants. Joe projetait de construire une grande maison sur la côte Est – New York ou Montréal – et une seconde en Californie, au bord de la mer. Lorsque le chantier serait terminé, disait-il, ils iraient en Europe, pendant au moins six mois. Hormis un séjour à La Havane pour négocier un contrat, il n'avait jamais voyagé qu'aux États-Unis, au Canada et dans les hautes et lointaines montagnes du Mexique.

Le ton monocorde de l'inspecteur rendait Iseult somnolente. Heureusement, son énorme chapeau dissimulait une partie de son visage. Aussi sursauta-t-elle quand il tendit brusquement la main pour attraper la sienne.

« C'est une femme telle que vous que j'aurais dû attendre… Je vous ai observée et je me suis demandé où j'avais raté le coche, ce que j'aurais pu faire pour changer le cours des choses, eh bien, je ne sais pas, sauf que j'étais trop pressé. Mon Dieu, j'ai pris toutes mes décisions à la hâte, j'ai commis des erreurs sans nom ; ma vie est un véritable enfer. Ma femme est malheureuse. Elle déteste Edmonton. Elle vient de l'Ontario ; son père était directeur de la succursale d'une banque dans une ville minière, elle détestait la vie là-bas. Mais elle ne veut pas entendre parler de l'Angleterre ; elle dit qu'elle ne s'y sentirait pas chez elle. Que je sache, elle n'a jamais été heureuse nulle part. Elle ne sait même pas ce que c'est… le bonheur. Un enfant n'est pas le remède ; elle ne fera que lui transmettre son amertume. Quelquefois je ne supporte plus sa voix. Ma seule motivation désormais, c'est le désir de m'échapper. Le reste du temps, je me sens comme mort. Être avec elle est bien pire que d'être seul. Elle est la femme que j'ai choisie pourtant. Maintenant, je frémis rien qu'à la pensée qu'elle va avoir un enfant. Elle est presque à terme. Je lui ai promis de me débrouiller pour lui trouver une femme de chambre, mais elle me répond que je ne gagne pas assez ; elle prétend que tous nos ennuis viennent de là. Elle m'accuse de mentir… »

Iseult fit mine de retirer sa main de la sienne; il la lâcha.

«Pardon, pardon, répéta-t-il, désarmé.

— Je suis désolée pour vous, inspecteur, mais pensez-vous qu'il soit avisé de parler de ces choses-là? Je serais fâchée si j'apprenais que mon mari se confiait à des étrangers. Le mariage est un mystère à deux, me semble-t-il. On ne peut pas laisser des tiers s'en mêler. Pensez à votre femme, à ce qu'elle éprouverait.»

Il se leva, le cuir de son ceinturon et de ses bottes craqua. Les traits de son visage s'étaient figés.

«Vous avez tout à fait raison. Je vous présente mes humbles excuses. Au revoir, madame.»

Un instant, elle craignit qu'il ne se mît au garde-à-vous pour la saluer, mais il pivota sur ses talons et, en recoiffant son stetson à large bord, il retourna auprès des chevaux et des hommes.

Elle était consternée et honteuse. Pourquoi ne l'avait-elle pas laissé parler? Cela lui aurait peut-être fait du bien, à cet homme. Peut-être, qui sait, à son épouse aussi? Mère Power se serait montrée plus conciliante devant ce besoin de confier son désespoir. La religieuse aurait écouté, elle. Maintenant c'était trop tard. Pour ne pas avoir l'air de se sauver, elle termina son thé avant de partir. Son ventre semblait plus volumineux d'heure en heure. Elle ajusta son chapeau, plia la couverture, la mit sur son bras et, s'efforçant de cacher sa gêne, passa devant les policiers qui battaient la semelle autour de leur modeste feu de camp.

En traversant en sens inverse le campement désert, elle faillit entrer dans le bureau où Joe et ses commis étaient au travail. Mais si elle lui racontait que l'inspecteur lui avait pris la main et s'était épanché sur ses ennuis conjugaux, Joe lancerait une blague. Elle n'avait pas envie de rire. Le malheur de cet homme l'avait décidément secouée.

Mr Bee avait balayé sous la tente blanche et lissé le couvre-lit. Elle posa son appareil sur une étagère et envisagea de sortir ramasser quelques pommes de terre dans le potager; un peu d'effort ne pouvait que lui faire du bien. Mais voilà qu'au lieu de se changer pour ressortir, elle ôta sans se presser les épingles de son chapeau, enleva ses bottes et s'étendit sur le lit de camp. Les yeux fixés sur la toile du plafond rutilante de soleil, elle s'interrogea de nouveau sur l'amour qu'elle portait à son mari. Elle l'aimait, sans l'ombre d'un doute, seulement, dans le mariage, l'amour change de nature, il devient composant d'un processus chimique complexe. Jamais tout à fait stable, semblait-il.

Cette nuit-là, les grévistes dressèrent des traverses en forme de tipis, les arrosèrent de kérosène et y mirent le feu. Tous les cent mètres le long de la voie brûlaient des feux de joie. De leur tente, Iseult contemplait les flammes orangées, mais ce n'était même pas la peine d'essayer de fixer la scène sur la pellicule.

« Ils brûlent leur gagne-pain, grommela Joe. Ces traverses coûtent un dollar pièce. »

Elle se coula contre lui dans le lit de camp, trop petit désormais pour eux deux mais délicieusement chaud. Qu'est-ce que l'amour, au fond ? Des jambes, des mains, une voix. La fidélité. Il était volontaire, passionné, viril. L'aimait-il ou désirait-il seulement la posséder ? Cela revenait peut-être au même ?

Il s'endormit.

Il pense que la concession est sa chose. Il ne conçoit pas que les ouvriers, la concession, lui-même – son épouse aussi, d'ailleurs, ainsi que leur futur enfant – puissent faire partie d'un tout. Il se conduit comme si la terre entière était à lui – les montagnes, le climat, jusqu'au passage des saisons. Les centaines d'ouvriers sont ses hommes. Employés ou ennemis, il ne les voit qu'en rapport à ses propres projets et à sa détermination. Peut-être est-ce ainsi qu'il la voit, elle.

La joue pressée contre la peau chaude de Joe, Iseult se dit que oui, auprès de lui elle se sentait en sécurité. Un chagrin commun les soudait. Il avait déposé en elle sa semence. N'empêche, le mariage demeurait un mystère – leur union résisterait-elle à l'ambition de Joe ? Continuerait-elle à avoir un sens ?

Au milieu de la nuit, quelque chose la réveilla. Elle ne sut pas tout de suite quoi. Son cœur se mit à battre un peu plus vite. Des voix d'hommes chantaient et elle reconnut la mélodie de « John Brown's Body ». Se redressant, elle tendit l'oreille.

Joe poussa un premier grognement bref, puis un plus long avant de s'asseoir à moitié endormi à côté d'elle. « Qu'est-ce que c'est que ça ? »

> *Solidarity forever ! Solidarity forever !*
> *Solidarity forever ! For the Union makes us strong*[1].

Montaient-ils vers leur enclos ? Étaient-ils en danger, Joe, elle et le bébé ?

« Bande d'imbéciles, grogna-t-il.

– Un syndicat, ce serait si terrible que ça ?

– Bon sang, Iseult ! » Il donna plusieurs coups de poing dans ses oreillers.

« Quoi ?

– Si je permettais que se forme un syndicat… surtout celui-là, l'IWW… mes commanditaires casseraient mon contrat. Nous n'aurions plus jamais d'autre concession. Il y a des compagnies à Winnipeg et à Spokane qui seraient trop contentes de nous prendre celle-ci. »

Il saisit une cigarette dans la boîte sur la table de chevet et fit craquer une allumette sur l'ongle de son pouce.

---

1. Solidarité pour toujours ! Solidarité pour toujours ! / Solidarité pour toujours ! / Car l'Union nous rend forts.

Les voix ne se rapprochaient pas. Elles ne s'éloignaient pas non plus.

« J'ai trouvé un moyen. Je vais proposer un bonus. Dix dollars de plus à celui qui retourne demain sur la ligne et travaille jusqu'aux grands froids.

— Dix dollars, c'est pas beaucoup. Je peux avoir une cigarette, s'il te plaît ? »

Il était agacé, mais lui tendit quand même la boîte. Les yeux d'Iseult s'accommodaient à l'obscurité.

Il gratta une deuxième allumette pour la cigarette d'Iseult. « Qu'est-ce qui se passe, Iseult, tu ne vas pas virer communiste ? »

Il la taquinait sans doute, mais elle était furieuse. Il avait besoin de tout garder sous son contrôle, de tenir les rênes… Sentir les gens lui échapper, cela le faisait enrager.

« Ils essayent de m'impressionner. Je ne le tolérerai pas. On risque de tout perdre. Si je leur offre plus, ce serait comme ôter le pain de la bouche à nos enfants.

— Et leurs enfants à eux ?

— Tous ceux qui bossent dur et ne claquent pas leurs gages auront pas mal gagné une fois le gel venu. De toute façon, ce sont des vagabonds, des hommes sans famille. Regarde ce qu'ils font avec leur argent.

— Ils ont peut-être des enfants quelque part.

— Alors ils devraient se remettre au travail au lieu d'écouter ces timbrés d'anarchistes ! » Il tira une bouffée de sa cigarette. « Écoute, Iseult, il faut que tu comprennes une chose. En général, ce qui vaut la peine d'être convoité, on le prend à autrui. »

Que lui avait-il pris, à elle ? Au lit, à côté de son mari, enceinte de quatre mois et demi, fumant une de ses cigarettes et consciente de la chaleur de son corps, du contact de sa hanche, de sa jambe, de l'odeur de sa peau et de ses cheveux… en dépit de toute cette proximité, il aurait tout aussi bien pu être un étranger. Il était un étranger.

Elle songea à l'inspecteur. Les gens qu'elle voyait évoluer dans son entourage souffrent-ils tous d'un malheur caché? Chez ses parents autrefois régnait une atmosphère mortifère. Jamais la moindre récrimination, leur déception réciproque se passait de mots.

Joe s'attendait peut-être à ce qu'elle proteste. Comme elle se taisait, il ajouta: «Je ne peux pas veiller au bonheur de tous. Seulement au tien et à celui de nos enfants.»

Elle se remémora une visite avec Mère Power au commissariat de Hell's Kitchen, où une jeune Allemande était retenue pour avoir poignardé un homme. Avec combien d'hommes une fille telle que celle-là avait-elle couché? Parfois la proximité des corps – ta peau contre ma peau – ne signifiait rien. Les femmes peuvent vendre le leur, les hommes l'achètent. Des épouses couchent avec leurs époux. Une femme allongée auprès d'un homme, cela ne veut pas dire pour autant qu'ils sont proches, qu'ils se sont percés à jour.

Joe alluma une deuxième cigarette et continua à parler. Offrir un bonus en milieu de chantier, cela allait à l'encontre de ses principes, dit-il, mais seul comptait d'avancer le plus possible la ligne avant l'hiver afin de commencer d'un bon pied l'année prochaine.

Iseult l'écoutait à peine. Tout ce qui comptait pour lui, c'était de boucler son programme à temps. Peu importait qui survivait et qui y restait. Depuis la naissance-mort du bébé, elle n'avait pas souffert d'une solitude aussi radicale. Cet homme, ce Joe O'Brien, son mari, avait un jour surgi du brouillard et lui avait promis une vie pleine, riche, des enfants, une vie qui ait un sens. Mais la vérité, c'est que les gens sont seuls. Même en couple – peut-être encore plus en couple –, ils sont toujours seuls.

C'était peut-être la grossesse; porter un enfant lui faisait prendre conscience d'elle-même, de sa peau, de son corps, comme d'une succession de murs, alors que lui se tenait dehors, plus dur et en même temps moins puissant qu'il le paraissait au début. Peut-être grandissait-elle enfin. Rien d'autre.

Mr et Mrs Joseph O'Brien ont la joie
d'annoncer la naissance,
le 18 janvier 1914, à Santa Barbara, Californie,
de leur fils, Michael Fergus

Santa Barbara Press
Spokesman-Review, Spokane
The Province, Vancouver
Winnipeg Free Press
Toronto Mail and Empire
Montreal Star

Août 1914

Le dimanche par beau temps, ils embarquaient à bord d'une draisine le bébé, un panier à pique-nique, un appareil photo et ils filaient sur les rails fraîchement fixés sur les traverses. Iseult aimait ce pique-nique dominical dans les prairies au milieu des fleurs sauvages, près des ruisseaux. Elle essayait parfois de photographier les fleurs, mais c'était le plus souvent vers Joe et le petit qu'elle tournait son objectif. Après la tétée, le bébé et elle somnolaient au soleil pendant que, l'œil aux aguets en raison des ours, Joe taquinait la truite.

Les syndicalistes de l'IWW n'étaient pas remontés dans les monts Selkirk. La quasi-totalité de la ligne étant achevée, sans nouvel embranchement prévu et des hordes de pauvres diables au chômage arpentaient les deux mille quatre cents kilomètres de rails entre Winnipeg et Vancouver.

Vers la fin de ce troisième chantier, un télégramme annonça la déclaration de guerre en Europe. Les « Britishers[1] » se mirent aussitôt à fêter l'événement, et des douzaines d'«Autrichiens» – des Ruthènes, des Polonais et des Italiens originaires de territoires annexés par l'empereur – furent agressés, leurs tentes et leurs huttes détruites. Les terrassiers chinois eurent eux aussi à subir ces attaques, même

1. Terme alors en usage pour qualifier les Britanniques travaillant dans le pays.

si leur empereur n'était pas engagé dans le conflit. Autrichiens ou Chinois, certains essayaient de répliquer, d'autres fuyaient leurs lointaines stations pour se traîner jusqu'à Head-of-Steel où ils s'installaient aussi près que possible de la maison d'Iseult et Joe. La maison à ossature de bois préfabriquée avait été livrée sur un wagon plat et assemblée en trois jours. Pour ce qu'Iseult en savait, c'était la seule de son espèce sur un rayon de cent cinquante kilomètres.

Le lendemain de l'annonce, des centaines d'ouvriers inquiets campaient sous des tentes et des cahutes de fortune, tous réclamant leur salaire, souhaitant quitter au plus vite ces montagnes avant de devoir affronter une nouvelle expédition punitive des Britishers. Joe sortit leur parler. Il leur assura qu'ils étaient plus en sûreté dans la nature qu'à Vancouver ou Edmonton, au moins jusqu'à ce que la fièvre de la guerre soit retombée. Ceux qui souhaitaient partir étaient libres de se présenter au bureau du pointeur pour toucher leurs gages, ajouta-t-il, mais il ne pouvait garantir leur sécurité une fois qu'ils seraient hors de la concession.

Pendant la journée, les Britishers ne pensèrent qu'à boire et à rassembler de quoi allumer un feu de joie. Ils ignorèrent les Autrichiens et les Chinois. En fin d'après-midi, les étrangers avaient regagné leurs stations. À la tombée de la nuit défila dans le campement un cortège aux flambeaux conduit par une jeune fille du *dovecote*[1] montée sur une mule. Elle brandissait l'Union Jack, suivie de centaines de Britishers marchant plus au moins au pas. Iseult, son fils dans les bras, observa la scène depuis la fenêtre de la nursery. Cette fièvre de la guerre était pour elle incompréhensible. Son grand-père, blessé au cou à la bataille de Cold Harbor, avait toujours évoqué avec acrimonie son temps dans l'armée pendant la guerre de Sécession.

De la cuisine montaient les voix de Joe et de ses contremaîtres et ingénieurs américains. Comme on en voulait aux États-Unis de

---

1. *Dovecote* signifie «colombier». Une jolie appellation pour ce campement de prostituées.

ne pas être entrés dans le conflit, les Américains étaient sur leurs gardes. Certains s'étaient armés de pistolets, même si Joe leur avait assuré que l'effervescence retomberait dès qu'il n'y aurait plus de whisky.

Iseult s'installa dans son fauteuil à bascule et donna le sein à Mike. Un beau bébé doté d'un solide appétit, qui débordait de santé. En le sentant se lover contre son corps, elle s'émerveilla au contact de cette boule de chaleur. Ils aimaient tous les deux ce moment, le cercle qui les entourait, les protégeait, les unissait.

Une fois qu'il se fut endormi le mamelon dans la bouche, elle le changea prestement et l'allongea dans son couffin. Elle n'avait aucune envie de descendre. Ils parlaient tellement fort en bas qu'elle risquait de ne pas entendre le petit crier. Elle tira le fauteuil devant la fenêtre et s'assit.

Les hommes avaient allumé leur feu de joie sur le ballast. Elle distinguait des silhouettes autour des flammes. Deux jours plus tôt, personne à Head-of-Steel ne songeait à la situation en Europe. À présent, certains dansaient en rond autour du grand bûcher tandis que d'autres – les étrangers – se terraient chez eux par peur d'être agressés.

Joe avait reçu un télégramme. Des douzaines de feux semblables se succédaient ce soir tout au long de la ligne jusqu'à Winnipeg : une chaîne brûlante célébrant l'entrée en guerre de l'Empire britannique. Peut-être imaginaient-ils une vie plus intéressante au front qu'à construire un chemin de fer. Peut-être leur cœur battait-il plus fort à la perspective de traverser l'Atlantique.

Joe et Iseult avaient prévu de prendre le bateau à Québec pour Liverpool le 20 octobre, avec le bébé. Elle se réjouissait de ce premier voyage en Europe tous ensemble. Joe avait des affaires à traiter à Londres, puis ils iraient rendre visite à la famille d'Iseult en France avant de se rendre en Italie.

L'hiver précédent, une semaine environ avant le terme de la grossesse d'Iseult, Joe avait fait la route de Santa Barbara à Los Angeles au volant de leur Ford toute neuve afin de consulter le vieil ami de la mère d'Iseult, Mr Spaulding, à propos d'un investissement immobilier. Joe devait rentrer le lendemain matin – c'était un trajet que l'on pouvait effectuer d'une traite. Mais la matinée s'était écoulée, et toujours pas de Joe. Au milieu de l'après-midi, elle avait reçu un coup de téléphone de l'adjoint du gérant de l'hôtel Huntington à Pasadena, lui annonçant qu'un certain Mr J. O'Brien de Santa Barbara avait été confié aux bons soins de l'infirmière de l'établissement – pouvait-on espérer qu'un de ses proches vienne le chercher dès que possible?

Elle s'était tout d'abord imaginé qu'il était atteint de paludisme. La maladie avait sévi dans quelques-unes des stations éloignées du chemin de fer.

«Ce n'est pas pour dire, madame, je ne suis pas docteur. Mais quand les femmes de chambre sont entrées, elles ont trouvé une bouteille de whisky vide.»

Elle avait aussitôt téléphoné à Grattan à Venice Beach. Il avait pris le trolley jusqu'à Pasadena, ramené Joe à Venice, puis le lendemain matin l'avait remonté en voiture à Santa Barbara. À Butterfly Beach, Joe était descendu de l'automobile aussi frais qu'un gardon, rasé de près, en pleine forme. À le croire, il aurait parfaitement pu rentrer seul, seulement Grattan avait voulu essayer la nouvelle auto.

«Il a failli griller les freins dans la descente de Conejo Grade. Tu es assez grand pour savoir qu'on ne traite pas une machine comme ça, Grattan.

– Tu n'étais pas aussi fringant ce matin, mon vieux.» Grattan s'était tourné vers Iseult. «Je lui ai fait piquer une tête dans la mer au saut du lit. Il a gueulé, mais ça lui a fait du bien. En tout cas, ça l'a réveillé.

– J'avais juste un peu mal à la tête», avait insisté Joe.

Dès que Grattan les avait quittés pour se rendre à la gare, Iseult avait exigé de Joe qu'il lui raconte toute l'histoire.

Mr Spaulding, lui avait-il dit, l'avait invité à dîner au Jonathan Club à Los Angeles, afin de fêter la conclusion de leur affaire. «J'étais sans doute plus fatigué que je ne le pensais. J'avais beaucoup travaillé sur les chiffres, tu sais. Et puis je me fais du souci... pour ce petit bonhomme.» Il avait posé sa main sur son ventre. «Il a suffi d'une goutte de trop. J'ai été pris au dépourvu, je t'assure.

– Plus qu'une goutte.»

Mais dès qu'il avait avoué son inquiétude à propos de la grossesse, elle avait été prête à lui pardonner. Cinq jours plus tard, Mike avait vu le jour au Cottage Hospital : un superbe et vigoureux bébé de quatre kilos.

Ce soir-là, à Head-of-Steel, en observant les gerbes de braises que projetait vers le ciel glacé le brasier allumé par les Britishers, elle tenta d'imaginer les événements qui se déroulaient en France. Elle se rappelait avoir vu des soldats en pantalon rouge parader sous les fenêtres de son oncle à Lille. Ses cousins français étaient-ils en uniforme? Marchaient-ils sur l'ennemi? Des hommes tiraient-ils sur d'autres?

Elle avait laissé sur le feu un ragoût dont les effluves suaves, carottes et bouillon de bœuf épaissi par l'orge perlé et parfumé par l'oignon, montaient jusqu'à elle, tout comme les rires et les voix des chefs de chantier de Joe. La partie de poker était imminente.

Elle avait chipé à Joe deux cigarettes. Elle en alluma une pour couper sa faim.

Le feu de joie était aussi grand que la maison. En scrutant la ronde des silhouettes autour des flammes, elle reconnut la jeune fille qui caracolait tout à l'heure en tête du cortège. Debout à l'écart, elle remuait un flambeau, de droite à gauche, de gauche à droite – une enfant qui agite un cierge magique un jour de fête nationale ou qui joue à la fée avec sa baguette magique.

Joe n'avait pas une seule fois mentionné le *dovecote*. C'était Mr Bee qui lui avait appris que des femmes dormant sous la tente à moins de deux kilomètres en amont de la voie ferrée seraient disposées à payer vingt-cinq cents une botte de carottes.

« Des femmes ? Qui sont-elles ? »

Le vieux Chinois l'avait contemplée quelques instants avant de hausser les épaules.

« Femmes mauvaises. Très mauvaises. »

Elle avait souhaité aller juger par elle-même, mais le ballast était trop inégal pour le splendide landau, cadeau de la société de théosophie de Pasadena, et Mike était beaucoup trop lourd pour qu'elle le porte jusque là-bas. Et puis il y avait toujours des équipes au travail, à tasser le gravier, à enfoncer les crampons fixant les rails sur les traverses. Les hommes étaient polis, mais elle était toujours gênée auprès d'eux.

Cela aurait été plus facile si d'autres femmes avaient été présentes au campement – des épouses, des mères de famille avec leurs enfants. Mais il n'y en avait pas. Quand elle avait demandé à Joe s'il était vrai que des femmes habitaient sous des tentes en amont de la voie ferrée, il avait acquiescé.

« Pourquoi ne m'as-tu rien dit ?

– Tu ne m'as pas posé la question.

– Comment, puisque je ne savais pas ?

– As-tu l'intention de leur faire une visite de courtoisie ?

– Ce sont des prostituées ?

– Sans doute. Elles sont montées d'Edmonton le mois dernier, et je n'y peux rien. »

Le samedi soir suivant, elle avait remarqué que le campement était presque désert. Les hommes étaient presque tous allés au *dovecote*, où l'on servait des alcools forts. Le dimanche matin, alors que Joe et elle pompaient pour faire avancer leur draisine à bras le long des rails temporaires, elle aperçut des hommes endormis çà et là au creux des fossés, cuvant leur vin.

Joe disait qu'il ne pouvait pas les empêcher de dépenser leur argent comme ils l'entendaient tant qu'ils demeuraient assez valides

pour travailler. «S'ils commencent à attraper des maladies, j'irai
là-bas moi-même brûler jusqu'à la dernière tente et remettre ces
dames sur le chemin d'Edmonton.»

Un clignotement d'ombres et de lumières était projeté par le
grand feu sur les murs de la nursery. Quand elle avait annoncé à
Joe qu'elle était de nouveau enceinte, il s'était montré enchanté:
cela ne les retiendrait pas de parcourir l'Europe comme prévu,
mais peut-être moins longtemps. Elle mettrait au monde leur petit
dernier en Californie au printemps.

À présent la guerre, si elle se prolongeait, allait contrarier leur
projet de voyage.

Iseult se méfiait de l'euphorie martiale qui avait allumé ces feux
le long des mille cinq cents kilomètres de voie. Elle avait été moins
effrayée par les syndicalistes de l'IWW et la lettre de menace. Elle
jeta un coup d'œil au berceau dans lequel Mike gazouillait tout
doucement, puis flatta son ventre d'une tendre caresse.

Joe avait déclaré que ce serait peut-être leur dernière saison à
la montagne: le boom des chemins de fer canadiens touchait à sa
fin. Aucun contrat de concession important ne se profilait plus
à l'horizon. Avec Mr Spaulding et une poignée de théosophes
de Pasadena comme associés, il avait acheté du terrain au sud de
Los Angeles, dans le comté d'Orange. Il comptait construire des
maisons et en confier la vente à Grattan. Il songeait aussi à établir
un bureau à Londres, ou du moins y avoir un représentant, afin
de pouvoir répondre aux appels d'offres pour des concessions aux
Caraïbes, en Afrique et aux Indes.

L'odeur succulente de ce ragoût. Pourquoi ne pensait-il pas à lui
en monter un bol? Comme les autres, il était distrait par la fièvre
de la guerre. Il craignait que ses ouvriers ne désertent le chantier
pour aller s'engager à Edmonton.

Le spectacle des contremaîtres américains aux poches gonflées
par leurs pistolets lui donnait la chair de poule. Ils se méfiaient
des Britishers. À moins que s'armer fût un geste de solidarité avec

ces hommes au-dehors, une manière de reconnaître que la guerre changeait tout pour tout le monde, même pour les Yankees neutres. Les enjeux avaient grimpé. Ils vivaient l'histoire en marche, et l'histoire possédait davantage d'attraits qu'un campement d'ouvriers du rail.

Même si Joe ne manifestait que de la douceur à l'égard d'Iseult, il avait toujours ce côté dur, aussi dur qu'un foret. Un peu plus tôt dans le mois, il avait enterré deux terrassiers en aval de la ligne sans même lui en parler. Deux Italiens qui avaient emprunté une carabine et tiré un orignal. Il faisait chaud, ils n'avaient pas dépecé l'animal assez vite, et la viande avariée les avait tués. Elle l'avait appris par Mr Bee quelques jours plus tard.

Toutes les morts la bouleversaient, encore plus depuis la naissance de Mike. Elle ne s'était pas résolue de tout l'été à monter à l'ossuaire. Aller-retour, cela représentait un trajet de cent kilomètres le long de la voie ferrée, mais ce n'était pas la véritable raison. Maintenant qu'ils avaient un enfant, elle préférait ne pas jeter d'ombre sur sa jeune vie – c'était en tout cas ce qu'elle se disait. Une ou deux fois, Joe avait parlé de retourner sur la pente abrupte, mais il était peut-être dans le même état d'esprit qu'elle, car il n'avait pas insisté.

N'empêche, elle avait été furieuse contre lui pour les Italiens. Peut-être avait-il tenté de la protéger, mais ne pas même mentionner le décès de ces deux hommes, c'était manquer de cœur, comme si leur mort ne comptait pour rien.

« Tu aurais dû me le dire, Joe.

– Pourquoi?

– Parce que je suis ta femme, voilà pourquoi!

– Ils étaient six à être malades comme des chiens. Nous n'avons pas compris tout de suite ce qui leur arrivait. Comme ils s'étaient persuadés que tirer sur un orignal leur attirerait des ennuis, ils ne voulaient pas nous en parler.

– Mon Dieu. Tu ne ressens rien du tout, n'est-ce pas?

– On ne mange pas de gibier à cette saison. La chair pourrit trop vite, même quand on est versé dans la boucherie.

– La mort, c'est quelque chose d'important, Joe!»

Il la regarda d'un air déconcerté.

«Bien sûr.

– Où les as-tu enterrés?

– À côté du ballast.

– Où ça, Joe?

– Je ne me rappelle pas à quel kilomètre. Je peux vérifier la borne.

– Y a-t-il seulement quelque chose pour marquer leurs tombes?

– On les a enterrés décemment. Des Italiens, j'ai pensé qu'ils étaient catholiques.

– Ta fille est enterrée au bord de la voie, tu te rappelles?»

Il s'était détourné sans prononcer un mot; elle l'avait blessé. Elle s'était montrée injuste, s'il n'avait pas évoqué ces morts, c'était uniquement par égard pour elle. Il avait l'intention de continuer à aller de l'avant sans jamais penser au passé, en enfouissant ses chagrins sous des tonnes de ballast, de bois et d'acier. Il pouvait toujours se raconter qu'il la ménageait, mais c'était en réalité lui-même qu'il protégeait. C'était lui le plus effrayé; Iseult, elle, avait seulement peur de ne rien ressentir. Et maintenant elle avait un bébé, son ancre, sa passion, et un autre qui grandissait en elle. Elle était suffisamment forte, elle pouvait tout affronter désormais.

Elle avait également plus faim que jamais après avoir donné le sein; son corps avait besoin de se régénérer. Il aurait vraiment dû lui monter un bol de ce ragoût. Du pain et du beurre. Une tasse de thé. À entendre leurs rires, les Américains buvaient du whisky. Joe n'y toucherait pas. Il restait quelques poires de la caisse envoyée par Elise; elles étaient dans un compotier sur la table de la cuisine, les contremaîtres les auraient sans doute mangées. Il ne lui serait pas venu à l'esprit d'en mettre quelques-unes de côté, pour elle et le bébé. Ses contremaîtres allaient terminer le ragoût, leurs bottes saliraient le plancher, ce plancher qu'elle était sans cesse en train de balayer et où elle passait deux fois par jour la serpillière parce que, dans un campement comme le leur, il n'y avait rien que de la terre, de la poussière et de la boue.

Elle termina la cigarette, entrouvrit la fenêtre en poussant le carreau et jeta le mégot dehors. Il n'y avait plus grand monde autour du feu. D'ailleurs, il était en train de s'éteindre. Les femmes avaient disparu, sans doute retournées au *dovecote*. La fièvre guerrière virait peut-être déjà à la nouba ordinaire – whisky, jeux de cartes et filles de joie ; les hommes flambant leur paye et terminant la nuit au bord du chemin de fer. Les Autrichiens et les Chinois planqués dans les stations ne craignaient sans doute rien finalement, même s'ils ne le savaient pas encore.

Elle se demanda combien de temps l'abri de l'ossuaire resterait debout sur cette pente rocailleuse soumise au ruissellement des glaciers et de la fonte des neiges, qui chaque année emportait davantage d'éboulis, et elle douta que lui ou elle y retourne jamais.

Dans quelques semaines, les uns comme les autres, Joe, elle, les hommes animés de fanatisme guerrier, les femmes du *dovecote*, la jeune fille qui avait agité son drapeau seule devant le feu, comme si la ferveur festive qui embrasait le campement n'était rien, ne pouvait en aucun cas l'atteindre… tous, ils abandonneraient la montagne. Qu'allait-il advenir d'eux ? Deux choses étaient sûres : la région serait bientôt impraticable et la somme due à l'achèvement des travaux les rendrait riches, Joe et elle. Ils étaient jeunes et riches et attendaient un deuxième enfant ; ils avaient devant eux un brillant avenir.

Étaient-ils si forts que cela ? Peut-être pour ici, mais Head-of-Steel était d'une certaine manière hors du monde.

Dans quelques semaines aussi, la neige recouvrirait le paysage, engloutissant les vallées. La rivière verte deviendrait dure comme de l'acier. Seuls les plus chanceux partiraient enrichis, et même ceux-là, même les plus privilégiés d'entre eux, y laisseraient un peu d'eux-mêmes.

L'armistice

MONTRÉAL
1917-1923

Brown's Hotel
Albemarle Street, Londres W1
7 octobre 1917

Mon cher frère Joe,

L'air en France n'a rien à voir avec l'air en Angleterre, pourtant personne ne semble vouloir l'admettre. Ce n'est pas seulement une affaire d'odeur, ce n'est pas la même, bien sûr. Je veux dire que la composition de l'air sur le continent est changée, par la guerre, je crois.

Il est plus léger et plus collant. Il a perdu sa consistance. C'est un phénomène dont je n'ai jamais entendu parler, peut-être est-ce nouveau, après les bombardements intenses des dernières douze semaines sur toute la longueur de la ligne de notre division, nous avons été secoués par quelque chose de spécial, le sol se gélifiait quelquefois.

J'attribue ce changement dans l'atmosphère à la force commotionnelle des bombardements incessants qui, après tout, défoncent le front de la Suisse jusqu'à la mer du Nord depuis maintenant trois ans, avec ces derniers temps des épisodes exceptionnellement lourds. Il est bien connu que le gaz change d'état sous l'effet des variations de pression – et l'air est un gaz, comme je le dis à mes gars (depuis la bataille d'Arras, le gaz nous trotte dans la tête!). Donc, voici ma théorie: les bombardements ont secoué l'atmosphère et altéré les proportions des constituants de l'air. L'air est plus léger en France parce que la commotion l'a en quelque sorte purifié. Un mètre cube d'air français doit peser moitié moins que le même volume d'air anglais, et pas seulement à cause de la suie et du brouillard londoniens, parce que la différence était perceptible dès notre descente du vapeur qui nous avait fait traverser la Manche. On m'a offert un billet pour une comédie musicale, The Maid of the Mountains, *alors maintenant je file, embrasse très fort pour moi Iseult et les enfants,*

ton frère*,
Grattan

Joe jugea cette lettre tout à fait délirante. Son frère lui écrivait de Londres, où il était pour la première fois en permission après onze mois sur le front. Dès le début de la guerre, Grattan avait laissé sa femme et sa fille à Los Angeles pour partir à Montréal s'engager dans la force expéditionnaire canadienne. Il avait souvent écrit de France et Joe se faisait un plaisir de lire à haute voix ses lettres à Iseult; d'un style vif et piquant, il brossait un tableau plein d'humour de la vie dans les tranchées.

Une semaine après cette lettre, il en reçut une autre tout aussi inquiétante, celle-ci expédiée d'Écosse.

Kinross House
Perthshire
15 octobre 1917

Joe mon cher,

Le train de nuit – Euston-Waverley. On ne peut pas parler de couchettes. À Édimbourg, après une tasse de thé et des petits rochers, j'ai embarqué suivant les instructions à bord d'un train régional pour Perth. Entre Dunfermline et Kinross, j'ai vu un animal des plus remarquable. Bon, je ne l'ai aperçu qu'un quart de seconde. Ne me demande pas de quelle race il était, je ne saurais te répondre. Une espèce de petit terrier, peut-être une race qui n'existe pas.

Mais l'emprise sur nous des associations d'idées, Joe! Tout à fait indéniable.

Il y a des peuples pour qui les animaux sont des «totems»... Il a fallu que j'attende ce matin pour comprendre que j'avais vu davantage qu'un chien dans un jardin!

Ce chien m'est apparu pour me transmettre un message. Je m'efforce de casser le code et d'y voir clair.

J'ai vu mon âme qui rôdait dans ce petit jardin clos à l'arrière d'un alignement de maisons quelque part entre Dunfermline et Kinross... un rôdeur déboussolé. Je me suis vu moi-même.

Je sais maintenant que je ne peux continuer comme ça. Je dois m'extraire de ce jardin détrempé, de ce point de vue confiné sur le monde.

Je voudrais qu'en qualité de frère en qui j'ai entière confiance, Joe, tu me dises si tu as jamais vécu le même genre d'expérience?

Les Montgomery hébergent six officiers canadiens. On est traités comme des rois, on monte à cheval, on chasse le gibier à plumes,

> *ton frère,*
> *Grattan*

Joe leva les yeux sur Iseult. «C'est quoi, ces élucubrations?» Elle hocha la tête. «Il essaye de donner un sens à ce qu'il vit. Dieu sait ce que l'on éprouve en débarquant tout droit du front pour se retrouver à Londres ou dans la campagne anglaise.»

Après son retour en France, pendant quelque temps les lettres cessèrent, supplantées par des cartes postales laconiques réclamant des livres, du chocolat et des cigarettes. Puis il écrivit pour annoncer que sa candidature au Royal Flying Corps avait été acceptée et qu'il suivait un entraînement de pilote.

Toute cette satanée boue ici. Je n'en peux plus de la boue. C'est plus propre dans le ciel.

On était alors dans la troisième année de guerre. Joe avait fait quitter la côte Ouest à Iseult et à leurs deux enfants pour les installer à Montréal dans une grande demeure en pierre sur l'avenue des Pins. Il avait toutefois conservé la maison de Butterfly Beach. Le boom des chemins de fer de l'Ouest était définitivement derrière eux – le gouvernement avait arraché des rails et acheminé de l'acier vers la France pour les voies des trains militaires – mais O'Brien Capital Construction ramassait à la pelle, d'un bout à l'autre du dominion, des contrats gouvernementaux de construction d'usines de munitions, de casernes, d'hôpitaux militaires. Joe prospérait.

Une fois que Grattan s'était mis à voler, le ton de ses lettres avait de nouveau changé.

… mamzelle joliment boudeuse hier soir à Paris adorable de douceur mon Dieu cette fille avait un goût de fraise, Joe, qui vous fond dans la bouche, on a dû le refaire quatre ou cinq fois…

… sœurs, elles bossent dans l'estaminet des officiers thé et frites papa est un officier belge ça coûte 2 francs c'est pas jeté par les fenêtres, as-tu jamais fait ça avec deux à la fois Joe ce matin crois-moi je me sens d'un vieux…

… un ravissant ventre blanc, une touffe noire et avec ça muette comme une carpe du début à la fin…

… une autre fille dans le train, lui ai donné 1 fr, elle a crié au meurtre… tu as remarqué, Joe, qu'un con ça ressemble à une blessure ? À Amiens tu achètes une fille pour une tasse de chocolat, certaines sont pas mal, au début je pensais qu'elles devaient être jolies, mais pour tout t'avouer tout me va.

Joe ne parvenait pas à se résoudre à lire à haute voix des choses pareilles, mais quand Iseult insistait pour voir les lettres, il les lui tendait et elle les lisait, assise dans un fauteuil au coin du feu.

La maison de l'avenue des Pins était somptueuse, mais glaciale et vieillotte. Elle ne leur correspondait pas. Joe projetait de faire construire une autre maison à Montréal après la guerre.

« Je n'aime pas que tu lises des obscénités pareilles. »

Iseult leva les yeux. « C'est logique, Joe, ne vois-tu pas ? Il essaye de rester en vie.

– C'est obscène.

– C'est la guerre qui l'est, mais il y a plus que ça. La vie pour lui ne peut être que crue. Brutale, même. Il doit s'efforcer de garder les choses le plus simple possible. »

Iseult était en contact avec Elise, à Los Angeles. Lorsque Grattan était devenu pilote, il avait cessé d'envoyer de l'argent à sa femme et à sa fille qui habitaient toujours le studio de photographie d'Elise au-dessus de la blanchisserie chinoise sur Windward Avenue. Les États-Unis étaient entrés en guerre. À Los Angeles, les gens n'allaient plus à la plage. Elise ne pouvait plus vivre des portraits en studio et des cartes postales. Elle avait trouvé du travail dans une usine de West L.A., et cousait de la toile pour les ailes des machines volantes.

Dès qu'Iseult demanda à Joe de faire quelque chose pour Elise, il envoya un mandat télégraphique afin qu'elle puisse acheter deux billets de train. Elise arriva à Montréal en janvier 1918 avec la petite Virginia, six ans, sans un sou ni un vêtement d'hiver. Elles s'installèrent dans la maison de l'avenue des Pins. Joe prêta à sa belle-sœur cinq cents dollars pour monter un studio de portraitiste au Queen's Hotel, en face de la gare Windsor. C'est ainsi qu'elle photographia des centaines de jeunes soldats qui transitaient par Montréal avant de s'embarquer pour la traversée de l'Atlantique.

Ils apprirent que Grattan ne lui avait pas écrit depuis des mois, et les seuls signes de vie qu'il lui donna pendant son séjour avenue des Pins étaient des cartes/messages préimprimées que l'armée fournissait aux soldats.

RIEN ne doit être écrit au dos sauf la date et la signature de l'expéditeur. Barrer les phrases qui ne s'appliquent pas. Tout ajout entraînera la destruction de la carte.

Je vais bien.

~~J'ai été hospitalisé :~~

~~{ malade }~~ ~~je me remets.~~
~~{ blessé }~~ ~~j'espère être bientôt démobilisé.~~
~~Je suis renvoyé à la base.~~

J'ai bien reçu votre { lettre datée du *29 mai*
~~colis~~
~~télégramme~~

~~Lettre suit à la première occasion.~~
~~Je n'ai reçu aucune lettre de vous~~
~~{ dernièrement~~
~~{ depuis longtemps~~

Signature seulement *G. O'B.*
Date *1ᵉʳ juillet 1918*

Ces cartes avaient le don de faire enrager Iseult, mais Elise ne se plaignait pas et ne demandait pas non plus à regarder les lettres délirantes et lascives que Joe continuait à recevoir. Il les avait toutes classées – il ne pouvait se résoudre à jeter le moindre papier concernant sa famille. Mais si Elise manifestait le désir de les voir, il était prêt à lui dire qu'il les avait brûlées.

« Grattan sait ce qu'il sait, déclara un jour Elise à Iseult. Lorsque la guerre sera finie, il aura peut-être envie de me le dire. »

Au cours des neuf derniers mois de guerre, le capitaine Grattan O'Brien du Royal Flying Corps avait descendu treize avions ennemis. Une semaine après l'armistice, le roi épingla la DSO[1] sur sa poitrine lors d'une cérémonie à Buckingham Palace. Lorsque six semaines plus tard, Grattan descendit du train à Montréal, une horde de journalistes se rua sur lui pour l'interviewer : Sojer Boy était devenu une célébrité.

Au lieu de ramener Elise et Virginia à Los Angeles, Grattan accepta un poste dans la succursale canadienne d'un constructeur britannique de moteurs d'avion. Il emménagea avec sa famille dans le bas de Westmount, sur l'avenue de Carthage, dans une modeste maison dont Joe garantissait le remboursement du crédit.

Leurs sœurs, Hope et Kate – qui avaient prononcé leurs vœux sous les noms de Sœur Marie-Bernadette et Sœur Marie-Emmanuelle – avaient succombé à la grippe au cours du premier hiver de l'après-guerre. Elles furent inhumées dans un caveau du couvent des visitandines, à Ottawa, sans que Joe ait été mis au courant. Il l'apprit des semaines plus tard, en recevant l'avis de célébration d'une messe de funérailles.

Hope et Kate lui avaient fait confiance et, en les envoyant dans ce cloître, il leur avait fermé la porte de la vie – c'est ainsi qu'il voyait les choses. Elles avaient payé le prix de cet immense désir de liberté qui l'avait possédé.

Petit Prêtre, en revanche, s'était bien débrouillé chez les Jésuites. En mai 1919, Joe, Iseult, les deux enfants, leur nounou irlandaise, Grattan, Elise et Virginie, tous se rendirent en train à New York

---

1. Distinguished Service Order : « Ordre du service distingué ».

pour assister à l'ordination de Tom à Old St. John's dans le Bronx et boire le champagne d'une réception financée par Joe au country club catholique de Westchester.

Ils avaient laissé à Montréal un printemps froid. À Westchester, l'été parfumait un air déjà lourd. Au milieu de la fête, Joe et Tom, chacun muni d'une flûte de champagne doré, avaient quitté le salon du club pour se promener le long des somptueuses allées de gazon. Tom était silencieux et Joe supposa qu'il savourait ce moment, comme lui-même d'ailleurs – le soleil oblique de la fin de journée caressant l'herbe grasse. La fierté que lui inspirait son frère lui réchauffait le cœur.

Aussi sursauta-t-il lorsque Tom, sans crier gare, éclata en sanglots et se mit à gémir : combien il avait détesté l'Église pour avoir refusé à la petite fille de Joe une messe de funérailles, détesté son recteur jésuite pour ne pas l'avoir autorisé à se rendre en Colombie-Britannique, et détesté sa propre personne pour ne pas avoir eu le courage de faire le voyage malgré tout.

Joe ne lui en avait jamais voulu – Tom était à l'époque un simple séminariste. Avant qu'il ait eu le temps d'ouvrir la bouche, Petit Prêtre jeta son verre dans l'herbe et, en pleurs, enfouit sa tête au creux de l'épaule de son frère. Il se cramponna à lui tant et si bien que Joe finit par sentir l'humidité de ses larmes à travers son veston. Sous les frondaisons de chênes tutélaires, ils se trouvaient à deux cents mètres environ du club house. L'orchestre jouait toujours. La musique flottait dans l'air. Personne ne les avait vus, c'était une chance.

« Je vais te faire un aveu. » La voix de Tom se brisait, éraillée, comme si les mots lui griffaient la gorge. « La défaillance de l'Église, une défaillance si humaine, a renforcé paradoxalement ma foi. Comme un morceau de fer. Mais tu es mon frère, Joe. J'ai manqué à tous mes devoirs envers toi. Je t'ai abandonné là-bas dans ton désert. Pourras-tu jamais m'accorder ton pardon ? »

Fraîchement ordonné prêtre, Tom avait juré de défendre et d'affirmer cette foi catholique à laquelle, au fil de sa vie, Joe avait petit à petit renoncé. Par respect pour son frère, il n'essaya pas de le convaincre que les chants, les bénédictions, l'aspersion d'eau bénite ne constituaient que de simples divertissements. Que les mystères de la vie et de la mort ne pouvaient être approchés que dans la peur, la solitude et le silence.

En tapotant affectueusement le dos de Tom couvert d'une soutane en soie noire flambant neuve, Joe lui conseilla d'économiser ses péchés, les imaginaires comme les autres, pour le confessionnal. Il sortit son étui à cigarettes et en tendit une à son frère. Debout sous les grands chênes, ils fumèrent dans le capiteux parfum du soir émanant du gazon.

Petit Prêtre était envoyé en Europe où il poursuivrait des hautes études de mathématiques. Il avait trouvé auprès des Jésuites un foyer et une carrière. Si l'ordre n'atteignait pas la perfection, du moins cet ordre croyait-il en lui-même. Au fond, c'était l'essentiel.

Après avoir éteint leurs cigarettes, les frères retournèrent bras dessus, bras dessous au club house où Iseult dansait le fox-trot avec le père supérieur de Tom.

De retour à Montréal, Grattan, reprochant au constructeur aéronautique des défauts de conception majeurs, donna sa démission, quelques mois seulement après avoir été embauché. Joe engagea son frère, même si les temps étaient durs pour O'Brien Capital Construction dont le seul chantier en cours était l'hôpital de Sainte-Anne-de-Bellevue pour les anciens combattants, extension de baraques temporaires édifiées pendant la guerre. Une partie du contrat prévoyait la construction d'un embranchement de chemin de fer, avec un hangar réservé à l'accueil et des tunnels pour transférer les centaines d'infirmes qui continuaient à arriver en grand nombre d'Angleterre – ils pourraient ainsi débarquer directement dans l'établissement. Grattan voulut tester le système de transit. Il insista pour effectuer un trajet expérimental de Montréal à Sainte-Anne, allongé sur une civière ; deux employés de Joe furent chargés de la manœuvre. Le lendemain matin, il fit irruption dans le bureau de Joe.

« Cette baraque est bonne à accueillir du bétail, pas des hommes ! Il fait un froid glacial dans les tunnels ! On ne construit pas une prison, Joe. C'est un hôpital. »

Grattan était plus grand que Joe et, à l'époque, il portait encore les complets coupés sur mesure à Londres, où cet as de l'aviation avait été un héros des colonies, le chéri des aristocrates britanniques.

« Tout est conforme aux spécifications, répliqua Joe. Ils en auront pour leur argent.

— Sais-tu combien d'anciens soldats sont morts depuis la fin de la guerre ?

— Ils sont morts de la grippe.

— Des centaines ! Tu as vu le cimetière ?

— Le cimetière ne figure pas au contrat. Nous reconstruisons un hôpital. Cela n'aura rien de luxueux, mais ce sera cent fois mieux que ce qu'il y avait auparavant. Écoute... tu es mon frère, Grattan, mais cela ne te permet pas de débouler ici pour m'engueuler. »

Grattan se laissa tomber dans un fauteuil. « Nom d'un chien, Joe. Ils ont tellement pris l'habitude d'être traités comme du bétail qu'ils ne s'attendent pas à autre chose.

— Je ne peux pas me permettre de diriger autrement mes affaires. »

Grattan plongea son visage dans ses mains. « Deux cents hommes qui vivent dans un poumon d'acier. Seigneur ! Victimes du gaz moutarde... Je les ai vus en France, Joe, mais ici, ça me semble pire. »

Que pouvait répondre Joe ?

Finalement, Grattan redressa la tête. « Je suppose qu'il va falloir que je trouve du travail.

— Ce n'est pas une mauvaise idée. »

Quelques semaines plus tard, à onze heures du matin le jour de l'armistice 1919, les ouvriers d'un laminoir virent la Ford de Grattan défoncer le garde-fou en fer du canal Lachine, pile sous le pont de Côte-Saint-Paul. Au moment où coups de sifflet et cloches précédant les deux minutes de silence en mémoire des morts de la guerre retentissaient un peu partout dans Montréal, la Ford plongea tête la première dans les eaux grisâtres et vaseuses de cette artère de la ville qui était aussi un égout industriel.

Grattan, grelottant et vomissant, fut tiré du canal par les ouvriers au moyen d'une gaffe. Joe accourut. Son frère prétendit avoir consulté sa montre-bracelet et perdu le contrôle de l'automobile. Il jura qu'il s'apprêtait à se garer sur le bas-côté pour observer à onze heures tapantes les deux minutes de silence.

La pneumonie le cloua les quatre mois suivants dans un lit de l'hôpital Saint-Anne pour les anciens combattants, où il recevait en outre des électrochocs contre l'insomnie. Lors de ses dernières semaines d'hospitalisation, une jolie infirmière de nuit lui lisait les lettres que lui envoyaient ses frères restés en Irlande. Le dimanche même de sa sortie, Grattan surgit sur les marches du parvis de l'église après la grand-messe et distribua le journal du Sinn Féin à tous ceux qui voulaient bien le prendre. À table, pendant le déjeuner dominical avenue des Pins, il annonça qu'il était désormais membre de l'Ancien Ordre des Hiberniens, une association peu recommandable qui officiait dans un club house de Griffintown, un quartier irlandais misérable de Montréal.

«Je vais t'inviter lors de notre prochaine réunion, Joe. Nous avons un orateur qui vient de New York. Ces cochons d'Anglais chassent les gens de chez eux en mettant le feu à leurs maisons... Ils saccagent tout, les vitrines des magasins, tout... Ils débarquent dans des camions automobiles au milieu de la nuit, démolissent les chaumières, arrachent de force les gens à leurs lits, dénudent les femmes en pleine rue. Ils versent du thé bouillant sur les testicules des hommes pour leur soutirer des informations!»

Ce n'était pas le genre de propos que Joe aimait entendre en présence des enfants et des domestiques. Ravalant son agacement, il laissa Grattan parler avec Iseult et se mit à discuter affaires avec sa belle-sœur, ce qui l'enchantait toujours. À l'occasion de leur passage à Montréal, Elise avait récemment photographié Winston Churchill et Georges Clemenceau. Ses portraits avaient été diffusés dans toute la presse. Son studio était réservé des semaines à l'avance. Elle faisait très intelligemment de la réclame – *Portraits by Elise* – dans les revues illustrées américaines les plus en vogue, et avait remboursé Joe avec les intérêts.

La voix de Grattan lui parvint de l'autre bout de la table. «Si les Anglais ne quittent pas l'Irlande, ils seront abattus et renvoyés un par un! C'est vrai ce qu'on dit, les meilleurs d'entre eux sont morts à la guerre. L'Irlande est occupée par des imbéciles, des garçons à moitié débiles pêchés dans les bas quartiers de Birmingham, des brutes et des dégénérés…

– C'est assez sur l'Irlande aujourd'hui, le coupa Joe. À moins que tu n'aies une bonne blague irlandaise à nous raconter.»

Grattan tapa violemment du poing sur la table, faisant tinter l'argenterie. «Mais il s'agit de meurtres, Joe! Ils assassinent des femmes et des enfants!»

Captivés, les petits – Mike, Margo et Virginia – écoutaient de toutes leurs oreilles.

«Ce n'est pas une guerre, continua Grattan, c'est un massacre!

– Parlons d'autre chose, veux-tu? répliqua Joe, très calme.

– Grattan, tais-toi», renchérit Elise.

Grattan bouda pendant tout le reste du repas. Ensuite, quand il vint trouver son frère – «On peut se parler?» – Joe le conduisit à regret dans son bureau. Il avait d'autres préoccupations en tête. Depuis leur arrivée à Montréal, Iseult et lui se réjouissaient de construire bientôt une maison bien à eux, et il venait de faire une offre pour l'achat d'une parcelle dans le quartier verdoyant de Westmount.

Grattan s'assit sur le canapé en crin de cheval et Joe, s'ennuyant d'avance, s'installa à sa table de travail. Une femme de chambre apporta du thé, puis sortit. Les frères allumèrent des cigarettes.

« Quelle est ton opinion sur l'état des choses en Irlande ? » interrogea Grattan.

En regardant son frère sur le canapé, ses longues jambes croisées, Joe se dit que Grattan, au lieu de mûrir, devenait de plus en plus infantile. Un grand gamin étrange à la voix métallique et à la moustache martiale qui affichait une attitude autoritaire d'officier supérieur.

Joe ne se rappelait pas qu'on le lui ait raconté, mais il avait toujours su que leur grand-père était venu d'Irlande à un très jeune âge à bord d'un « bateau-cercueil », lequel, après avoir remonté le Saint-Laurent, avait fini par accoster à la Pointe-du-Moulin, à un kilomètre seulement de l'endroit où l'automobile de Grattan avait plongé dans le canal Lachine.

« Je n'ai aucune opinion, Sojer Boy. Je me fiche de l'Irlande comme du cul d'un rat.

– Ça me fait de la peine, ce que tu me dis là, Joe. Après tout, tu es un O'Brien irlandais de sang, Joe, tout comme moi. »

Joe haussa les épaules. « Et après ?

– Moi, je ne peux plus me résoudre à rester en dehors du conflit, voilà.

– Quel conflit ?

– Le combat pour l'indépendance de l'Irlande, Joe ! Nous devons nous libérer du joug anglais.

– Ce dont tu as besoin, c'est de redescendre sur terre et de trouver une situation, il faut que tu commences à gagner de l'argent. Elise en a assez de te voir tourner en rond.

– Je suis peut-être un *Fianna*. De la race des guerriers irlandais. De ceux qui ne peuvent pas entrer dans le moule. Le fait est qu'une guerre se déroule en ce moment et que je vais retraverser l'Atlantique pour aller me battre. J'ai pris un billet sur un bateau New York-Queenstown, il part la semaine prochaine.

— Oh, pour l'amour du ciel !

— Je voudrais que tu veilles sur Elise et Virginia pendant mon absence.

— Tu veux que je m'occupe de ta famille pendant que tu vas jouer de nouveau au petit soldat ?

— Je n'ai rien, mais Ellie se débrouille bien. »

Grattan plongea la main à l'intérieur de son veston. Joe s'attendait à ce qu'il en sortît un mouchoir ou un étui à cigarettes. Mais la grande main blanche de son frère reparut avec un pistolet semi-automatique.

« Je l'ai pris à un soldat que j'ai tué, dit doucement Grattan, maintenant il va retourner se battre avec moi. » La vilaine arme allemande exhalait une odeur forte, piquante comme du vernis.

« Range ça tout de suite ! ordonna Joe. Un pistolet, chez moi ! Tu es devenu fou ou quoi ? Tu mériterais quelques bons coups de ceinture, oui, espèce d'idiot. » Pour on ne sait quelle raison, la vue de l'arme dans son bureau lui avait rappelé le souvenir de son beau-père titubant sur la route en raclant son crincrin.

Grattan décroisa les jambes et se pencha en avant en tenant le pistolet mollement, canon pointé vers le sol. Il semblait plutôt petit dans sa main.

« Je vais te dire une chose. Si tu pars maintenant pour l'Irlande, tu vas perdre ta femme et ta fille. »

Une expression lointaine se peignit sur le visage de Grattan, comme si le poids et l'odeur huileuse du pistolet l'avaient plongé dans une transe.

« Elle ne supportera pas que tu l'abandonnes une deuxième fois. Elle ira à New York ou retournera à Los Angeles en emmenant la petite. Tu ne les reverras plus jamais.

— Elise ne comprend pas la situation en Irlande, dit doucement Grattan.

— Elle ne la comprendra jamais, et moi non plus. Écoute-moi. »

Grattan releva la tête. Subitement, il paraissait très fatigué. Il tenait le pistolet du bout des doigts comme un objet sale et pesant qu'il était près de lâcher.

« Tu ne vas pas en Irlande. Sors-toi cette idée de la tête. »

Grattan poussa un gros soupir.

« Tu vas t'installer à Montréal avec ta femme et ta fille. Ce qu'il te faut, c'est du travail. Grattan, tu m'écoutes ? Ce que je te dis là est la vérité. »

Il attendit.

Lorsque Grattan reprit enfin la parole, ce fut avec une profonde lassitude. « Oui, Joe, tu as raison. Bien sûr.

– Bon, alors. Tu as été fichtrement bousculé dernièrement…

– Mais, Joe… je voulais te demander quelque chose… quelque chose d'important. Qu'est-ce que c'est déjà ? » Il avait l'air hagard.

« Je ne sais pas », dit Joe avec douceur.

Il le laissa réfléchir. Soudain, le visage de son frère s'éclaira. « La traversée… J'ai besoin que tu me prêtes de l'argent pour mon billet, mettons deux cents dollars. Classe touriste, New York-Queenstown. Elise ne comprendra pas. »

Il avait paru tellement mieux – plus fort – à son retour de la guerre.

« Grattan, dit Joe toujours doucement. Tu n'as pas besoin de cet argent. Tu ne pars pas. »

L'air sidéré, Grattan secoua la tête. « C'est vrai, tu as raison, déclara-t-il lentement. Je ne pars pas.

– Tu vas rester ici bosser. Et la vente immobilière ? Tu avais l'air de bien accrocher à Venice Beach. Si tu n'avais pas fait la promotion de ces bungalows, je n'aurais jamais rencontré Iseult. » Il se pencha pour prendre le pistolet de la main de Grattan et le laissa tomber dans un tiroir de son bureau.

Grattan poussa un deuxième soupir, encore plus gros.

« Tu sais quoi, Sojer Boy. Des types que j'ai connus dans l'Ouest ont acheté des terrains agricoles au nord d'Outremont. Ils ont tracé des rues, fait des parcs, installé des égouts… C'est une vraie ville qui est en train de sortir de terre. Le Mont-Royal, c'est ainsi qu'ils l'ont baptisée. Avec le tramway électrique qui traverse la montagne, la ville n'est qu'à vingt minutes du centre de Montréal.

– La vente de parcelles, ce n'est pas ma tasse de thé, Joe. Même en Californie, je ne m'en sortais pas bien du tout.

– Il faut que tu reprennes pied. Sinon, tu vas finir par vivre aux crochets de ta femme, ce n'est bon ni pour elle ni pour toi. Je vais donner un coup de fil aux gars du Mont-Royal. D'accord? »

Grattan opina.

Joe lui donna une tape sur le genou. « On revient de loin, toi et moi. Je vais t'organiser une rencontre avec ces types. En attendant, si tu as besoin de payer des factures, tu peux toujours venir me trouver. »

De manière épisodique et souvent imprévisible, Joe était saisi par un puissant désir de solitude et de silence. Sa secrétaire lui réservait un wagon-lit sur le Delaware & Hudson de nuit à destination de New York. Joe se rendait directement de son bureau à la gare Bonaventure. Il achetait son whisky aux porteurs Pullman ou aux chauffeurs de taxi, aux liftiers et aux grooms des grands hôtels. Il se barricadait dans sa chambre du Plaza, du Biltmore ou du Commodore, et entreprenait de se soûler lentement et méthodiquement afin d'oublier cette sensation de n'être à sa place nulle part. Il se réveillait en général par terre, avec une gueule de bois sévère, mais de nouveau réconcilié avec le monde. Après avoir envoyé son costume chez le teinturier, il se commandait un petit déjeuner roboratif, prenait un bain de vapeur, se faisait masser. Chez le barbier de l'hôtel, il se faisait raser, couper les cheveux et cirer les chaussures. Pendant qu'il choisissait des cadeaux pour Iseult et les enfants dans les magasins de la 5e Avenue, il surveillait l'heure et, s'il avait le temps, passait chez Brooks Brothers s'acheter deux chemises et des cravates avant de foncer à Grand Central reprendre le train pour Montréal.

Au début, il avait essayé de cacher ses échappées à Iseult, mais elle n'avait pas longtemps été dupe. Elle insistait pour qu'il consulte un médecin. S'il ne voulait pas parler au sien, qu'il s'adresse à un étudiant en médecine. Mais il ne voyait vraiment pas comment influer de quelque façon sur ce qu'il ressentait à ces moments-là, ni comment il pourrait décrire à un tiers ce qu'il ne s'expliquait pas à lui-même.

Iseult écrivit à Petit Prêtre, désormais à l'université de Georgetown, à Washington, et elle reçut en réponse une lettre recommandant à Joe une retraite spirituelle dans les monts Allegheny. Il refusa net, tout en se disant que si le père Jeremiah Lillis de la Société de Jésus avait encore été de ce monde, il serait peut-être allé lui rendre visite au fond des bois. Le vieux prêtre avait eu une connaissance intime de l'esseulement et de la disgrâce. Mais Joe avait appris par quelqu'un de Shawville que le père Lillis était mort et enterré depuis des années.

Il n'avait pas besoin de consulter un étudiant en médecine et il n'avait pas besoin d'une retraite dans les monts Allegheny. New York était sa retraite à lui.

L'armistice avait été suivi d'un marasme économique – trois années dans un brouillard empoisonné par la guerre –, puis Joe avait senti que le dominion se réveillait. Soudain, tout le monde avait envie d'une automobile. Tout le monde avait besoin d'une radio, et tout ce qui avait été usé par la guerre – les vêtements, les bonnes manières, les ports, les ponts, les gouvernements – exigeait tout à coup d'être remplacé. O'Brien Capital Construction emménagea dans de nouveaux locaux superbes au sein de l'Édifice Canada Cement sur la place Phillips. Les contacts que Joe avait noués pendant la guerre avec des politiciens et des hommes d'affaires aux quatre coins de l'Amérique du Nord et de l'Empire britannique s'avérèrent utiles. Bientôt la société signait des contrats pour construire des barrages hydroélectriques, des terminaux portuaires et un oléoduc reliant Portland, Maine, port aux eaux libres en toute saison, à Montréal.

Mike avait huit ans, Margo six, et Iseult était de nouveau enceinte. Quand ils s'étaient installés à Montréal, elle avait réclamé à Joe un chèque de cinq mille dollars. Une somme dont elle s'était servie, en y allant aussi de sa poche et grâce aux cinq mille supplémentaires versés par l'American Women's Club et la Montreal Ladies' Benevolent Society, pour fonder une maternité doublée d'une clinique pédiatrique à Sainte-Cunégonde. Le centre employait des étudiants en médecine de McGill et de Laval, vendait du lait frais à raison de quelques pennies le litre, et proposait des soins dentaires gratuits tous les jeudis.

Pour Noël et à chaque anniversaire, ceux d'Iseult, de Mike et de Margo, Joe offrait systématiquement à sa femme un chèque pour la clinique. Il n'y était allé qu'une ou deux fois ; la vue d'enfants malades et de mères souffrant de malnutrition lui était trop pénible. Il signerait autant de chèques qu'elle le voulait, mais il ne devait pas être obligé de côtoyer ces gens.

Le moment était venu de construire leur maison à Westmount. Iseult choisit l'architecte et les terrassiers de Joe se mirent à creuser les fondations. La chambre noire d'Iseult figurait sur la première esquisse du plan, elle en traça elle-même un dessin détaillé : une pièce pas trop grande donnant sur sa chambre, une lampe rouge encastrée au plafond, des fenêtres équipées de volets métalliques. Il lui fallait deux éviers profonds, des étagères pour ranger les produits et le papier photo, plus une longue table à une extrémité de laquelle serait monté l'agrandisseur. La pièce devait bénéficier d'un système d'aération et d'un coffre-fort ignifugé pour ses objectifs et ses appareils – son vieux FPK avec son soufflet de cuir rouge, le Nagel et le modèle «Miniatur» du Klapp d'Ernemann, un cadeau de Noël de Joe.

Vingt à trente hommes étaient à l'œuvre afin de terrasser et niveler les fondations – un nombre pouvant sembler excessif au regard de la tâche, mais Iseult avait tenu absolument à ce que le contremaître embauche une douzaine d'hommes de Sainte-Cunégonde, pères de famille ou frères de parturientes, qui chaque matin gravissaient la colline, pâles, maigres et clignant des yeux dans la lumière. Elle photographia chaque étape de la construction : l'électricien et son apprenti transbordant d'énormes rouleaux de fil de cuivre sur les épaules ; le chauffeur de la bétonnière et son chat ; les hommes posant les parquets de bois dur, les genoux caparaçonnés de genouillères en cuir.

Mais ses enfants restaient son principal sujet. Elle ne leur demandait pas de poser, préférant les prendre au dépourvu, rapide à viser et à appuyer sur le bouton suivant la technique que lui avait enseignée Elise – quoique, désormais, celle-ci fît poser ses sujets contre une rémunération importante, produisant des portraits où ils affichaient des airs graves, pensifs et sages.

Joe conservait ces photographies par centaines dans des albums reliés de cuir alignés sur les rayonnages de son bureau place Phillips, chaque cliché dûment numéroté et daté. Parfois, en les feuilletant, il se mettait à penser que l'amour était un don bien superflu et cruel dans un monde où rien ne durait. Quand de telles idées lui venaient à l'esprit, il savait qu'il n'allait pas tarder à prendre le chemin d'une chambre d'hôtel new-yorkaise.

Iseult était enceinte de près de six mois lorsqu'ils emmenèrent Mike et Margo avenue Skye regarder les hommes couler les fondations. La belle journée ensoleillée et chaude offrait les meilleures conditions. Ils pique-niquèrent sur place. Un verre de citronnade à la main, Joe surveillait les grosses langues molles qui glissaient de la bétonnière pour remplir les coffrages. Son fils et sa fille riaient, ses hommes travaillaient, ses machines rugissaient et sa femme, enceinte, lui serrait le bras tandis que sous leurs yeux prenaient forme les assises solides de leur avenir. S'il vivait là un moment de perfection, se dit-il, il n'en demandait pas davantage car, dans le fond de son cœur, il n'aurait jamais pensé s'en approcher.

La vie de Grattan paraissait elle aussi en voie d'acquérir de solides fondations, enfin. Pour fêter le trente-cinquième anniversaire de Joe, son frère l'invita à déjeuner au Ritz-Carlton. Grattan vendait des lotissements pour la Mount Royal Land Company, Elise et lui venaient d'acheter une nouvelle Buick et d'ici quelques semaines leur fille, Virginia, entrerait en classe de 7ᵉ au couvent du Sacré-Cœur sur l'avenue Atwater.

Après avoir commandé une bouteille de champagne, Grattan commença à parler à Joe d'une proposition que lui avait faite son ancien chef d'escadron, un Anglais habitant désormais Buenos Aires.

« Dicky quitte la ville pour monter un ranch dans la Pampa. L'Argentine exporte du bœuf à tour de bras. Ce doit être un pays merveilleux, Joe. Il me propose de devenir son associé. Je l'aiderais à s'occuper du ranch. Il suffirait que je contribue par un apport de capital, un apport modeste.

— C'est de l'autre côté de la Terre.

— Comme la ville de Mont-Royal, Joe. Elle est fichtrement loin. Je ne vends rien depuis des semaines.

— Tu as acheté une nouvelle auto.

— C'est grâce à Elise.

— Quand tout ira à vau-l'eau en Amérique du Sud, que feras-tu ?

— Bois ton champagne, Joe.

— Non, je ne peux pas. J'ai beaucoup de travail cet après-midi. »

Grattan vida sa flûte et se resservit. « Pas mauvais. Presque aussi bon que celui qu'on buvait en France. Je buvais du champagne pour le petit déjeuner, Joe. On trouvait plus facilement du bon vin qu'une bonne tasse de thé.

– Tu as une famille, Grattan. Tu ne peux pas les laisser tomber. » Joe se demandait si son frère avait dans son portefeuille de quoi honorer l'addition. Il y en aurait bien pour quinze dollars. Si les ventes stagnaient, il n'avait pas à claquer son fric au Ritz ; il avait une femme et une fille de dix ans qui comptaient sur lui.

« Bon sang, Joe, on n'a pas fui la vraie vie pour en arriver là, tu crois pas ?

– Ce que tu dis n'a pas de sens.

– On aurait aussi bien fait de rester dans les bois. On pouvait pas faire plus vrai, là-bas. » Grattan sourit et trempa ses lèvres dans le champagne. « Réfléchis un peu, Joe. Nous voilà attablés au Ritz. Nous sommes aussi éloignés de l'endroit où nous avons grandi que l'Argentine l'est d'ici. Je te parle d'une distance mentale et spirituelle. Nous sommes arrivés jusqu'ici, toi et moi. Je ne vois pas pourquoi je ne peux pas aller un peu plus loin.

– Qu'as-tu accompli jusqu'ici, dis-moi ? À part tuer treize hommes. Sans doute des gars qui te ressemblaient beaucoup.

– Bon sang, Joe. » Grattan s'affaissa en avant, les yeux au fond de son verre. Il portait un de ses costumes anglais en laine peignée, plus beaux que ceux que Joe se faisait faire chez Brooks Brothers à New York. Grattan devait sûrement encore de l'argent à son tailleur ; à moins qu'un tiers, quelque fortuné adepte du culte des héros, n'ait payé la note.

« As-tu jamais essayé, Joe, de dresser l'inventaire de tout ce que tu as vu et fait au cours de ta vie ? » Grattan avait abdiqué toute exubérance pour laisser percer un pesant désarroi. « Bon sang, autrefois, quand j'énumérais tout ce que j'avais fait, les endroits où j'avais été… je trouvais cela grisant. Tu te rappelles quand on s'est dit au revoir sur le quai de la gare à Ottawa ? Nom d'un chien, quelle frousse j'avais. J'ai déposé les filles chez les visitandines. Je suis allé à Toronto, puis à Chicago. J'ai rencontré une femme dans le train. Je suis descendu à Denver et elle m'a emmené dans un hôtel… une femme mariée, son mari était à

Colorado Springs… je ne t'ai jamais parlé d'elle, hein ? J'ai perdu ma virginité au Brown's Hotel de Denver. Je suis remonté dans le train le lendemain matin. L'orangeraie de Santa Barbara… Je n'aimais pas trop ces franciscains, avec leurs sandales et leurs robes marron, ils me faisaient froid dans le dos. J'ai ensuite été embauché dans un ranch de la vallée Santa Ynez. Le bétail, la sempiternelle poussière. J'ai rencontré Elise à Ocean Park où elle prenait des photos sur la promenade. Ça, c'était une aventure, cette rencontre. Puis j'ai vendu des parcelles de terrain à bâtir pour Abbot. Elise est tombée enceinte, on s'est mariés. Le prêtre à Santa Monica a refusé de nous marier parce qu'elle était juive. La naissance de Virginia. À l'époque, je pouvais lire dans ma vie comme dans un livre : j'ouvrais à la page que je voulais et la suite coulait de source. »

La salle s'était remplie. Parmi la clientèle, certains avaient été en affaires avec Joe, des hommes beaucoup plus vieux que son frère, qui n'auraient pas pu aller se battre outre-Atlantique.

« Et toi, Joe ? dit Grattan en relevant les yeux.

— Je ne sais même pas ce que tu me demandes. » Il s'était dit que son frère avait enfin les deux pieds sur terre, mais il s'était trompé, cela n'arriverait sans doute jamais.

« As-tu l'impression qu'il y a une logique à la façon dont tout s'enchaîne, Joe ? Je ne vois plus aucun lien entre les différentes parties de ma vie. Je ne peux plus la tenir d'une main comme un livre. Il me semble que j'en ai oublié des pans entiers. La guerre… je devrais penser davantage à la guerre. Tant de choses se sont produites. Je devrais réfléchir à ce passé, mais je n'ai jamais le temps. »

Joe observait deux hommes que le maître d'hôtel, avec des mines obséquieuses, conduisait vers une banquette. Il reconnaissait l'un d'eux : Louis-Philippe Taschereau, KC[1], un avocat mondain

1. King's Councel : « conseil du roi ».

qui représentait l'archidiocèse de Montréal aux affaires civiles. Joe étant un des marguilliers de la paroisse d'Ascension de Notre Seigneur, la nouvelle église de langue anglaise de Westmount, au titre de conseil de fabrique, il avait été amené une ou deux fois à consulter Taschereau sur des questions d'actes juridiques et de contrats de construction. L'avocat s'était récemment fait construire une maison non loin du terrain de Joe et Iseult. Le deuxième homme avait la mine d'un universitaire américain, complet en flanelle gris et chemise à col boutonné. Ses cheveux noirs étaient parfaitement peignés.

«Autrefois, il me semblait que ma vie s'enrichissait page après page, disait Grattan. L'expérience me profitait. Je n'ai plus cette impression. »

Joe se tourna vers son frère. «L'Amérique du Sud, ce n'est pas une bonne idée. Si tu veux savoir, ça équivaudrait à une désertion. Tu perdras tout ce qui est le plus précieux dans la vie. »

« Capitaine O'Brien ? »

Le jeune universitaire américain qui déjeunait avec Taschereau s'était matérialisé à côté de leur table. Il les salua d'une légère flexion du buste. « Baruch Cohen. »

Grattan se contenta de le regarder fixement.

« Sous-lieutenant Cohen. J'étais avec la 199e en France. Buck Cohen.

– Ah, oui, dit Grattan d'un air pensif. À quel moment étiez-vous avec nous exactement ? »

Joe aurait été bien incapable de dire si son frère reconnaissait ou non ce garçon.

Cohen semblait tout ce qu'il y a de plus décontracté. « J'ai dirigé une section sous les ordres du major Murphy la nuit du 7 juillet 1917. Nous étions dans les tranchées d'Arras. Vous, le major Murphy et le capitaine Grimstead, vous étiez nos commandants. J'ai été blessé quelques heures plus tard… une "bonne" blessure. Trois mois de convalescence en Angleterre. Lorsque j'ai réintégré la section, Murphy et Grimstead étaient morts. Ainsi que tous les officiers. Et vous, vous étiez passé dans le RFC[1]. »

En se massant le menton, Grattan posa un regard vide sur Cohen, lequel se tourna vers Joe. « Si vous êtes le frère du capitaine O'Brien, je vous connais de réputation, monsieur. Vous êtes un des pionniers du chemin de fer.

— Étais, étais.

— Je suis ravi de faire votre connaissance, Mr O'Brien. »

Le Juif avait de meilleures manières que la plupart des anciens officiers que Joe avait eu l'occasion de croiser. Svelte et élancé, Buck Cohen aurait eu l'air d'un tout jeune homme si son regard tendu ne l'avait vieilli.

« Vous êtes à McGill ? interrogea Joe.

— Oh, non, sourit Buck Cohen. J'étais étudiant avant la guerre, mais mes années d'université sont terminées.

— Et ça ne vous manque pas ? intervint Grattan d'un ton avide.

— L'université ?

— La guerre.

— Pas vraiment. Je m'occupe. J'ai encore beaucoup de choses à rattraper. J'ai l'impression que la guerre, c'était il y a très longtemps.

— Je parlais à mon frère de l'Amérique du Sud, poursuivit Grattan. Que pensez-vous de l'Amérique du Sud ?

— Pas grand-chose, pour tout vous dire. Que faites-vous maintenant, si je ne suis pas indiscret ?

— Je vends des pâturages dans la ville de Mont-Royal. Seulement personne n'est intéressé. »

Joe se dit qu'il n'avait jamais voulu tyranniser son frère. Il souhaitait seulement son bonheur. Peut-être cela revenait-il au même. Peut-être ne savait-il pas s'y prendre pour être un bon frère, un bon mari, et même un bon père. Il n'avait acquis aucune sagesse, aucune ressource intérieure, aucune réserve de connaissances dans

1. Royal Flying Corps.

lesquelles puiser pour aller de l'avant. Il ne s'était jamais fié qu'à son intuition et à son instinct bruts, et quand il était d'humeur à se justifier, il se disait que l'une et l'autre relevaient de l'amour.

«Vous devriez venir me voir un de ces jours, capitaine, dit Buck Cohen. Mon entreprise est en pleine expansion. Toutes choses égales par ailleurs, je préfère travailler avec des hommes qui ont fait la guerre.

– Dans quel secteur êtes-vous, Cohen?» demanda Joe.

Cohen haussa les épaules. «L'import-export.

– Quel type de marchandise?

– Oh, un peu de tout.» Sortant un calepin relié en pleine peau et un porte-mine en or, Cohen griffonna quelques mots sur une feuille qu'il tendit ensuite à Grattan. «Si vous téléphonez à ma secrétaire, elle vous arrangera un rendez-vous. Venez me rendre visite. J'étais ravi de vous revoir, capitaine O'Brien. Je le suis toujours quand je tombe sur un ancien du régiment. Cela ne m'arrive pas souvent. Des temps démoniaques, hein?

– Démoniaques?» Un sourire se forma lentement sur les lèvres de Grattan. «Le mot est juste. La guerre était démoniaque, et nous l'étions aussi. Aux morts, à nos morts!» Il leva sa flûte à champagne pour porter un toast.

Cohen se saisit du verre à eau de Joe et trinqua avec Grattan.

«À nos morts», répéta Cohen.

Le bureau de Joe était orné de feuilles d'or au plafond et d'une vaste cheminée où un feu de bois crépitait et flamboyait. On était en novembre. Quelques flocons avaient tourbillonné autour des édifices gris mais, à présent, les bandes de ciel étaient d'un bleu dur et il n'y avait pas trace de neige sur la place, sauf un peu de poudre blanche sur les épaules du roi-empereur.

Avenue des Pins, une voiture avec chauffeur était prête à emmener Iseult à l'hôpital Royal-Victoria dès les premiers signes. Après deux accouchements impeccables à l'hôpital de Santa Barbara, elle avait souhaité mettre au monde ce bébé à la maison, mais Joe y avait opposé son veto.

Il savait que, dès qu'elle verrait la neige, elle se rappellerait le bébé disparu. Le souvenir de ce qui vous a fait souffrir ne s'efface jamais. Celui de ce qui vous a procuré du plaisir est volatil.

Sa secrétaire le sonna et lui annonça que sa belle-sœur souhaitait lui parler. Supposant qu'Elise appelait à propos de l'accouchement imminent, il décrocha le combiné. « Rien encore, Elise.

– Joe, Grattan n'est pas rentré hier. Je suis folle d'inquiétude. »

Grattan, depuis leur déjeuner au Ritz, n'avait plus mentionné la pampa. Au début de l'automne, il s'était égratigné la jambe en sautant par-dessus une clôture de barbelés afin de montrer un terrain à bâtir à des clients. Sa blessure s'était infectée, au point qu'il avait été un moment question de l'amputer. Finalement, il avait guéri.

« As-tu essayé son bureau ? s'enquit Joe.

– C'est par là que j'ai commencé. Personne ne l'a vu depuis l'heure du déjeuner hier. » Elise semblait calme, mais Joe la connaissait assez bien pour se douter que, si elle l'appelait, c'est qu'elle devait être vraiment très inquiète.

« Comment était-il ces derniers temps ? demanda-t-il prudemment.

– Que veux-tu dire ?

– Depuis qu'il est sorti de l'hôpital. Il a vendu quelque chose ?

– Joe, c'est le jour de l'Armistice. »

Il alluma une cigarette. « Qu'est-ce qui te tracasse, Elise ?

– Tu le sais parfaitement. » Elle se mit à pleurer.

Il n'avait encore jamais entendu personne pleurer au téléphone et se sentait totalement impuissant. L'écouteur plaqué contre son oreille, il fit pivoter son fauteuil et regarda par la fenêtre, à l'autre bout de la ville, l'hôpital Royal-Victoria, ce château écossais qui se dressait, gris et lugubre, sur le flanc argenté du Mont-Royal.

« Tu crois qu'il a eu de nouveau un accident ?

– C'est comme ça que tu dis ?

– Comment dirais-tu, toi ?

– Je préfère ne rien dire du tout, Joe. Tout ce que je veux, c'est qu'il rentre ! À cette époque de l'année, il se met toujours à débloquer. Pourvu qu'il ne lui soit rien arrivé. Oh la la…

– Ellie, écoute, il fait sûrement la fête. Si tu avais été dans le centre ce matin… les anciens combattants rue Sainte-Catherine, tu les aurais vus. Ils y sont depuis hier soir. Cet idiot, il est sûrement avec eux. »

Elise renifla. « C'est possible, Joe. Il est peut-être en goguette. Tu as raison. »

Joe consulta sa montre-bracelet. « Dans une heure, le gouverneur général dévoile le monument aux morts square Dominion. Il y aura foule. Je parie que Grattan y sera. J'irai voir si je peux le trouver.

– Joe, et s'il était tombé dans le fleuve ? » Elle avait soudain une toute petite voix, comme si elle parlait de très loin. « Ils ne le trouveront jamais. Jamais ils ne le repêcheront.

– Qu'est-ce que c'est que ces idées noires ? Il va rentrer.

– Il n'a pas… ta force, Joe. »

Voilà qu'elle pleurait de nouveau. Sa belle-sœur avait la peau presque aussi dure que la sienne, mais cela faisait sans doute des semaines qu'elle redoutait ce jour. Des nuits à ne pas dormir.

« Je vais à l'inauguration. Je te fais signe dès que j'en sais plus. » Il raccrocha.

Les journaux appelaient le monument commémorant la guerre le « cénotaphe », un mot absurde. Quand les gens ont peur d'une chose, ils la drapent dans des termes sibyllins. Les soldats morts étaient maintenant « tombés » au champ d'honneur et la mort transformée en un « sacrifice ».

Il se leva pour se poster à la fenêtre. Un ballet de flocons vire-
voltait devant les imposantes parois grises des édifices. Le ciel pâle
était glacé. Il devait demander à son chauffeur de s'assurer que les
pneus de l'auto étaient bien équipés de chaînes. Les rues aux abords
de Royal-Victoria étaient les plus pentues de la ville.

Avec l'intention de lire la page météo, il ramassa le *Montreal
Herald* qui attendait plié sur son bureau. En première page, figurait
un article sur une *nouvelle* fusillade dans le Vermont entre *bootleggers* et *highjackers*[1]. Deux Italiens de Montréal avaient été retrouvés
morts, troués de balles dans un fossé sur une route non loin de
Saint-Albans. Le *Herald* publiait souvent ce type de nouvelle ces
temps-ci. Toutes les nuits, des camions avec des cargaisons d'alcool
canadien filaient sur les routes secondaires de la Nouvelle-Angleterre
en direction de New York. Il avait entendu dire que le jeune client
de Louis-Philippe Taschereau, Buck Cohen, était un des prin-
cipaux fournisseurs d'alcool de contrebande, en passe de devenir
l'homme le plus riche du dominion du Canada.

Une pensée lui traversant l'esprit, Joe alla ouvrir la porte de
son bureau. Sa secrétaire, Miss Esther Dalrymple, leva les yeux.

«Obtenez-moi Louis-Philippe Taschereau au téléphone, vous
voulez bien?

— Bien sûr. Oh, Mr O'Brien?

— Oui?

— Au standard, elles ont réservé une ligne au cas où Mrs O'Brien
appellerait.

— Parfait. Merci.»

Il respectait les protestants comme Miss Dalrymple qui habitait
Verdun avec sa mère. Elle était dépourvue de beauté, mais ponc-
tuelle, efficace et rapide. Quelques instants après, il avait le cabinet
de Taschereau au bout du fil.

---

1. Les *bootleggers* vendaient de l'alcool en contrebande pendant la Prohibition,
tandis que les *highjackers* attaquaient les transports d'alcool clandestin.

« Je vous le passe, dit une voix de secrétaire à l'accent canadien français.

– *Oui ? Monsieur O'Brien ? Comment allez-vous* ?*

– *Ça va bien, merci. Et vous* ?* »

Joe déploya son français de bûcheron pour un bref échange de politesses avant de continuer en anglais. « *M'sieu**, je vous appelle parce que je crains que mon frère ne se soit attiré des ennuis de l'autre côté de la frontière. » Il ne s'agissait que d'un pressentiment, mais il avait rarement regretté de s'être fié à son intuition.

« Désolé d'entendre ça, dit l'avocat. Des ennuis de quel genre ?

– Je crois qu'il est mêlé à une affaire de trafic d'alcool. »

Une pause.

« Votre frère ? Vous parlez du capitaine O'Brien ?

– Oui. Il n'est pas rentré chez lui cette nuit. Comme je sais qu'un de vos clients trempe là-dedans, j'ai pensé que vous auriez peut-être eu vent de quelque incident. »

Silence à l'autre bout du fil. Avait-il fâché Taschereau en faisant allusion à ses liens avec un *bootlegger* ? Il ne connaissait pas bien l'avocat. D'un autre côté, il était de notoriété publique que Taschereau représentait Cohen, lequel, à en croire le *Toronto Telegram*, avait, l'année précédente, vendu plus d'alcool que n'importe qui.

« Bon, finit par lâcher Taschereau, je ne suis pas au courant de ces histoires, mais je peux en effet essayer de me renseigner.

– S'il lui est arrivé quelque chose, je préférerais que sa femme ne l'apprenne pas par les journaux. »

L'avocat émit un soupir. « Ces trafiquants... » Il laissa sa phrase en suspens.

Vos clients, vous voulez dire, pensa Joe. « Merci, *monsieur**. Je vous suis très reconnaissant.

– De rien. Je vous rappelle avant la fin de la journée. »

Joe téléphona ensuite chez lui. La voix d'Iseult sonna à son oreille, aussi nette que si elle s'était trouvée dans la pièce voisine. « Rien à signaler, dit-elle. C'est embêtant, à la fin.

– Qu'est-ce que tu fais ?

– Je lis *Vanity Fair* dans le jardin d'hiver. »

En général, elle consacrait trois jours de sa semaine à la clinique Sainte-Cunégonde où elle s'occupait d'épouiller les enfants, de tenir les livres de comptes et de payer les factures. Elle avait accepté de ne plus y aller jusqu'à l'accouchement.

« Je me sens comme une baleine échouée, Joe. Je n'aime pas cette maison. J'ai hâte d'être chez nous.

– Tu n'as pas parlé à Elise ce matin, par hasard ?

– Non. Pourquoi ? Quelque chose ne va pas ?

– Grattan n'est pas rentré cette nuit. Et c'est le jour de l'Armistice.

– Oh, Joe.

– Je descends au square Dominion. Ils dévoilent le monument. Je le trouverai peut-être là-bas. »

Square Dominion, des centaines de personnes emmitouflées dans des manteaux tapaient du pied dans le froid glacial. Des femmes tenaient serrés contre elles des couronnes de fleurs, des gerbes de coquelicots sous cellophane, des lys enveloppés dans du papier journal. Il y avait des élèves de l'école militaire aux joues rouges et quantité de jeunes gens arborant des médailles, mais les femmes étaient en majorité. Le ciel s'était éclairci, le vent soufflait fort et la mince couche de neige tourbillonnait sur le sol dur.

Un vol de pigeon fendit l'air au-dessus des têtes. Le gouverneur général et un déploiement d'officiers et d'aides de camp se tenaient sur le podium, bottes rutilantes, rouflaquettes, poitrines ornées de rubans. Au poing, une cravache de cuir. L'évêque anglican de Montréal haranguait la foule d'une voix chevrotante de vieil Anglais : « Sacrifice… loyauté… gloire… Empire… bénédiction… » Joe n'aurait su dire s'il s'agissait d'un discours ou d'une prière, ses mots étant aussitôt emportés par le vent.

La foule était compacte devant le monument, mais il y avait beaucoup de place à l'arrière sur la vaste pelouse d'herbe jaunie. Le monument aux héros de la guerre des Boers – une sculpture équestre en bronze représentant un cheval cabré que retient par la bride son cavalier à pied – se trouvait de l'autre côté, en face du nouvel Édifice Sun Life. D'habitude, Joe passait devant sans le voir, même si, parfois, lorsqu'il allait prendre le train pour New York, il s'arrêtait pour lire l'inscription.

TO

COMMEMORATE

THE HEROIC DEVOTION

OF THE CANADIANS WHO FELL

IN THE SOUTH AFRICAN WAR

AND THE VALOUR OF THEIR COMRADES

« À la mémoire de l'héroïque abnégation des Canadiens tombés dans la guerre des Boers et du courage de leurs camarades. »

Ces mots *héroïsme, abnégation, courage…* des mots à cinq sous. *Abandon, chagrin prématuré, misère,* voilà des mots auxquels ils auraient dû ménager une place sur leur monument.

Levant les yeux, il regarda les branches dépouillées, le ciel sauvage, les pigeons qui volaient en tous sens. Il faisait meilleur quand on se coulait dans la masse humaine réchauffée par la proximité des corps. Le monument fraîchement dévoilé – le cénotaphe – se dressait sur plus de six mètres de hauteur. Sans sculpture ni décor, construit de larges blocs de granit poli si parfaitement emboîtés qu'on distinguait à peine les joints des pierres. Un très beau granit. Joe se demanda de quelle carrière il était tiré, et quel prix il avait coûté.

Mgr Bruchési, l'archevêque de Montréal, s'adressait en français à la foule qui, en majorité anglaise, commençait à s'impatienter. À l'époque, la guerre avait divisé la ville, les Français avaient manifesté contre la conscription. Mais à présent, en principe, cette dispute appartenait au passé.

Pour la bénédiction, l'archevêque passa au latin. Alors que Joe scrutait les visages à la recherche de son frère, les gens entonnèrent l'hymne protestant : « O God, Our Help in Ages Past ». Une porteuse de couronne entre deux âges fut escortée par un aspirant jusqu'au pied du cénotaphe. En regardant cette dame déposer ses fleurs, Joe eut la sensation qu'on lui perçait le cœur. Si jamais quelqu'un s'avisait à s'en prendre à son fils, il le tuerait. Si jamais ils venaient embrigader Mike avec leurs drapeaux, il les tuerait.

Il jeta un coup d'œil à sa montre. Presque onze heures. Sur le boulevard Dorchester, des autos et des camions se garaient le long du trottoir. Les bouches d'aération des édifices continuaient à cracher de la fumée et de la vapeur, mais le bruit de la ville s'était tu d'un seul coup. Les minutes de silence – une nouveauté en 1919, un devoir maintenant – étaient strictement respectées.

Les employés des chemins de fer les exécraient, ces minutes qui fichaient en l'air les horaires de trains. Les gens se conduisaient en fétichistes à l'égard de ces commémorations alors qu'ils auraient mieux fait, pour la plupart, d'oublier la guerre. La vie est devant nous, jamais derrière.

Il empoigna fermement sa canne. À présent, cette ville, cette mosaïque de souvenirs, était sa ville. En face du monument aux héros de la guerre des Boers, la compagnie d'assurances Sun Life bâtissait son nouveau siège, le plus grand des édifices de tout l'Empire britannique. La cathédrale Saint-Jacques, l'église anglicane Saint-George, les créneaux de la gare Windsor – rien que de la pierre grise, froide. Du permanent, et c'est ce qui lui plaisait. Chacun de ses actes passés l'avait progressivement amené jusqu'ici.

Un bruit grinçant rompit le silence et un murmure de désapprobation parcourut la foule. Puis un deuxième couac, plus fort cette fois, suivi de quelques notes discordantes, une bribe de mélodie. Joe comprit soudain que quelqu'un, quelque part, jouait du violon.

En tournant son regard vers l'autre côté de la place, il aperçut son frère, dominant de sa haute taille un groupe de cinq ou six hommes, tous en trench-coat sauf un type en casquette de laine et caban, un violon de ménétrier calé au creux de son épaule et le bras voltigeant. La musique aigre et moqueuse transperça le silence glacé : « Cheticamp Jig », un des airs paillards de Mick Heaney.

Les deux minutes arrivèrent à leur fin. Le silence officiel se relâcha peu à peu. Les gens se mirent à bavarder, à taper des pieds pour se réchauffer, à tousser. Sur le boulevard Dorchester, les autos redémarrèrent. Les tramways se remirent à carillonner et à glisser sur leurs rails avec un chuintement métallique. Mais ce que Joe entendait surtout, c'était le son rauque et obsédant du violon.

Il s'élança vers son frère.

En le voyant approcher, Grattan le salua d'un : « Bonjour, Joe ! Il fait assez froid pour toi ?

— Qu'est-ce que tu fous ici ?

— La même chose que tout le monde, sans doute. »

Le joueur de violon s'était déplacé un peu plus loin. Il paraissait vivre un furieux corps-à-corps avec son instrument, l'archet papillonnant. Les crachotements sonores se réverbéraient contre les parois brutes des édifices. La chevelure noire, les traits anguleux ; peut-être un Indien, un Mohawk Kahnawake de l'autre rive du fleuve.

Joe frémit. Ces notes gémissantes piquaient comme des insectes, ou des aiguilles. « Où étais-tu passé, bon sang, Grattan ? »

Grattan avait relevé contre le froid le col en velours de son manteau en cachemire. Joe avait toujours été secrètement fier de l'air distingué de son frère cadet. À voir Grattan, qui aurait deviné qu'il avait grandi sur un misérable lopin de terre au fond des bois ?

« Tu transportes du whisky pour Buck Cohen, n'est-ce pas ? »

Grattan opina. « Pour ça oui, Joe. J'ai livré cette nuit une cargaison à Stockbridge, Massachusetts. Je suis rentré directement. Seigneur, on se pelait de froid dans ce camion.

– Tu t'es fait tirer dessus ? En septembre dernier… ce n'était pas du fil de fer barbelé. »

Grattan haussa les épaules. « La balle m'avait juste égratigné, mais elle était d'une propreté douteuse.

– Bougeons d'ici, dit Joe. Viens avec moi au bureau. J'ai reçu un coup de fil d'Elise. Il va falloir que tu lui parles. »

Grattan serra la main à deux des hommes en trench-coat puis s'éloigna sur la place avec Joe. Le ménétrier jouait toujours ; ce n'était plus un air de danse, mais une mélodie plus lente. Triste. Une lamentation.

« Qu'est-ce qui lui a pris, à ce crétin, de venir racler son violon à une inauguration de monument ? s'exclama Joe.

– J'en sais rien. Il y avait quelques Indiens Kahnawake dans notre section. Joe, je ne peux pas le dire à Elise, elle va faire toute une histoire. Je gagne deux cents dollars pour une nuit de boulot. Tout ce que je fais, c'est conduire. Buck craint les attaques des *highjackers*.

– Qu'est-ce que tu es ? L'homme de main de ces gangsters ? C'est à ça que tu es réduit, Grattan ?

– Je n'ai pas tellement l'occasion de manier des armes à feu, mais si tu veux, oui, c'est à peu près ça.

– As-tu vu le journal ce matin ?

– Ce n'était pas nous. On ne met jamais les pieds du côté de Saint-Albans. »

Ils longeaient les parterres de fleurs marronnasses, dénudés et grumeleux. Accablé, Joe se figea subitement. « Je ne supporte pas cette musique.

– Ne fais pas attention, Joe. Trouvons un endroit bien chaud. Je ne suis pas contre un bon déjeuner. »

Une douleur prit naissance dans la poitrine de Joe et irradia son épaule et son bras droits jusqu'au coude, où elle se transforma en démangeaisons. Ses cils s'engl"uèrent de larmes tandis qu'il gardait les yeux baissés sur ses chaussures. Il portait des guêtres en daim boutonnées sur le côté. Quand avait-il commencé à mettre des guêtres? Un an auparavant? C'était tellement ridicule. Grattan n'en portait pas, lui.

«Grattan, crois-tu que Mick Heaney est mort?

– Grands dieux, j'espère bien. Tu sais que je rêvais de tomber sur lui en France.

– Je regrette qu'on ne l'ait pas tué.

– C'était moins une. Alors, ce déjeuner? Que dirais-tu du Piccadilly? C'est moi qui régale.»

Ils reprirent leur marche. Joe avait entendu parler d'hommes d'affaires foudroyés par des crises cardiaques au beau milieu de la journée. À la piscine de l'Association des athlètes amateurs de Montréal, où il faisait deux fois par semaine de la natation, il avait entendu un adhérent comparer cette douleur à ce que devait ressentir le condamné au moment où, à l'aube, le peloton d'exécution faisait feu. Allait-il s'effondrer et crever square Dominion?

«Je téléphonerai à Elise du Pic, lui dit Grattan. Je n'ai jamais gagné deux cents dollars aussi facilement que cette nuit. J'ai carburé au café en descendant, et en remontant, j'ai roupillé pendant tout le trajet.»

Joe ayant les jambes plus courtes que son frère, il devait forcer le pas. La douleur dans sa poitrine s'atténua.

Au Piccadilly Tea Room de la rue Saint-Catherine, on les conduisit vers une petite table devant la fenêtre. Joe sortait rarement déjeuner. Et quand cela lui arrivait, c'était en général pour ses affaires, dans un des clubs du centre, le Mont-Royal ou le Saint-James, où il était considéré comme assez respectable pour être reçu en qualité de client mais pas tout à fait pour être accepté comme membre. Avec une poignée de Canadiens français, les Écossais avaient la haute main sur les richesses de la ville, s'étant taillé la part du lion au temps où ils dominaient la traite des fourrures. Un Irlandais avait peu de chances d'être admis dans leurs clubs à moins d'être à la tête d'une si grande fortune qu'il fût impossible de l'ignorer.

Une jolie serveuse, dont le tablier était taché, leur apporta des menus. Grattan partit téléphoner à Elise dans le bureau du gérant. La salle était une étuve humide et bruyante. Les conversations roulaient en anglais et en français. Des femmes étaient assises, leurs manteaux de fourrure drapés sur le dossier de leur chaise. La plupart des clients portaient un coquelicot[1] à la boutonnière, quelques hommes arboraient une décoration. Grattan n'avait pas mis la sienne.

Treize avions ennemis. Treize aviateurs allemands morts valaient une DSO. Tout cela signifiait peut-être que Grattan était fou.

Grattan sortit du bureau du gérant, la mine penaude.

« Tu l'as eue ? » demanda Joe.

Grattan confirma d'un signe de tête.

« Tu vas m'obliger à mentir pour toi ? reprit Joe. Ou bien tu lui as dit où tu étais passé ?

— Elle m'a tenu sur la sellette, Joe. Ah, elle m'a bien cuisiné.

— Lui as-tu dit que tu en avais fini avec ces histoires ?

— C'est toi le patron, Joe.

— Non, tu te trompes. Tu dois prendre tes responsabilités.

— Bon, d'accord, mais tu es quand même mon grand frère. »

C'était un vendredi. Joe commanda du saumon sur du pain bis. Après un instant d'hésitation, Grattan commanda la même chose. Dès que la serveuse se fut éloignée, il sortit une flasque et arrosa son eau d'une larme de whisky ambré. Il interrogea Joe du regard.

« Non, je n'en veux pas. » Il n'aimait pas l'alcool s'il n'en avait pas besoin.

« J'allais m'acheter un sandwich hier quand Buck a ralenti à côté de moi dans une grosse voiture noire et m'a proposé ce boulot. Les camions étaient déjà chargés quand nous sommes arrivés à l'entrepôt. Je n'ai pas eu le temps de téléphoner à Elise.

---

1. Le coquelicot symbolise le souvenir de la Grande Guerre.

– Et les fois précédentes ?

– Je lui ai dit que j'étais avec des camarades de régiment. »

De bien des points de vue, Joe se sentait plus proche de sa belle-sœur que de son frère, il avait pour elle davantage de respect. Pourtant, Grattan et lui avaient en commun la même graine de quelque chose – de boue, de sang, de malheur. Il ne souhaitait pas transmettre cet héritage à ses enfants. Ils allaient grandir dans la sécurité de Westmount.

Une fois servis, les frères mangèrent en silence. Vu le froid extérieur et l'étuve intérieure, la baie vitrée donnant sur la rue Sainte-Catherine était embuée. Grattan toucha à peine à son verre d'eau arrosé – il n'avait jamais été porté sur l'alcool. Et il avait toujours été plein de délicatesse. C'est pourquoi ces lettres du front, avec leurs *mamzelles*, leurs *cons*, et leurs prostituées baisant à bord des trains, avaient été tellement choquantes. Tel le cerf-volant dont on a coupé le fil, la guerre avait détaché Grattan des réalités d'un mode de vie convenable.

Pendant que Grattan comptait ses billets pour payer l'addition, la serveuse revint lui dire qu'on le réclamait au téléphone dans le bureau du gérant. Jetant un coup d'œil à Joe, il haussa les épaules et s'en fut prendre son appel. Joe se demanda si Buck Cohen n'avait pas réussi à traquer son frère pour lui confier un autre chargement. Une autre livraison clandestine de whisky.

Grattan revint une minute plus tard. « C'était Ellie. Elle vient d'avoir un coup de fil d'Iseult. Iseult a senti quelque chose, elle est en chemin pour l'hôpital. »

Les frères remontèrent la rue Peel en taxi. Joe avait la nausée. Peut-être était-ce à cause du saumon. Ou bien en raison de l'angoisse liée à l'accouchement. Depuis un mois, une anxiété diffuse ne le lâchait pas malgré ses efforts pour l'ignorer.

Le temps s'était encore refroidi, les rues étaient festonnées d'écharpes de fumée et de vapeur blanches. Le taxi franchit un portail et pénétra dans l'allée cochère afin de les déposer devant l'entrée du pavillon Ross.

Comme Joe plongeait la main dans sa poche pour payer la course, Grattan lui dit : « Je m'en occupe, Joe. Ne perds pas de temps. Je te retrouve à l'intérieur. »

Le portier, un jeune homme émacié, arborait une barrette de décorations sur la poitrine et un coquelicot en cellophane piqué à la boutonnière : un ancien combattant. Joe prit l'ascenseur jusqu'au troisième étage, puis se dirigea à grands pas vers la salle des infirmières, les semelles de ses chaussures anglaises crissant sur le linoléum. Une petite infirmière en blouse amidonnée et à la coiffe blanche d'où s'échappaient des mèches rousses le précéda à l'autre bout du couloir et ouvrit une porte.

Iseult, pieds nus, se cramponnait des deux mains aux barreaux de son lit. Les jambes largement écartées, la tête baissée entre ses bras tendus, sa chemise de nuit en flanelle remontant sur son ventre énorme, elle poussait des grognements cadencés.

« Mon Dieu, il faut appeler un médecin », dit Joe à la petite infirmière qui s'éclipsa aussitôt.

Douleur. Haleine brûlante. Odeur de merde. L'espace d'un instant, Joe revit Mick Heaney étalé à plat dos sur la boue gelée. La chambre baignait dans une pâle lumière hivernale. Les rideaux à moitié ouverts découvraient les linéaments d'une ville grise et d'un fleuve noir. Le visage d'Iseult était blême et en sueur. Joe ôta ses gants, les jeta sur le lit, se frotta vigoureusement les mains afin de les réchauffer et se mit à lui masser le bas du dos et les reins. D'abord doucement, puis avec plus de force.

Elle s'étira en faisant le gros dos comme un chat. « Tout va bien se passer, lui dit-elle.

— Je sais.

— Grattan a-t-il reparu ?

— Oui.

« – Il va bien ?
– Oui. »

Grattan et Elise avaient dû se rencontrer dans le hall d'entrée, car ils entrèrent ensemble dans la chambre, suivis d'un jeune médecin au visage poupin et d'une infirmière dont les nombreuses années de métier se mesuraient au regard courroucé qu'elle lança à Joe.

« Bonjour, Mr O'Brien, dit le médecin. Il y a foule ici.
– Bonjour. »

Joe percevait chez l'infirmière plus que de l'agacement ; elle n'avait qu'une envie, c'est qu'il sorte de la pièce. Mais quelque chose dans l'attitude de Joe avait dû l'avertir qu'elle ferait mieux de se taire. Lui tournant le dos pour suivre le médecin au chevet d'Iseult, elle s'empressa de fermer les rideaux autour du lit.

Pendant l'examen, Joe, les mains dans le dos, se campa devant la fenêtre. Grise et blanche, la ville était lumineuse. Bientôt les eaux du fleuve seraient prises par le gel. D'ici quelques semaines, la glace serait assez épaisse pour qu'on puisse traverser le fleuve en camion ou en chariot.

S'il était arrivé jusqu'ici, c'était tout autant poussé par la peur que par son ambition et son intelligence. Au premier faux pas, au premier moment de faiblesse, les tourbillons du fleuve l'engloutiraient.

Elise lui frôla le bras. « Merci d'être allé chercher Grattan. Tu es un bon frère, Joe. »

Il hocha la tête. Ceux qui étaient les plus proches étaient aussi ceux qui le connaissaient le moins.

Les rideaux du lit se rouvrirent. L'infirmière fixa Joe le même regard courroucé, qu'il lui rendit. Pas question de confier Iseult au corps médical, pas encore en tout cas.

La porte s'ouvrit pour livrer passage à la petite infirmière rousse poussant un chariot de thé.

« Tout est normal, Mr O'Brien, déclara le jeune médecin. Buvez tranquillement votre thé mais ne restez pas trop longtemps. Notre patiente a besoin de repos. »

Le médecin sortit avec les deux infirmières. Elise regonfla les oreillers d'Iseult et lissa ses couvertures, puis elle ôta ses chaussures en deux coups de pied et sauta sur le lit où elle s'assit en tailleur et se mit à servir le thé. Tout le monde sauf Iseult prit une tasse avec du sucre et du lait, des toasts beurrés, de la confiture de framboise et des sablés.

Iseult, en silence, était à l'écoute de la mystérieuse alchimie de ses entrailles.

Elise n'était pas bavarde non plus, sans doute occupée à anticiper les prochaines frasques de son mari. De son côté, Grattan projetait peut-être une nouvelle escapade.

Tintinnabulements de porcelaine, arômes de beurre fondu, odeur de fonte brûlante des radiateurs.

Le médecin lui avait semblé terriblement jeune, mais Joe savait qu'Iseult avait confiance en lui. Elle lui avait demandé d'accorder gracieusement quelques heures de son temps à la clinique. Dans son ventre, protégé par son épiderme, ses muscles, son sang, leur troisième – quatrième – enfant attendait de voir le jour.

Elise descendit du lit et traversa la chambre, ses bas bruissant sur le linoléum. Elle alluma l'électricité puis gagna la fenêtre et ferma les rideaux. Retournant auprès d'Iseult, elle lui murmura quelques mots que Joe ne parvint pas à saisir, puis lui massa doucement le ventre en chantant ce qui ressemblait à une berceuse, ou une chanson d'amour, dans une langue que Joe ne comprenait pas, sans doute du yiddish. De toute façon, cette chanson était parfaite, au même titre que l'atmosphère douce de la chambre, la chaleur agréable, la sécurité.

Inutile pour l'heure de songer à quel point ils étaient en réalité vulnérables, à la merci des événements.

La fugue

PROVINCE DU QUÉBEC
1929

« Je pense qu'il est à Detroit », dit sa mère.

O'Brien Capital Construction bâtissait un pont reliant Detroit à Windsor. À Detroit, le père de Mike descendait en général au Book Cadillac Hotel ; il rapportait à la maison des savonnettes en forme de livres pour Frankie, la petite sœur de Mike. Mais Mike avait aussi entendu sa mère dire à tante Elise que son père pourrait bien être à New York. Mike était assez grand, à presque quinze ans, pour se douter vaguement de ce que New York impliquait.

Plus tard dans la soirée, il était en train de procéder à une soudure délicate sur sa radio quand sa mère entra sans frapper dans sa chambre.

« Cette radio accapare du temps qui serait mieux employé à tes devoirs ! »

Il lui rappela que son professeur de sciences au Lower Canada College encourageait ses élèves à fabriquer des postes de radio, allant même jusqu'à les aider à commander des pièces. La radio ne l'empêchait pas de travailler ; c'était du travail.

« Ne me parle pas comme ça, Michael !

— Comme quoi ?

— Comme si tu savais tout et moi rien ! Ne me parle pas sur ce ton.

– Quel ton ?

– Oh, arrête. » Elle s'assit brusquement au bord de son lit. « Et que j'arrête moi aussi. Cette horrible odeur a dû me monter à la tête. Je ne sais plus où j'en suis.

– La soudure ne pue pas plus que ton fixateur.

– Tu as sûrement raison. » Se laissant aller en arrière, elle resta allongée à contempler le plafond.

Au moins, aujourd'hui elle était sans son éternel appareil. Il lui arrivait parfois d'entrer dans la chambre de Mike et de prendre des photos de lui penché sur ses devoirs, sur sa radio ou sur un modèle réduit d'avion. Alors que les parents de leurs camarades sortaient leur appareil pour immortaliser les fêtes d'anniversaire et le jour de Noël, Iseult les photographiait dans leur vie de tous les jours. Les devoirs. Le petit déjeuner. À vélo. Mike et ses sœurs étaient tellement habitués que c'est à peine s'ils le remarquaient encore. Leur père collait les clichés dans des albums qu'il rangeait dans son bureau, sur les rayonnages d'une bibliothèque spéciale. Mike et ses sœurs avaient le droit de les feuilleter, mais ils ne le faisaient jamais.

Soudain, il eut pitié de sa mère.

« Je vais ouvrir la fenêtre et laisser la porte entrebâillée. Le courant d'air chassera la fumée. »

Elle se leva, s'approcha et lui caressa les cheveux. « Ne te couche pas trop tard. »

Après son départ, il se remit à souder, l'esprit presque totalement absorbé par ce qui se passait au bout de ses doigts. Telle une ampoule qui claque, l'idée de quitter la maison lui traversa brusquement l'esprit. Ce n'était pas un plan mûri par la réflexion, ce n'était même pas un plan. Tout à coup, il eut une vision de lui descendant l'escarpement de Westmount en direction de la gare de triage.

Ses parents étaient en bisbille depuis quelque temps. Sans élever la voix, chacun prenait soin toutefois de garder ses quartiers dans

la maison. Et ses sœurs menaient leurs vies, avaient leurs camarades de classe. S'il s'en allait, elles s'en apercevraient à peine. Il
laisserait sa radio et repasserait la prendre un jour ou l'autre, ou
bien en fabriquerait une autre.

Il songea qu'il préférerait se réchauffer une boîte de haricots
sur un feu de camp dans les Badlands, en Alberta, plutôt que
de moisir une journée de plus avenue Skye à Westmount. Il était
né sur la côte Ouest ; Margo et lui étaient les seuls vrais *westerners*
de la famille. Peut-être obéissait-il à un instinct migratoire, comme
les oies qui au printemps s'envolaient vers le Nord ?

Cette nuit-là, Mike eut du mal à trouver le sommeil. L'anxiété
semblait posséder une existence propre, tel un puissant signal radio,
surtout quand il était couché dans son lit. Jamais il n'avait tenté
de décrire à quiconque cette sensation. Il n'y avait pas de mots
pour la circonscrire car elle n'avait ni cause ni raison définissables.
Récemment, toutefois, il s'était mis à appliquer à cette sensation
diffuse un terme – *anxiété*. Elle avait toujours bourdonné en lui.
C'était sa fréquence « normale ».

Une fois parti, se disait-il, il serait trop occupé à survivre pour
s'inquiéter. Il aimait les chevaux ; peut-être deviendrait-il cow-boy
en Alberta. Il n'aurait plus le temps de traîner au lit à redouter on
ne sait quoi.

Le lendemain, samedi, sa mère déjeunait avec tante Elise. Elles
se rendaient ensuite au musée voir une exposition de peinture.
Margo passait le week-end chez son amie Lulu Taschereau et
Frankie allait à une fête d'anniversaire avenue Roslyn. Quant aux
femmes de chambre et à la cuisinière, elles faisaient toujours de
longues siestes le samedi après-midi.

Il glissa du pain, du fromage et des pommes dans un sac du Royal Flying Corps que son oncle lui avait offert après sa pneumonie. Oncle Grattan avait récemment laissé tomber la vente immobilière pour acheter dans les Laurentides une vieille ferme qu'il avait l'intention de transformer en auberge de sports d'hiver. Le père de Mike l'avait traité d'écervelé en ajoutant qu'il avait « besoin de grandir un peu, ce qui ne se produirait sans doute jamais ». Pourtant, Mike avait souvent vu des passants dans la rue, des inconnus, arrêter son oncle pour lui serrer la main. Parfois même, ils lui faisaient le salut militaire. Un samedi matin, chez le quincaillier de la rue Sherbrooke, un monsieur avait abordé Grattan en lui disant quelque chose que Mike n'avait pas compris, avant de fondre en larmes sur son épaule. Tout le monde dans le magasin s'était retourné. Cela n'avait pas empêché son oncle de serrer l'homme contre lui, comme s'il s'était agi d'un petit garçon à consoler après une chute de vélo. Par la suite, Mike avait demandé qui c'était.

« Je n'ai pas saisi son nom. Il m'a dit qu'il était sous mes ordres dans la 199. C'est sans doute vrai. Ils ont été si nombreux que je ne me souviens pas de tous les visages.

– Qu'est-ce qu'il avait, mon oncle ?

– La fièvre des tranchées, j'imagine.

– Comment tu le sais ?

– Je l'ai attrapée moi aussi. »

Les domestiques dormaient et le reste de la maison était vide lorsque Mike s'assit devant la machine à écrire dans le bureau de son père. Il ne voulait pas inquiéter outre mesure ses parents. Et surtout, il ne voulait pas qu'ils fassent des histoires.

```
27 mai 1929
Chère Mère,
Je ne me sauve pas vraiment, je veux juste faire un petit
```

voyage tout seul. Je te préviendrai une fois arrivé. Je ne
crains rien. Ne te fais pas de souci pour moi.
Ton fils,
Michael J. O'Brien
P.S. Il n'y a rien à craindre.

Après avoir déposé ce mot à côté du téléphone, il sortit, le sac
en toile de Grattan sur l'épaule, il descendit la côte et traversa le
parc Murray.

Le parc n'avait pas de secret pour eux. Ses sœurs et lui en connaissaient toutes les plates-bandes, les buissons, ils avaient grimpé à
tous les arbres dignes de ce nom. Ils savaient quel goût avait l'eau
de chaque fontaine : métallique pour certaines, salé pour d'autres.
Pour ses dix ans, son père lui avait offert une montre-bracelet en lui
précisant que lorsqu'on avait une bonne montre, il était inexcusable
d'être en retard. Sous-entendu, quand ils sortaient jouer au parc,
ses sœurs et lui, leur père rendait Mike responsable de leur retour
ponctuel – ou non. Le mois de juin, avant leur migration saison-
nière vers Santa Barbara, était le plus lumineux de l'année. Cela
lui faisait mal au cœur de s'arracher à ses amis et à leurs jeux alors
que le ciel était toujours clair. Les filles ne voulaient jamais rentrer
non plus. Pourtant, tous les trois traversaient ensemble l'avenue
Westmount et remontaient la côte sous les frondaisons des ormes
et des érables. Leur mère pouvait être dans sa chambre noire, ou
à une réunion de comité, ou bien encore occupée à donner des
bains aux bébés de Sainte-Cunégonde, mais leur père, lui, était
toujours à les attendre sous le porche, le journal à la main, dans
sa courte veste d'intérieur en soie, ses lunettes pour lire remontées
sur le front. Peut-être se disait-il qu'un manque de vigilance de sa
part risquait de leur porter malheur. Et, en effet, un malheur était
vite arrivé. Frankie aurait pu être écrasée par le camion dont les
freins avaient lâché dans la pente. Margo électrocutée par la ligne
électrique qui s'était abattue à côté d'elle pendant un orage. Mike,

en tombant de son pommier préféré, aurait pu se rompre le cou au lieu de ne récolter qu'un coude égratigné. Mille catastrophes auraient pu se produire. Pourtant rien ne s'était passé.

Laissant le parc derrière lui, Mike continua à descendre par le chemin Glen, puis pénétra dans le tunnel fétide qui passait sous la voie ferrée du Canadien Pacifique et débouchait dans le quartier de Sainte-Cunégonde, où habitaient les pauvres, où les enfants mouraient de tuberculose parce qu'ils buvaient du lait contaminé. Il sauta dans un trolley rue Notre-Dame, puis franchit à pied un deuxième tunnel aux parois suintantes sous le canal Lachine. De l'autre côté du canal, la rue Saint-Patrick qui borde la berge était encombrée de lourds camions à moteur. Une petite odeur aigre montait des mauvaises herbes entre les fissures du trottoir. Un mur de pierre surmonté de rouleaux de barbelés longeait la rue Wellington, la séparant de la gare de triage de la Compagnie du Grand Tronc. L'air sentait la rouille et l'odeur caractéristique des freins ferroviaires. Au-delà du mur, on entendait le vacarme des engins de traction qui manœuvraient les wagons sur les faisceaux de triage pour assembler des convois.

Devant un portail gardé par un agent de la police du rail, Mike traversa la rue et attendit sur le trottoir d'en face qu'un camion se présente et donne un coup de klaxon. Dès que le portail s'entrouvrit, il retraversa la rue à toute allure et se glissa à l'intérieur de la gare au nez et à la barbe du flic.

Des wagons s'alignaient sur des douzaines de voies de garage. Accroupi derrière le ballast dont le gravier lui entamait la paume des mains, il épia les cheminots occupés à former un train. Les contournant, il fila vers une guérite où il trouva le tableau indiquant les destinations, mais hélas selon un code qu'il était bien incapable de déchiffrer.

Le soleil était brûlant. Les traverses suaient du goudron. Comment ne pas se faire prendre ? Il se coula entre les wagons, passant tant bien que mal au-dessus des coupleurs. En voyant deux hobos[1] grimper dans un wagon, il faillit courir leur demander où allait le train. Il se ravisa, préférant ne pas montrer son ignorance à des gens qui savaient tout. Il valait mieux pour lui qu'il se débrouille tout seul.

Caché derrière le ballast, les yeux rasant les rails, il observait les cheminots qui vérifiaient les attelages automatiques et remontaient les flexibles de freins, lorsqu'un homme en costume bleu surgit de derrière une rame de wagons-citernes, traversa les rails plié en deux à toutes jambes et vint s'accroupir à côté de lui sur le gravier poisseux de créosote. Posant la main sur le bras de Mike, il haleta : « Train ? Oui ? Où ? »

Des paroles déchiquetées, prononcées d'une voix rude. Ce n'était ni un cheminot ni un gardien. Il n'avait pas l'air d'un hobo non plus, n'ayant ni sac de couchage ni sac à dos. Une barbe de deux jours bleuissait ses joues et son menton. Son complet était trop grand pour lui.

« Où ? » répéta-t-il en indiquant d'un geste le train.

Un étranger.

« Vers l'Ouest, répondit Mike. En Alberta.

– Chacago ? Toronto, Chacago ? Mon frère, Chacago. »

Cha-cago.

Un signal sonore retentit. Une grosse locomotive 4-4-2 et son tender s'attelèrent à la rame. Un cheminot remonta le long de la voie en agitant un drapeau vert. Mike et son voisin baissèrent la tête derrière le ballast.

« Je vais monter dans ce train. » Mike se sentait soudain déterminé.

« Nikos. » L'homme se tapa sur la poitrine. « Grec !

– Mike.

– Mon frère être restaurant. *Cha-cago.* »

---

1. La crise de 29 avait jeté sur les routes des milliers d'hommes sans travail. Ceux qui gravitaient autour des voies de chemin de fer en gagnant leur vie grâce à des travaux de journalier étaient appelés des « hobos ».

Avec des bruits de casseroles et des grincements assourdissants, les wagons se resserrèrent et le train s'ébranla.

« *Cha-cago* », répéta le Grec.

En général, les trains en partance de Montréal roulaient vers l'Ouest, vers le sud de l'Ontario ou plus au nord autour de Lakehead. Il n'avait pas su déchiffrer le tableau, mais il y avait de fortes chances que ce convoi prenne la bonne direction.

Pour une raison ou une autre, l'odeur fétide des herbes folles du ballast le rendait triste. Il se mit à marcher le long du train qui avançait lentement. Un wagon en bois sentant l'orange pourrie avait ses portes ouvertes, laissant voir un plancher qui lui parut incroyablement haut. Serait-il capable de s'y hisser alors que le train était en mouvement ?

Ralentissant un peu l'allure, il remarqua à l'arrière du wagon un marchepied et une échelle en fer. S'il parvenait à sauter sur l'échelle, il grimperait sur le toit. Il avait déjà vu en Californie des hommes voyageant ainsi, sur les wagons de marchandises. Sans doute y avait-il là-haut quelque chose à quoi se cramponner.

Le train allant de plus en plus vite, il fut obligé de courir. Qu'un mastodonte pareil prenne de la vitesse aussi rapidement était stupéfiant. Il entendit quelqu'un approcher au pas de course derrière lui. Sans se retourner, il sut que c'était le Grec.

Mike ne se faisait pas d'illusion : le train serait bientôt loin. Bondissant dans les airs, il se saisit des barres en fer situées de chaque côté de l'échelle. Dès ce premier contact, il sentit la force colossale du train, la puissance inouïe avec laquelle il se lançait dans l'espace. Il plia les jambes, cherchant à prendre pied sur la marche, au bord de la panique lorsque son corps se souleva, poussé par le souffle du vent. L'instant d'après, ses pieds touchaient la surface métallique et il parvint à se hisser sur l'échelle.

En baissant les yeux, il vit le Grec qui galopait comme un loup. Il leva le visage vers Mike et lui adressa un sourire éclatant.

Mais en sautant sur l'échelle, le Grec commit l'erreur de ne la saisir que d'une main. Comment aurait-il pu deviner la puissance herculéenne du train ? Violemment rabattu sur le côté, il perdit pied, puis son corps partit en vrille, son dos cognant contre le bois du wagon, et il disparut sous les roues, happé.

Il ne cria pas. Ou, s'il cria, Mike ne l'entendit pas ; sa voix étouffée sous l'énorme masse du train.

Mike grimpa jusqu'au toit et s'accroupit, cramponné à une membrure en fer, grelottant, tandis que le convoi continuait tranquillement son chemin, longeant les usines du sud-ouest de Montréal. Il n'avait jamais vu personne se faire tuer. Il n'avait pas même imaginé que cela puisse se passer si vite et que, ensuite, la vie continuerait exactement comme avant.

La rame crissait, criait, grinçait. Son wagon était si loin en queue de convoi qu'il entendait à peine la locomotive. Agrippé des deux mains, il frissonnait avec la sensation que son cerveau avait été en partie effacé d'un coup de gomme géante. C'est seulement lorsque le train aborda le pont Victoria sur le Saint-Laurent qu'il comprit qu'ils se dirigeaient vers l'Est : vers les cantons de l'Est et les provinces maritimes, et non vers Toronto ou Lakehead.

À la sortie du pont, le train accéléra encore. Il était trop tard pour sauter. Le vent lui piquait le visage. Il avait oublié d'emporter de l'eau. Soudain il avait très soif.

Partir dans la mauvaise direction, quelle erreur élémentaire, stupide, humiliante. Recroquevillé pour donner au vent le moins de prise possible, il se demanda combien de temps il allait pouvoir rester cramponné ainsi. S'il lâchait prise, il serait aussitôt soufflé du toit. Il essaya de vider son esprit et de se concentrer sur le paysage qui défilait : prairies, champs de haricots, vergers. Au bout d'un moment, il se sentit mieux. En fait, il n'avait pas besoin de serrer autant ; la brise était constante mais pas assez forte pour le précipiter de son perchoir.

Tous les jours, des gens mouraient à cause des trains. S'il avait lu un article dans le journal concernant un accident comme celui qu'il encourait, il l'aurait oublié à peine la page tournée.

Trois heures après avoir franchi le Saint-Laurent, le train stoppa devant une usine de papeterie. Mike en avait assez de rouler dans la direction contraire à celle qu'il avait prévue. Il revoyait le menton bleu et le sourire éblouissant du Grec. Il sut alors que sa route s'arrêtait là et qu'il devait rentrer à la maison.

Que trouverait-on sur la voie? Une bouillie de chair sanguinolente et les lambeaux d'un costume bleu? Comment enterrait-on quelqu'un après une chose pareille?

La pulpe de bois répandait une puanteur amère. Il descendit du wagon par l'échelle et aborda un agent de triage stupéfait en lui demandant où il pouvait trouver un téléphone. L'homme le saisit par le col et le traîna dans une cabane devant son contremaître qui fumait le cigare. Mike le pria en français de le laisser téléphoner à Montréal; on viendrait le chercher.

Le contremaître répondit qu'il n'y avait pas le téléphone dans la cabane, seulement dans le bureau du directeur de l'usine, lequel, malencontreusement, était fermé, vu que l'on était samedi après-midi. Mike pouvait se servir du téléphone, mais il lui faudrait payer.

« *Combien*?*

– *Un piastre*.* »

Le contremaître fourra le dollar dans sa poche, puis conduisit Mike à l'intérieur de l'usine. Un bain de vapeur tonitruant. Le bureau se trouvait à l'étage. Personne. Il souleva le combiné et indiqua à l'opératrice le numéro de Grattan et d'Elise; ce fut sa tante qui décrocha.

« Tu n'as rien, Mike? Que t'est-il arrivé? Où es-tu?

– Tout va bien. Peux-tu me passer oncle Grattan, s'il te plaît? »

Grattan ne se fit pas prier pour venir le chercher. « Je serai là dans deux heures. Reste tranquille! »

Après avoir raccroché, pour passer le temps, Mike observa les ouvriers affairés autour des gigantesques machines à papier journal. Au bout d'un moment, les hommes arrêtèrent tout : leur service était terminé.

Mike retourna au bord de la voie, retrouva son wagon et inspecta les roues et le dessous du châssis. Pas la moindre trace de sang ou de chair humaine ; seulement de l'huile, un peu de sable, du gravier et l'odeur âcre des freins. En moins de cent kilomètres, toute la matière organique avait été dissoute ou balayée. Il ne savait pas encore s'il allait raconter ce qui lui était arrivé. Une fois qu'il se mettrait à en parler, l'histoire prendrait une autre tournure. Il la garderait pour lui encore un moment, il allait réfléchir.

Il suivit des ouvriers sortant de l'usine qui traversèrent la grande route. L'air du soir, chargé d'humidité, sentait le foin. Devant lui, des prairies s'étiraient jusqu'à un cours d'eau. Quelques hommes montèrent dans de vieilles voitures, les autres partirent à pied sur la route en direction des lumières de la ville.

Il retourna dans l'usine et joua à la barbotte avec un gardien de nuit estropié du bras droit. Ils lancèrent les dés à vingt-cinq cents la partie. Le gardien lui dit que sa blessure n'avait été qu'un « *petit bleu, vraiment rien de plus qu'une éraflure** », mais, au lieu de cicatriser, la plaie était devenue douloureuse. De l'infirmerie, il avait été transféré à l'hôpital de campagne où un chirurgien lui avait déclaré qu'il avait une *septicémie** et qu'on allait l'amputer de son bras. « *Je lui ai dit : okay, je vais vous donner mon bras si vous me permettez de revenir au Canada**.* »

Après avoir donné à Mike une cigarette, qui lui fit tourner la tête, le gardien manchot s'allongea sur un lit de camp et s'assoupit. Mike traversa la grande route, attiré par l'enseigne en fer-blanc *Kik Cola* d'un casse-croûte[1] brillamment éclairé devant lequel étaient

1. Terme canadien pour restaurant type *diner*.

garés une demi-douzaine de camions. Derrière, les champs étaient plantés de maïs et de haricots.

Il s'assit au comptoir et commanda à la serveuse « *un verre de lait, s'il vous plaît** ».

Le frère du Grec travaillait-il vraiment dans un restaurant à Chicago? Saurait-il jamais ce qui s'était passé?

Il avait l'impression de ne pas vraiment être assis dans ce café, d'être en fait nulle part. Sa route vers l'Ouest s'était arrêtée là, il n'irait pas plus loin. Il n'en avait pas la force, pas pour le moment, en tout cas.

Il but son lait et allait commander une part de tarte aux pommes quand oncle Grattan s'assit sur le tabouret à côté de lui. Grattan portait un veston de tweed, un vieux pantalon en flanelle grise et, à la main gauche, l'anneau en or qu'Elise lui avait offert pour leur quinzième anniversaire de mariage.

« Merci d'être venu, mon oncle.

– Je suis content que tu m'aies téléphoné. Ta mère s'inquiétait.

– Je lui ai laissé un mot.

– Oui. C'est ce qui l'inquiétait. »

La serveuse s'approcha. Grattan commanda du café.

« Raconte-moi un peu ce que tu projetais, reprit-il après le départ de la serveuse. Tu avais un plan? Ou tu filais droit devant toi? »

Mike avait besoin de garder tout ça pour lui encore un petit moment; au creux de sa main... le temps de réfléchir. « Je voulais aller en Alberta, mais je me suis trompé de train.

– Tu avais déjà sauté dans un train en marche?

– Non.

– C'est pas aussi commode que ça en a l'air, hein? Autrefois, j'ai voyagé clandestinement à bord des trains de citrons qui partaient de Santa Paula. Je ne te demande pas pourquoi tu es parti. Je crois que je comprends grosso modo; peu importent les détails. Mais je veux que tu me promettes quelque chose.

– Je suis né sur la côte Ouest, mon oncle. Je ne suis pas d'ici. Ce n'est pas mon pays.

– Qu'est-ce que j'entends ? Ton pays, c'est celui que tu choisis, l'endroit où tu décides de t'installer. Il y a certains trous d'obus où je me suis senti fichtrement chez moi. Je veux que tu me donnes ta parole d'honneur que tu ne recommenceras jamais. C'est trop dur pour ta mère. À ton âge, il vaut mieux pas traîner dans les gares de triage. Un accident est vite arrivé. Il y a des morts. »

L'espace d'un instant, il fut sur le point de tout déballer à Grattan. « Je ne suis plus un enfant, mon oncle.

– Ah bon ? Tu es quoi, alors ?

– Entendu, je le suis encore un peu.

– Avant de te lancer dans ce genre d'aventure, parles-en à tes parents. Vous finirez par trouver une solution. *Tu comprends ? Donne-moi ta parole**.

– Je le jure.

– Ne va pas te vanter de tes exploits devant tes camarades : tu déclencherais une mode. Et ne dis rien à tes sœurs, ou elles seront malades de peur. Tu veux autre chose ? Un autre verre de lait ? *Mademoiselle, s'il vous plaît, apportez un verre de lait pour ce gars**. »

Ils sortirent dans le frais parfum de la nuit tombante. Grattan possédait un cabriolet Chevy Capitol flambant neuf, bordeaux à toit noir. L'automne précédent, Grattan lui avait appris à conduire sur une route des Rangs au nord de Montréal. Il n'avait pas encore son permis mais il savait tenir un volant.

Grattan avait tiré le starter et s'apprêtait à déclencher le démarreur quand Mike prit la résolution de ne rien dire à personne, sûrement pas à son père ni même à Grattan. Pas avant longtemps, sinon jamais. Le raconter reviendrait à réduire ce qui lui était arrivé à une histoire parmi d'autres. Pour le moment, cela faisait partie de lui, comme un bras, une jambe, un œil, une pinte de son propre sang.

« Mon oncle ?

– Oui ?

– Je veux être comme toi, pas comme lui. »

S'appuyant contre le dossier de son siège, Grattan sortit de sa poche un paquet de cigarettes, en piqua une entre ses lèvres et gratta une allumette.

« J'aimerais pouvoir t'épargner du chagrin en te transmettant ce que je possède de sagesse chèrement acquise. Seulement, voilà, j'en suis dépourvu. J'ai toujours admiré Joe. Tu as beaucoup à apprendre d'un homme qui a aussi bien réussi que lui. La protection et l'amour d'un père, ce sont des choses rares, très rares. Nous avions perdu le nôtre, et après ça, crois-moi, la vie nous a plutôt malmenés.

– Je ne sais pas ce qu'il pourrait m'apprendre d'autre qu'à filer en douce pour se soûler la gueule.

– Tiens, tu parles de nouveau comme un petit garçon ! »

Grattan appuya sur le démarreur avec son pied et le moteur se mit à tourner. Alors que son oncle dirigeait la petite Chevrolet vers la route, Mike se laissa plaquer avec délice contre son siège par l'accélération. Le doux ronronnement du moteur emplit le silence. Son oncle s'adressait à lui depuis une autre rive de la vie, et cela comptait beaucoup. Mais la seule façon pour le rejoindre de l'« autre côté » consistait à s'y rendre lui-même un jour, par ses propres moyens. Peut-être le voyage avait-il déjà commencé.

MONTRÉAL
1931

Désordres

La mère supérieure fit irruption dans la classe au beau milieu du cours de géographie. La sœur qui était leur professeur tourna vers elle un visage terrorisé. Internes, externes, enseignantes, tout le monde au pensionnat craignait la mère supérieure. Protestante de naissance, elle déployait le zèle et le radicalisme des convertis.

« Margo O'Brien ! Prenez vos affaires et venez avec moi. »

Margo interrogea du regard sa meilleure amie, Lulu Taschereau, qui lui répondit par un discret haussement d'épaules. « Tasch » apprenait à jouer au bridge à sa cousine Mathilde, à Mary Cohen et à Margo. Elles jouaient en cachette le soir dans le dortoir, à la lumière d'une bougie ou d'une lampe de poche. La mère supérieure avait-elle découvert leur manège ?

Margo se demanda si elle allait être renvoyée. Mais dans ce cas, pourquoi Tasch et les autres joueuses n'étaient-elles pas convoquées ?

Dans le couloir, la mère supérieure fit claquer impatiemment le long et lourd chapelet aux grains gros comme des noix qu'elle portait suspendu à sa ceinture.

« Un taxi va venir vous chercher, vous et votre sœur. »

La religieuse avait des joues roses et ses yeux bleus étincelaient derrière ses lunettes cerclées d'acier. Elle avait l'air furieuse.

« Il sera là dans une demi-heure. Montez préparer votre malle. Vous et votre sœur. Et ne traînez pas.

– Je suis renvoyée?

– Vous le méritez peut-être?»

Était-ce un piège pour l'obliger à dénoncer les autres? Margo défia du regard la religieuse. C'était un petit jeu auquel elle refusait de se prêter.

«Vous n'êtes pas renvoyée, admit finalement la mère supérieure. Votre mère vous emmène ce soir en Californie.

– En Californie? répéta Margo avec stupéfaction.

– C'est une question à laquelle je ne saurais répondre, rétorqua la mère supérieure en faisant claquer une deuxième fois son rosaire. Maintenant, dépêchez-vous, O'Brien! Et aidez votre sœur à faire ses bagages. Ouste!

– Il faut que je dise au revoir à Lulu.

– Je ne tolérerai aucune nouvelle interruption pendant le cours. Occupez-vous de votre valise et de votre sœur. Je vous envoie dans quinze minutes M. Desjardins pour qu'il descende vos malles. Je veux vous voir en bas toutes les deux, Frances et vous, avant l'arrivée du taxi. Et plus vite que ça!»

En se dirigeant vers l'escalier, obéissante, Margo passa devant la chapelle d'où s'échappait une odeur douceâtre de vieilles bougies et d'eau bénite. Ils allaient chaque année à Santa Barbara, mais seulement en été, quand l'école était finie. À quoi pensait sa mère en les retirant du pensionnat au début du deuxième trimestre, alors qu'elles rentraient tout juste des vacances de Noël?

Elle trouva sa sœur de neuf ans assise au bord de son lit dans le dortoir des petites. Les rideaux aux fenêtres étaient ouverts et Frankie, seule dans la longue salle blanche, semblait minuscule. Sa malle était par terre au pied du lit. Il n'y avait encore rien dedans.

À la vue de Margo, Frankie éclata en gros sanglots qui agitèrent ses épaules. Margo s'assit à côté d'elle et lui frotta le dos. Cela suffisait parfois à la calmer, mais pas toujours.

Au bout d'une minute, Frankie leva sur sa sœur un regard horrifié en chuchotant:

« Il est arrivé malheur à mère ou papa. Ils sont à l'hôpital, Margo ? Ils sont morts ?

– Bien sûr que non. Ne dis pas des choses comme ça. Mère nous emmène en Californie, c'est tout. Personne n'est mort. Point à la ligne.

– Si, je sais que quelqu'un est mort, affirma Frankie en se remettant à pleurer.

– Frankie, arrête, veux-tu ? Il faut faire nos bagages. On n'a plus que dix minutes. »

Votre mère vous emmène en Californie. Et leur père, il ne venait pas avec eux ? Lui qui adorait la Californie, lui qui adorait la plage.

Frankie était des deux sœurs la plus émotive. Certaines choses la rendaient triste et lui faisaient peur, elle avait des crises de larmes. Plus d'une fois, leur mère avait été obligée d'appeler le Dr O'Neill pour qu'il lui fasse une piqûre destinée à l'endormir jusqu'au lendemain.

Margo humecta un mouchoir et se mit à tamponner le visage de sa sœur.

« T'es sûre que mère et papa vont bien ? murmura Frankie.

– Oui, évidemment.

– Et Mike aussi ?

– Mais oui. »

Sa petite sœur faisait tout son possible pour se reprendre. Seulement, une fois déclenché, le torrent de larmes se révélait en général intarissable.

« On va en Californie. C'est formidable, Frankie. »

Margo mentait. C'était affreux, déprimant, humiliant. Qui sait ? Leur mère avait peut-être l'intention de divorcer là-bas, comme les stars de cinéma. Personne n'obtenait le divorce dans la province de Québec. Si une telle chose arrivait, Frankie et elle ne pourraient jamais retourner au pensionnat, et leurs amies les laisseraient tomber.

En plus, sa meilleure amie, Tasch, qui avait un oncle et un grand-oncle archevêques, venait de l'inviter à passer le week-end chez elle dans leur maison d'Edgehill Road. Avec un peu de chance, son frère Johnny serait là, lui aussi relâché par son pensionnat pour la fin de semaine. Cela dit, Margo avait pris soin de ne pas s'en enquérir : Tasch se montrait impitoyable avec les filles qui s'intéressaient de trop près à son frère.

Le week-end précédent, en rentrant chez elles, Tasch, Mary Cohen et elle s'étaient arrêtées au Murray's Drugstore afin d'essayer des rouges à lèvres. D'après Tasch, toutes les filles avaient une couleur de rouge qui les mettait vraiment en valeur, mais pour la découvrir il fallait expérimenter. Margo n'avait pas encore trouvé sa teinte. Rien que l'application s'avérait problématique : des dents tachées de rouge à lèvres, c'était dégoûtant, disait Tasch, pire que la combinaison qui dépasse, et aussi moche que de péter en faisant un plié.

Les vendeuses ayant fini par refuser de leur laisser essayer d'autres rouges à lèvres tant qu'elles n'auraient rien acheté, Tasch avait déclaré d'un ton hautain, en français : « *Nous n'achetons pas nos cosmétiques dans les pharmacies**. » Margo était épatée par le culot et l'insolence de son amie, même si la vendeuse ne comprenait pas un mot de français.

« Écoutez, mes petites, vous en prenez un ou alors vous débarrassez le plancher », avait répliqué celle-ci.

Elles s'étaient alors repliées sur le stand des magazines. Munies de revues de cinéma, Tasch et Mary Cohen s'étaient glissées dans une stalle pour commander du thé avec du miel et des petits pains grillés à la cannelle, qu'elles avaient tartinés de beurre et de miel, encore, puis mangés pendant que Tasch leur lisait à voix haute un article sur des stars de Hollywood qui se doraient au soleil complètement nues.

Margo se trouvant placée face à la porte, elle avait vu Johnny Taschereau entrer avec d'autres élèves du collège Jean-de-Brébeuf. Chaque fois qu'elle le voyait, elle était parcourue d'un frisson – pourtant on ne pouvait pas dire qu'il était joli garçon. Il avait même des cicatrices de boutons sur les joues. Mais il riait beaucoup, il avait de belles dents blanches et il était toujours entouré d'amis.

Reconnaissant le rire de son frère, Tasch s'était retournée et lui avait tiré la langue. Johnny les avait saluées de la main. À en croire Tasch, leur grand-mère voulait qu'il devienne archevêque tandis que leur père voyait en lui un futur récipiendaire de la prestigieuse bourse Rhodes de l'université d'Oxford, un étudiant en droit et un futur Premier ministre du Canada.

Margo avait léché le miel sur son pain grillé. Et Johnny avait lancé une plaisanterie qui avait fait venir un sourire à la bouche de la serveuse écossaise grognonne et se tordre de rire ses camarades de Brébeuf. Il n'était pas beau, c'était certain, mais il avait l'air si heureux de vivre! Cela expliquait peut-être l'effet qu'il avait sur elle.

À présent, elle pouvait dire adieu à son week-end *chez les Taschereau**, à moins que sa mère ne l'autorise à retarder son départ et à les rejoindre plus tard, ce qui était peu probable.

Les fenêtres du dortoir étaient verrouillées depuis la mise en route du calorifère en octobre. Le verre laqué de givre reluisait dans la clarté du jour. Il y avait eu la veille une tempête de neige; les traîneaux étaient les seuls véhicules à pouvoir se déplacer sur le chemin de la Côte-des-Neiges. En sortant de la salle d'étude, Margo et Tasch étaient descendues en luge à l'internat. Le dîner expédié, les sœurs et les élèves avaient commencé par déblayer la neige de la patinoire. Patins aux pieds, goutte au nez, elles avaient ri, de la vapeur blanche s'échappant de leurs bouches. Au couvre-feu, Tasch, Mary Cohen, Mathilde Rousseau et Margo avaient joué plusieurs manches de bridge à la lumière d'une lampe de poche.

Difficile d'imaginer le soleil de Californie et leur maison de Butterfly Beach. Jamais encore ses parents ne l'avaient retirée de l'école en cours d'année. Son père était souvent en voyage d'affaires, mais la routine familiale demeurait immuable: Montréal et les études en hiver, Butterfly Beach et les vacances en été. Frankie flairait un drame, elle avait peut-être raison. Partaient-ils vraiment sans leur père?

Une fois qu'il eut descendu leurs malles, M. Desjardins, le concierge, les laissa seules pour aller s'occuper de la chaudière. Seules devant la loge à l'entrée du pensionnat. Avisant le téléphone sur la table, Margo scruta le vaste espace clair du couloir au cas où la mère supérieure serait à l'approche.

« Frankie, dis-moi si tu vois arriver la sorcière. »

Margo se glissa dans la petite pièce et se dépêcha de composer le numéro du bureau de son père.

« Je vous passerais volontiers votre père, répondit la réceptionniste, s'il se trouvait dans son bureau. Il est peut-être à Duluth, ou à New York. Puis-je prendre un message ? »

Frankie lui souffla alors :

« Margo ! La voilà ! »

Au cliquetis du rosaire de la mère supérieure, Margo raccrocha. Un taxi se figeait sous le portique en pierre. Le ciel s'était couvert, une nouvelle chute de neige s'annonçait.

Le chauffeur chargea leurs malles pendant que le pot d'échappement crachait une épaisse fumée blanche. L'air glacé avait une curieuse odeur âcre.

« Dites bien à votre mère que si elle espère vous faire réadmettre ici, elle devra nous écrire en avance, déclara la mère supérieure. Je ne promets rien. Dites-lui aussi que ce départ précipité m'étonne d'elle et me déçoit. »

Vieille sorcière, pensa Margo, *que savez-vous d'elle, ou de nous ou de quoi que ce soit ?*

Les pneus dérapaient, la voiture chassait de l'arrière, pourtant le taxi réussit tant bien que mal à monter la Côte-des-Neiges. Margo, qui regardait par la fenêtre la ville ensevelie sous la neige de la veille, chuchota à sa sœur qui se cramponnait à elle :

« Tout va bien.

— Quand on dit que tout va bien, c'est que tout va mal, hoqueta Frankie en versant des larmes pour une fois silencieuses.

– Tiens, prends ça », lui dit Margo en sortant un mouchoir de la poche de son manteau.

Elle y conservait aussi un paquet de Sweet Caps. Hier soir, Tasch et elle avaient fumé une cigarette à deux, quelques bouffées furtives partagées après la patinoire. Ce souvenir, en surgissant dans l'habitacle malodorant du taxi qui l'emmenait loin de son amie, provoqua chez elle un nouvel accès de désespoir et de colère. Sous son blanc manteau de neige, Montréal recelait tout ce qui comptait pour elle.

Sa mère avait-elle l'intention de photographier leur départ? Deux ans auparavant, Frankie avait fait une chute de vélo dans la partie la plus en pente de l'avenue Murray Hill. Elle s'était relevée en hurlant, la peau des genoux en lambeaux. Leur mère était sortie de la maison en courant mais, avant de prendre la petite Frankie dans ses bras, elle s'était arrêtée une seconde pour regarder dans le viseur du petit Leica qu'elle portait autour du cou et elle avait immortalisé Frankie en train de brailler, ses pauvres genoux en sang.

Frankie était tellement habituée à voir leur mère appuyer sur le bouton de son appareil, qu'elle n'avait sans doute rien remarqué, mais Margo, si.

Elle n'a pas intérêt à prendre des photos aujourd'hui, se dit Margo.

Avenue Skye, l'allée et l'escalier du perron avaient été dégagés. Frankie courut sonner à la porte, Margo la suivit sans se presser.

Ce fut Alicette qui leur ouvrit.

«*Ah, bienvenue, mes filles**.* »

La petite bonne attendit que le chauffeur de taxi rentre les malles avant de lui régler sa course. Dans le vestibule, Mike collait des étiquettes sur une malle et deux valises. La pendule du palier carillonna: quatre heures et quart. Dehors, il faisait presque noir.

« Nous prenons l'International Limited de cinq heures trente, les informa Mike qui connaissait les noms de tous les trains.

– Je ne pars pas, déclara Margo. Papa n'est pas là. Il est à New York. »

La voix de leur mère leur parvint de l'étage.

« Margo, c'est toi? Viens m'aider…

— Où est papa? » hurla Frankie.

Leur mère parut en haut sur le palier, sourire aux lèvres.

« Papa est parti.

— Il ne vient pas? interrogea Margo.

— Monte me donner un coup de main, Margo. Il n'y a pas de temps à perdre.

— Où est-il?

— À New York. Si tu veux bien trier tes affaires d'été et celles de Frankie…

— La mère supérieure a dit que si nous partions maintenant, elle ne nous reprendrait peut-être pas.

— Ce sont des idioties.

— On part pour combien de temps?

— On parlera de ça dans le train.

— Il faut que je le sache pour savoir ce que je prends.

— Tout l'hiver, peut-être plus longtemps. Monte, je ne veux pas discuter avec toi.

— Tout l'hiver? Et papa? »

Au lieu de répondre, sa mère disparut. Margo, les jambes coupées, contempla l'escalier comme si elle ne devait jamais réussir à le gravir. C'était horrible de s'enfuir comme des voleurs.

« Maman! »

Leur mère reparut au-dessus d'elle. « S'il te plaît. Margo. J'ai besoin de ton aide.

— Pourquoi si soudainement? dit Frankie toujours furieuse. Où est papa?

— Pourquoi ne nous retrouve-t-il pas à Chicago? renchérit Margo.

— On sera à la plage dans quelques jours. Tu adores la Californie. »

Elle disparut de nouveau.

Ne restait plus à Margo qu'à monter ouvrir les malles, exhumer leurs affaires d'été et faire les bagages. Margo avait toujours été très ordonnée, contrairement à Frankie, plutôt tête en l'air, mais cette fois, elle fit n'importe quoi. Elle sortit quelques vêtements des grandes malles en cèdre du grenier et les jeta pêle-mêle dans les malles de voyage – maillots de bain, tennis, polos, robes d'été, bobs – en sachant qu'une fois à Santa Barbara, des tas de choses allaient manquer. Si leur mère pensait qu'elle pouvait bouleverser la vie de ses enfants sur un coup de tête !

Mike, avec l'aide des femmes de chambre, descendit les malles. Deux chauffeurs de taxi attendaient dans le vestibule pendant que, derrière des amas de neige, la fumée des pots d'échappement de leurs voitures montait en volutes argentées par la lune. Le ciel était à présent dégagé. On voyait les étoiles et le froid était intense. Frankie faisait des histoires pour savoir quel manteau elle devait mettre.

« Ton Red River, évidemment, lui dit Margo. Dépêche-toi. »

Les manteaux Red River étaient des cabans bleu marine avec des passepoils écarlates et une ceinture en laine du même rouge.

« Il va faire chaud en Californie, gémit Frankie.

– Peut-être, mais ici, il fait un froid de loup, et ce sera encore pire à Chicago. De toute façon, un bon manteau, ça peut te servir de couverture dans le train.

– Frankie, intervint Mike. Arrête de faire ta mijaurée. »

Frankie mit son Red River, puis le bonnet et les mitaines assortis. Margo enfila son manteau en tweed Harris au col en velours, cadeau de Noël de ses parents. Il lui dessinait une jolie silhouette : mince et élancée, la taille bien prise, elle avait l'allure d'une femme, une allure que complétait l'achat, chez Holt Renfrew, en compagnie de Tasch, d'un chapeau cloche en velours du dernier chic.

Ils montèrent tous dans le premier taxi tandis que le second transportait les bagages. Margo et Frankie prirent place de chaque côté de leur mère. La voiture n'avait pas plus tôt bifurqué dans l'avenue Westmount que Mike et le chauffeur discutaient déjà pour savoir qui, des Maroons ou des Canadiens, possédait cette année la meilleure équipe de hockey sur glace. Margo observait les rues transversales à moitié ensevelies sous la neige. Encaissée entre les congères, l'avenue Westmount ressemblait à une route de campagne. Ils passèrent devant la monumentale demeure de pierre où vivait son amie Mary Cohen avec ses parents. Des voitures se trouvaient enlisées dans les montagnes de boue gelée soufflée par les chasse-neige. Le clair de lune colorait tout en bleu. Sa mère lui pressa brièvement la main.

La Californie. Un voyage familier depuis toujours. Le changement de train à Chicago les obligeait à passer d'une gare à l'autre sans perdre une minute. Le trajet précipité entre Dearborn Station et Madison Street d'où partait la Los Angeles Limited la plongeait chaque fois dans l'angoisse. Petite fille, terrifiée d'être laissée à la traîne, abandonnée, oubliée, avec quelle force elle s'était cramponnée à la main de son père. C'était à Chicago qu'elle avait pris conscience de l'immensité du monde, et de sa folie.

« Morenz[1] est le meilleur joueur, décrétait Mike au taxi. C'est pas pour rien qu'on le surnomme le météore. »

Margo se rappela soudain sa panoplie de brosses à cheveux en argent monogrammées, encore un cadeau de Noël de ses parents, oubliées sur sa coiffeuse à l'école. Quelqu'un les avait-il prises ? Allait-on les garder pour elle ? Qui s'en chargerait ?

« Morenz est le meilleur pointeur, opina le taxi, mais il s'en sortirait comment s'il prenait une grosse dérouillée ? »

« Il faisait vingt degrés hier à Los Angeles », dit sa mère en serrant de nouveau la main de Margo.

Sa mère semblait vouloir la persuader que ce voyage était amusant. Joyeux. Une aventure. Sa mère pouvait lui serrer la main autant qu'elle le voulait, lui raconter n'importe quoi, Margo ne se laisserait pas convaincre. Il était évident qu'ils se sauvaient pour lui échapper à lui, et dès lors à eux-mêmes ; rien de bon ne pouvait en sortir.

---

1. Célèbre joueur professionnel de hockey sur glace, Howie Morenz était surnommé le météore de Mitchell.

WESTMOUNT
1931

« Le dégel de janvier »

La neige fondait. Les champs au nord de la frontière s'étalaient, noirs et blancs sous un ciel plombé. Il avait la tête qui bourdonnait tandis que le train filait le long du Saint-Laurent. Le remède consistait à continuer de boire du café. En revanche, il était de bonne humeur. Le train avait quitté Grand Central quelques minutes après midi et devait arriver à dix heures du soir à Bonaventure. Il avait déjeuné au wagon-restaurant puis dormi deux heures.

Après une « escapade », le calme accompagnait son retour à soi et parfois il voyait les choses plus clairement, ou du moins était-ce ce qu'il imaginait. D'un autre côté, s'il n'y a personne pour vous montrer du doigt tout ce que vous n'avez pas su voir par vous-même, est-il possible d'estimer sa propre lucidité, son propre pouvoir de compréhension ?

Il avait commencé à vendre ses actions début 1928, se privant de tous ces jolis coups qui avaient miroité au cours des dix-huit mois avant le crash. Mais l'heure était venue de se retirer. Rafales et tempêtes soufflaient sur la Bourse, à laquelle il trouvait des points communs avec l'océan ; d'ailleurs beaucoup d'hommes de sa connaissance s'y étaient noyés. En tout cas, il ne fallait pas s'y fier. Le marché avait plongé, mais Iseult et les enfants resteraient à l'abri du besoin. Pour eux, ni courroie de portage, ni dos courbés sous la charge, ni automnes sans souliers. Ils ne verraient pas non plus les eaux de l'Outaouais grossir en avril avec la débâcle, les hommes précipités entre les billes de la drave, les champs inondés, les animaux emportés par les tourbillons du courant.

Il portait une chemise à rayures achetée le matin même chez Brook Brothers, et une nouvelle cravate en soie. Son complet ayant été, avant Poughkeepsie, lavé par le porteur Pullman, il avait l'air convenable, ce qui était déjà pas mal, compte tenu... Jamais il ne posséderait l'élégance de Grattan dans ses costumes coupés à la perfection, mais il n'avait ni les épaules carrées ni les longues jambes de son frère.

Au début de la Prohibition, quand il se fournissait à New York auprès des chauffeurs de taxi et des cireurs de chaussures, il n'avait jamais été sûr de la marchandise : une gnôle décapante couleur caramel au goût infect qui méritait bien d'être appelée «gin de baignoire». De toute façon, il n'était pas là pour une dégustation. Aujourd'hui, cependant, ce qu'on lui vendait était pur et doré. Alors que la Prohibition entrait dans sa douzième année, on trouvait de l'excellent whisky canadien meilleur marché à Manhattan qu'à Montréal, ce qui en disait long sur l'efficacité et la perspicacité d'hommes d'affaires comme Buck Cohen.

Il avait été choisir une broche chez Tiffany. Iseult n'aimait pas tellement les bijoux, ni ce qui était tape-à-l'œil. Celui-ci, en or à vingt-deux carats, filigrané, exquis, était serti d'une unique perle au lustre parfait. On lui avait présenté des choses plus somp-tueuses qui l'avaient tenté mais, au bout du compte, il avait pris cette broche qui allait plaire à Iseult. Non qu'elle s'achetât jamais elle-même ce genre de parure. Il avait aussi pris de fins brace-lets-montres pour les deux filles et une paire de jumelles de fabri-cation allemande pour Mike.

Des cadeaux en guise d'excuses, même si nul ne saurait où il avait été ni ce qu'il avait fait. Mais qu'il obtienne leur pardon ou pas, il voulait tout simplement leur faire plaisir.

Quelque chose n'allait pas. Lorsque le taxi tourna le coin de Murray Hill sur l'avenue Skye, il fut frappé de voir la maison quasiment dans le noir. Dès qu'ils furent arrêtés – une femme de chambre avait sans doute aperçu les phares –, le vestibule s'alluma.

Alors que, sa valise dans une main, sa canne dans l'autre, il remontait l'allée à petits pas rapides, la jeune Alicette, de Lac-Mégantic, ouvrit la porte et demeura plantée sur le seuil.

– Où sont-ils tous? *Où sont madame et les enfants*?*» s'écria Joe.

La neige de Noël avait disparu sous la violence des pluies, mais à présent le gel s'en mêlait; l'allée était grumelée de glace, de sel et de cendres.

Alicette ouvrit la bouche mais aucun son n'en sortit. Elle avait de toutes petites dents marron. Iseult l'avait trouvée à la clinique Sainte-Cunégonde où elle débarquait de la campagne. Elle vivait alors avec sa sœur, son beau-frère et sept nièces et neveux dans d'anciennes écuries de l'avenue Atwater transformées en taudis. Elle ne possédait qu'une seule robe, une seule paire de chaussures, le tout de nombreuses fois raccommodé, et aucun vêtement chaud pour l'hiver. Aujourd'hui, elle portait un uniforme de femme de chambre avec un tablier amidonné et un bonnet blanc.

«*Pourquoi la maison est dans les ténèbres*?*» demanda-t-il.

Sans lumière, une maison était aussi lugubre que les pompes funèbres. Il tenait à ce que tout soit allumé quand il rentrait. Il adorait, quand il remontait Murray Hill en taxi, voir son foyer illuminé.

«*Où est madame*?*

– *En Californie*, murmura la jeune fille. *Ils sont partis pour la Californie. Voulez-vous votre souper, monsieur*?*»

Il la dévisagea comme s'il n'avait pas compris. Que s'était-il passé? Ils étaient morts?

«À la cuisine, on veut savoir ce que vous voulez pour votre dîner, *monsieur** ? »

Elle semblait très effrayée.

La Californie ?

Il lança sa canne dans le porte-parapluie en cuivre, se débarrassa de son manteau et le lui tendit, avec son chapeau et son écharpe. Le téléphone le plus proche se trouvait dans l'office. Il s'y dirigea de ce pas. Déjà il cherchait un plan dans sa tête. La Californie ?

Belfast Mary, la cuisinière, entrechoquait ses casseroles derrière le double battant de la porte de service sous laquelle filtraient des rais de lumière. La petite femme de chambre trottait sur ses talons. Quand elle souleva le combiné de son socle, il la chassa d'un geste et elle courut se réfugier à la cuisine.

Ils devaient rouler quelque part au milieu du continent, sans doute sur la Los Angeles Limited qui partait de la gare de Madison Street. Il allait se procurer les horaires et envoyer un télégramme à Kansas City, Cheyenne ou Salt Lake. Elle le recevrait à bord du train. Il le rédigea dans sa tête.

DÉBARQUEZ IMMÉDIATEMENT STOP DIS-MOI
OÙ VOUS ÊTES STOP ATTENDEZ MON ARRIVÉE.

«Mr O'Brien! l'interpella Belfast Mary depuis ses fourneaux. Je vous prépare des toasts aux œufs brouillés. Cela vous ira, ou vous préférez autre chose ? »

À deux reprises dans sa jeunesse au fond des bois, il avait été assommé par la chute d'une branche. On disait de ce type d'accident que c'était un «faiseur de veuve». Pendant une ou deux secondes après l'impact, avant de s'effondrer sans connaissance dans la neige, il avait senti exploser en lui une colère noire. C'était ce qu'il était en train de revivre: il était à la fois choqué, abattu et vert de rage. Il devait absolument recouvrer ses esprits s'il voulait passer

LE DÉGEL DE JANVIER »

efficacement à l'action. Sans avoir appelé personne, il raccrocha le combiné.

« C'est très bien, Mary, répondit-il à travers la porte. Vous ferez monter le plateau dans mon bureau. »

Il faisait chaud dans la maison et ça sentait bon l'huile de citron. Lorsqu'ils s'absentaient, les femmes de chambre s'acharnaient à encaustiquer et à briquer avec une frénésie ne prenant fin qu'au retour de la famille dans des pièces aussi reluisantes que celles des riches au cinéma. Iseult n'aimait pas ce qui brillait, ni le bois sombre lustré, ni l'argenterie étincelante. Elle accusait les femmes de chambre canadiennes françaises de propreté inhumaine. « J'ai envie de me sentir chez moi, pas comme une actrice sur une scène de théâtre. Et les enfants, je ne veux pas qu'ils aient peur de salir. Une maison, c'est fait pour y vivre. »

Il avait été autrefois charmé par la vue des jouets éparpillés ici et là, mais secrètement, il préférait la maison telle qu'elle était quand ils rentraient, en général de Californie, après une longue absence ; aussi parfaite que les belles demeures anglaises ou les appartements de Park Avenue dans les films de Hollywood.

Il aimait l'ordre, depuis toujours, même si les femmes de chambre du Plaza auraient eu du mal à le croire au spectacle des cadavres de bouteilles dans les corbeilles à papier, des serviettes traînant par terre, des draps tire-bouchonnés, des cendriers débordant de mégots. Après une longue douche brûlante, il s'était rasé, habillé et avait en toute hâte quitté les lieux en laissant derrière lui une pagaille noire et deux dollars de pourboire.

Ce soir, cependant, la maison astiquée semblait aussi creuse et vide qu'une caverne. Sous ses semelles, les tapis de laine crissaient d'électricité statique. Un deuxième téléphone était installé dans son bureau. Il monta rapidement et trouva la lettre d'Iseult.

265

I O'B
10 avenue Skye
Westmount, province de Québec

Mardi, 18 janvier

Nous partons pour la Californie comme je te l'avais dit. Quand tu liras ceci, nous serons déjà presque arrivés. Cela me semble le meilleur endroit. Ne viens pas après nous. Tu n'es pas bon pour nous. S'il te plaît, ne viens pas nous chercher. Je suis incapable de t'aider et je ne supporte plus d'assister à ça. Renonce tout de suite à nous poursuivre. Accepte les choses telles qu'elles sont. Ne te raconte pas d'histoires. C'est ce que tu m'as toujours répété. Tu nous as quittés, je te rappelle. C'est toi qui nous as quittés !

Dans sa jeunesse, une colère froide lui avait insufflé le courage de tenir tête à son beau-père et de protéger ses frères et sœurs. Croyait-elle vraiment qu'il allait lui permettre de lui voler ses enfants ?

Sa rage intérieure redoublant, le déstabilisant, il s'agrippa au bord de son bureau et s'écroula dans son fauteuil.

En dépit de sa fureur, il savait au fond qu'il avait eu tort sur toute la ligne. Comme pour faire taire les balbutiements de sa mauvaise conscience, il tapa du poing sur la table, et la douleur portant sa rage à son comble, il souleva la lampe de son bureau et la projeta à travers la pièce. La petite bonne arriva sur le palier à cet instant, son plateau entre les mains. La lampe brisée, la pièce fut plongée dans le noir, mais le palier, lui, resta éclairé. Alicette, figée sur place avec son dîner, fixait la porte du bureau d'un regard désemparé.

Quelque chose, peut-être ce clair-obscur ou bien l'odeur du toast beurré et du thé, ramena Joe en arrière dans la maison du vieux prêtre.

Iseult préférait les murs peints en blanc, les bijoux discrets, les pièces sobrement meublées. Il admirait la simplicité, la force tranquille qui se dégageait par exemple de sa chambre noire, mais ses goûts à lui étaient plus baroques, si jamais ce terme convenait. Ses chers tapis persans aux motifs entrelacés, les tableaux achetés à Bruxelles, Londres et Paris dans des cadres en bois doré. Il était séduit par le lustre sombre de ces objets, par leur ancienneté, leur complexité. Tout ce qui à ses yeux signifiait la richesse.

Il était l'ombre, Iseult était la lumière, et elle l'avait quitté à la première contrariété.

La jeune fille se remit à avancer timidement. Elle entra à pas prudents dans un cliquetis de porcelaine et déposa le plateau sur sa table de travail. Des toasts surmontés d'œufs jaunes et d'un brin de persil, une théière marron.

« *Y a-t-il quelque chose d'autre, monsieur*?*

– Non.

– Bonsoir, *monsieur**.

– *Attends**, Alicette. »

Elle battit des paupières. Faisait-il donc peur à tout le monde ? Ses enfants avaient-ils peur de lui ? Il ne le pensait pas, mais qui sait ?

« Madame a dit quelque chose ? Avant de partir ? *Tu comprends ? Madame n'a rien dit à toi avant son départ*?* »

La femme de chambre fit signe que non. Elle était au bord des larmes.

« Ce sera tout. Bonne nuit. »

Après avoir englouti rapidement son repas, il téléphona à son frère.

« Tu es au courant, dis-moi, Grattan ?

– Iseult ne m'a rien dit. Pas un mot. Attends… »

Il l'entendit parler à quelqu'un. Sûrement Elise. Puis Grattan reprit. « Elise ne sait rien non plus. Nous ne savions même pas que tu étais parti, Joe. New York ?

– New York, oui. » Il s'était souvent demandé si Iseult s'était confiée à Elise à propos de ses escapades. Combien y en avait-il eu en quinze ans – peut-être une demi-douzaine ? Quant à lui, il n'avait jamais discuté de New York avec Grattan.

«Grattan, tu es là?

– Oui, oui.

– Tu penses que je peux prendre un avion postal pour New York?

– Un Ford Trimotor décolle de Saint-Hubert à l'aube demain matin, escale à Albany, puis New York.

– Et de New York, je peux prendre un avion pour la Californie, n'est-ce pas?

– National a un vol pour la côte Ouest via Chicago.

– Je vais faire ça, alors.»

Il ferma les yeux et s'imagina se déplaçant très haut dans le ciel nocturne entre Montréal et Glendale Airport à Los Angeles.

«Écoute, Grattan, tu connais tous les pilotes à Saint-Hubert, non?

– Certains. Mes frères d'armes, les anciens combattants comme moi, pas les jeunes.

– Peux-tu téléphoner ce soir et me réserver une place pour demain sur cet avion postal?

– Je peux toujours essayer.

– À quelle heure décolle-t-il? Tu pourrais me conduire?

– Je vais me renseigner et je te rappelle, Joe.

– Trouve-moi une place sur ce vol. Je veux être sur le quai de la gare pour les accueillir à Los Angeles. Rappelle-moi dès que possible. Je paye ce qu'il faudra. Embrasse Elise de ma part. Ne t'inquiète pas, tout va s'arranger.»

Grattan allait dire quelque chose mais Joe lui raccrocha au nez. Il allait les récupérer, coûte que coûte. Des décisions devaient être prises. Quand on est maître de son destin, on ne laisse pas les choses suivre leur cours. De l'audace, voilà ce qu'il fallait.

Il ne percevait pas la maison autour de lui. Pas ce soir. Après deux tasses de thé, il ôta son veston, desserra son col et s'étendit sur le canapé en crin de cheval en attendant que le téléphone sonne.

Sans Iseult et les enfants, il n'y avait plus de maison. Un assemblage de poutres et de briques avec, à l'intérieur, rien. S'il ne les ramenait pas ici, il y mettrait le feu. Il la réduirait en un tas de décombres qu'il ferait brûler encore et encore jusqu'à ce qu'il ne reste plus qu'une poignée de cendres farineuses. Il les verserait dans un verre, les mélangerait à de l'eau et avalerait le tout.

Il se leva et descendit au rez-de-chaussée. Les domestiques étaient couchés, l'obscurité traversée par les rayons obliques du clair de lune. La porte d'entrée était verrouillée. Par un des petits carreaux cloisonnés au plomb des fenêtres du salon, il regarda l'air bleuté. La vitre était glaciale. En deux heures, un air arctique avait pris possession de Montréal, un phénomène habituel en janvier après un redoux, le Grand Nord reprenant ses droits. Des loups rôdaient dans les banlieues lointaines sur les berges des rivières gelées.

La chaudière ronflait. Le chauffeur viendrait la régler demain à l'aube, mais Joe décida de descendre vérifier lui-même si tout allait bien. Il alluma l'électricité et se retrouva bientôt en bas des marches en bois ciré, dans la salle de jeux des enfants. Ils étaient trop grands maintenant, ils n'y allaient plus. Peut-être étaient-ils gênés par les coffres remplis de leurs vieux jouets et par les illustrations animalières défraîchies affichées au mur.

Le long du couloir qui menait au garage s'ouvraient des débarras, une buanderie et deux chambres de bonne inoccupées. Passant devant toutes ces pièces, il entra dans la chaufferie où, tel un éléphant assis, trônait la chaudière ronde. Le brûleur émettait des petits gazouillis tandis que la vapeur faisait gargouiller le bouilleur et les tubes comme un ventre plein.

Il trouva des gants sales et huileux qu'il enfila. Ouvrant la trappe, il se pencha vers les lueurs rouges du foyer. Pour l'instant, ça flamboyait comme il fallait mais qui sait si cela durerait jusqu'au matin. Il empoigna une pelle à long manche et envoya quelques pelletées de charbon en prenant soin de distribuer également les boulets, d'aplatir la nouvelle couche et d'attendre que les petites flammes bleues dansantes des gaz se soient dissipées, avant d'en ajouter une autre. Il fallait alimenter la fournaise de manière à libérer une chaleur constante permettant de conserver dans les tuyaux juste assez de vapeur pour maintenir la pression de l'eau qui circulait dans les radiateurs de la maison. Trop chaud, et un tuyau risquait d'exploser. Pas assez, et le charbon formait des granules qui s'attachaient à la grille du brûleur, étouffant la combustion – on était alors obligé de tout éteindre pour nettoyer.

Un maître du feu : il s'était toujours occupé d'allumer l'âtre, de l'attiser, de couvrir les braises de cendres pour que l'on puisse le rallumer le lendemain matin. Un feu, cela avait faim ; un feu, c'était comme un enfant sauvage, incapable de se prendre en charge lui-même. Un feu, c'était le cœur d'une maison. Pas une fois après que leur père les eut abandonnés, pas une seule fois il n'avait permis à leur vieux fourneau de s'éteindre.

Une fois que le charbon bien étalé se mit à brûler, il secoua la grille pour faire tomber les cendres dans le plateau. Il attendit une minute que l'air s'éclaircisse puis retira le cendrier et versa les cendres dans un seau qu'il transporta dehors par l'étroit couloir entre la cave et le garage. Il le vida dans la poubelle prévue à cet effet, couverte d'une épaisse couche de glace jaunâtre. En manches de chemise, il transpirait abondamment. Le froid était subtil et pointu comme une lame aiguisée ; s'il s'attardait trop à l'extérieur, il ne résisterait pas longtemps. Un homme saisi par un froid intense perd peu à peu ses moyens : il avait vu des ouvriers des chemins de fer mourir après quelques heures de pluies verglaçantes. Ce soir, des vagabonds allaient mourir de froid dans les wagons de marchandise, des petits enfants dans les taudis.

Les arbres craquaient. Il avait toujours veillé à tenir la maison bien chaude pour les siens. Personne ne pouvait le prendre en défaut sur ce chapitre. À travers le maillage arachnéen des branches d'un érable, il regarda la lune en se demandant où ils se trouvaient maintenant. La lune brillait-elle aussi pour eux?

Il resta longtemps sous la douche, la porte de la salle de bains ouverte afin d'entendre le téléphone. Il avait mis sa robe de chambre en soie et était en train d'essuyer la buée sur le miroir quand il entendit sonner à la porte d'entrée. Il se rua en bas, s'attendant presque à voir Iseult, mais c'était Grattan qui se tenait sur le seuil, le col de son manteau en cachemire relevé.

« Mon Dieu, quel froid terrible il fait ce soir, Joe! J'ai eu un mal de chien à faire démarrer la voiture. Et la chaussée est si glissante que j'ai bien cru ne jamais arriver jusqu'en haut de ta côte. »

Joe sentit ses traits prendre cette expression sévère qu'il ne parvenait pas à retenir en présence de son frère, même si depuis quelques années, Grattan était en veine. Il avait été un des premiers adeptes d'un nouveau sport, le ski, et avait acheté pour une bouchée de pain une ancienne ferme dans les Laurentides. Une fois la bâtisse retapée, il avait tracé et damé des pistes, installé un remonte-pente au treuil actionné par une vieille Ford T, et converti le tout en une station de ski appelée L'Auberge.

Les paysages des Laurentides, les bouleaux, les immenses sapins, rappelaient trop à Joe la pauvreté, mais il devait bien avouer que son frère avait réussi son coup. Un train affrété spécialement pour les skieurs montait chaque fin de semaine vers le nord. Grattan employait des fermiers pour descendre les chercher en calèche à la gare et remonter tout ce joli monde à L'Auberge. À la suite de quelques articles parus dans des magazines, les Américains affluaient. Iseult et les enfants aimaient eux aussi beaucoup les sports d'hiver. Grattan avait donné aux pistes le nom de batailles menées par le corps canadien: Côte 70, Crête de Vimy, Mont Sorrel. Il passait ses automnes à entretenir les pistes et à couper du bois de chauffage. Elise restait en ville la semaine – elle avait toujours son studio de la rue de la Montagne – et montait à L'Auberge le week-end. Grattan ne quittait pratiquement pas les Laurentides de l'hiver, sauf en cette première moitié de janvier, où il faisait en général trop froid pour skier.

Il était élégant, comme toujours, dans un costume de flanelle gris, constata Joe pieds nus en pyjama et robe de chambre, les cheveux ébouriffés et humides après la douche.

«Allons dans mon bureau.»

Laissant Grattan le précéder, Joe passa d'abord à la salle de bains pour se coiffer en vitesse. Dans le miroir, il vit un visage bouffi au teint plombé, mais il tira un certain réconfort à la pensée qu'il était propre, bien nourri et sa maison en ordre. Ne restait plus qu'à y ramener sa famille. Après cet incident, il allait faire en sorte qu'ils soient plus soudés que jamais, comme les os qui deviennent plus solides après une fracture. Il allait tout arranger.

Grattan l'attendait assis dans un fauteuil club, les jambes croisées. Le feu qu'il avait allumé dans la cheminée crépitait gaiement.

«Joe, j'ai lu la lettre d'Iseult.

— Tu m'as trouvé une place dans l'avion? Tu aurais pu me téléphoner, tu sais. Tu n'étais pas obligé de monter jusqu'ici.

— Tu ne devrais pas y aller. Attends, Joe, écoute-moi. Elise est de mon avis. D'après cette lettre, Iseult veut absolument respirer un peu loin de toi. Si tu tiens vraiment à la retrouver, tu dois agir avec précaution.»

Joe ferma les yeux. Il se voyait toujours en vol dans un ciel glacial, parcourant les cinq mille kilomètres qui séparaient Montréal de Los Angeles.

«Tu te rappelles Levasseur et Tourbot, les aviateurs français? reprit Grattan. S'ils ne s'étaient pas écrasés, tu sais, ils seraient retournés se battre en France au début de la guerre et ils auraient été tués de toute façon. Les premiers ont tous été fauchés en quelques semaines. La plupart du temps, ils ont été victimes d'accidents; les terrains étaient jonchés d'épaves datant de 1914 et de 1915. Ils ne connaissaient pas les limites de leurs machines, et ces limites étaient vite atteintes. En plus, personne n'avait encore beaucoup réfléchi aux tactiques du combat aérien. Tout cela est venu plus tard. »

Joe repensait souvent aux Français et à l'aérodrome de la San Fernando Valley. Dans la poussière et sous un soleil de plomb, il avait dit à Iseult qu'elle devait absolument l'épouser, juste avant qu'elle ne s'envole pour son baptême de l'air. Il avait eu peur qu'elle se rompe le cou, mais elle était montée quand même.

Grattan décroisa ses jambes et se pencha en avant.

« Qu'est-ce que tu fabriquais à New York, Joe ? Une de tes fameuses cuites ? Tu te cachais pour boire ? »

Joe acquiesça d'un signe de tête.

« Tu te rappelles quand je faisais l'homme de main pour Buck, les expéditions de nuit dans le Connecticut ? Tu m'as dit que si je continuais comme ça, j'allais perdre ma famille, qu'Elise allait me quitter. Eh bien, tu avais raison. Une femme ne peut pas vivre avec un homme qui s'autodétruit. Une femme ne peut pas vivre auprès d'un homme qui débloque. Elise était sur le point de partir ; elle allait prendre un train avec Virginia pour se réfugier au fin fond de Brooklyn, là où je ne pourrais jamais les retrouver.

« C'est un bon conseil que tu m'as donné là, Joe. Maintenant, c'est à mon tour de t'en donner un. Si tu prends cet avion pour la Californie, tu n'atteindras pas le but souhaité. Ces cuites, ces "escapades", tu crois qu'elles n'ont aucune importance. Eh bien, tu te mets le doigt dans l'œil.

– Je sais ce que je fais. Les enfants ne sont pas au courant.

– Je n'en suis pas si sûr. »

Il n'avait jamais bu une seule goutte d'alcool sous son propre toit, mais à présent il aurait payé cher pour sentir le poids de la flasque de whisky dans son poing.

« Laisse-leur passer l'hiver en Californie. Reste ici tranquille. Tous les deux, on sait d'où on vient. Tu n'es pas Mick Heaney. Reprends-toi, mon vieux. Quand je suis rentré de la guerre, j'ai laissé en France une foule de morts et encore plus de conneries, mais nous sommes des pères de famille dans l'âme : nous devons tenir bon, nous ne pouvons pas nous permettre de déserter. À la guerre, Joe, les déserteurs, on les fusille. Écris à Iseult une lettre apaisée ; demande-lui ce qu'elle veut et dis-lui que tu feras ce qu'il y a de mieux pour elle et les enfants. Mais, je t'en prie, ne cours pas après la lune en t'envolant pour L. A.

– J'ai tout perdu, n'est-ce pas, Grattan ?

– Peut-être. »

Joe poussa un grognement.

« Tu lui as construit une magnifique demeure, mon vieux.

– Sans eux, c'est une tombe.

– Tu ne peux pas faire plier les autres à ta volonté. Iseult en a sans doute eu assez.

– Si j'avais un bidon de kérosène sous la main, je te jure que je foutrais le feu à cette baraque.

– Réfléchis, et écris-lui. »

Joe avait mal à la tête. Il se voyait toujours à bord d'un avion fendant la nuit.

Grattan était si élégant, jambes croisées, cravate impeccable, col immaculé, alors qu'il était près d'une heure du matin. Sa sérénité, parce qu'elle tranchait avec le propre désarroi de Joe, introduisait un déséquilibre dans leurs relations.

Grattan se leva, souleva le tisonnier en cuivre et se mit à déplacer les bûches afin de laisser passer l'air et d'attiser les flammes. Ils étaient tous des experts en matière de feu. Une jeunesse au fond des bois leur avait enseigné des choses que jamais ils n'oublieraient.

Dans le crépitement et le ronflement des bûches qui se consumaient, il entendait les roues grinçantes du chariot qui, il y avait une éternité de cela, les avait arrachés à leur enfance. La vie lui avait déjà donné bien des leçons, mais elle n'en avait pas terminé avec lui. Il sombrait dans des eaux noires dont il avait lui-même ouvert les vannes, comme son frère jadis, et il se noyait.

La digue à la mer

Sa mère, d'humeur vague et léthargique depuis Chicago, n'était pas sortie de sa cabine de tout le voyage, et elle n'avait même pas mangé. À Cheyenne, il remarqua qu'elle avait la respiration sifflante et, quand ils arrivèrent à Los Angeles, les yeux cernés de noir. Mike avait l'impression qu'elle était désorientée, sans force ni volonté, mais lorsqu'il lui demanda si elle souhaitait consulter un médecin à Los Angeles pour qu'il lui fasse une piqûre d'adrénaline, elle refusa énergiquement et tint à embarquer sur le prochain train pour Santa Barbara.

Le vieux train régional, avec des arrêts à Glendale, Encino, Ventura et Summerland, mettait quatre heures pour arriver à Santa Barbara. Il s'occupa des bagages et loua deux taxis pour les conduire à la maison de Butterfly Beach désertée depuis le mois d'août. C'était une de ces belles journées d'hiver cristallines que connaît la Californie du Sud. Même après être restée fermée durant cinq mois, la maison sentait bon la cire, la pierre fraîche et l'eucalyptus. Iseult ôta ses chaussures et ses bas. Elle se promena sur la pelouse autour des plates-bandes entretenues à la perfection par les jardiniers japonais, pendant que Frankie et Margo se précipitaient dans leurs chambres et redécouvraient les vêtements qu'elles avaient laissés dans les armoires.

Iseult se décida à entrer dans la maison en annonçant que, plus que n'importe quoi au monde, elle avait envie d'un bain chaud.

Serait-il assez gentil pour descendre à la cave vérifier si la chaudière marchait et mettre en marche le chauffe-eau?

Pendant qu'elle prenait son bain, Mike et Margo suspendirent
les draps et les couvertures dehors afin de les aérer.

«Je sais pourquoi elle nous a amenés ici, déclara Margo. Elle
veut qu'on reste bien sages pendant qu'elle ira à Reno obtenir son
divorce.»

Au son du mot *Reno*, il s'efforça de cacher son trouble. Il savait
que c'était une ville du Nevada. Était-ce la capitale de l'État?

«On va être excommuniés, prédit sa sœur en accrochant le drap
avec une pince à linge.

— Ferme-la, Margo.

— Ne me parle pas sur ce ton. Tu te prends pour quoi? Parce
que Mère est malade, tu crois que tu peux nous donner des ordres?

— Pas du tout, mais il faut bien que quelqu'un prenne les
décisions.

— C'est pas forcé que ce soit toi.

— C'est vrai, ça. Je peux me tourner les pouces et tout laisser
aller à vau-l'eau. On verra si ça te plaira, tiens.

— Oh, tais-toi.»

Ils continuèrent à secouer les draps ensemble. Il regrettait ses
paroles – Margo et lui étaient en général des alliés, ils se comprenaient. *Reno*. Il tentait en vain de se sortir ce mot de la tête. *Reno*.
Un mot qui lui semblait de mauvais augure.

Alors que Margo repartait avec une brassée de draps, il lui frôla
le coude.

«Me touche pas! s'exclama-t-elle.

— Écoute, je te demande pardon, Margo.

— On ne reverra jamais nos amis. On va rester ici pour de
bon. On ne reverra jamais papa. C'est un ivrogne et elle sera une
divorcée.

— Tu ne devrais pas dire des choses comme ça.

— Pourquoi pas? C'est la vérité.»

Il se tut. Ils étaient tous très fatigués. S'il lui répondait, Margo allait se fâcher. Une dispute entre les enfants risquait d'inciter leur mère à leur présenter des explications qu'aucun d'entre eux n'était en état de recevoir.

Sa mère étant toujours dans son bain, il aida Margo à faire les lits. Celle-ci ouvrit la malle de sa mère et en retira une chemise de nuit qu'elle secoua.

« C'est la vérité », répéta-t-elle, au bord des larmes.

Mike prépara un feu dans la cheminée. Sa sœur le regarda faire puis emporta la chemise de nuit dans la salle de bains. Deux minutes plus tard, leur mère en sortit et se glissa sous les draps.

« Veux-tu que j'aille en ville envoyer un télégramme pour annoncer qu'on est bien arrivés ? lui demanda-t-il.

— Non, ce n'est pas la peine. Ouvre la fenêtre, Mike, s'il te plaît, je veux entendre l'océan. »

Ils la laissèrent dans sa chambre avec la fenêtre grande ouverte et une bonne flambée dans la cheminée. Mike descendit jusqu'en bas du jardin et prit l'escalier en béton qui le déposa sur la plage. Une digue longeait la propriété sur une cinquantaine de mètres. Elle tenait bon depuis trente ans. Il caressa la maçonnerie balafrée de fissures et de lézardes colmatées. Un mur gauchi et affaissé. Tôt ou tard, il faudrait le reconstruire. Son père projetait des travaux, mais jusqu'ici rien n'avait été fait. La vieille digue à la mer menaçait de redevenir un tas de cailloux.

Pour le déjeuner, Margo avait réchauffé une boîte de soupe à la tomate. Tous les trois prirent leur repas à la cuisine. Crackers rances et lait concentré. Margo monta un bol à leur mère et redescendit aussitôt en annonçant qu'elle dormait.

« Ça devient bizarre, commenta Margo. Je me sens comme une orpheline.

— Qu'est-ce que tu veux dire ? demanda Frankie.

— Rien, intervint Mike. C'est une blague. Mange ta soupe. »

Après le déjeuner, Frankie l'aida à allumer des feux dans toutes les cheminées en utilisant les grosses bûches de chêne qu'il avait toujours vues empilées dans la remise à calèches. Puis chacun se retira dans sa chambre pour la sieste. En s'allongeant sur son lit, Mike crut entendre le bruit des vagues au pied de la digue : la marée était donc haute. L'hiver dans le Pacifique, c'était la saison des tempêtes.

Suspendus dehors, ses draps fouettaient l'air. Étendu sur l'alèse, les mains croisées derrière la tête, il imaginait d'énormes rouleaux franchissant la digue et déferlant sur la pelouse. Il avait souvent trouvé sur l'herbe des fragments de coquillages et des torsades d'algues séchées, traces des puissants jets de rive hivernaux. À force d'être battue par le ressac, la vieille digue finirait par se disloquer. Entraînées par la masse d'eau, les pierres et la terre du remblai envahiraient la pelouse et remonteraient peut-être jusqu'à la maison, mettant à nu les fondations qui s'effriteraient. Il fallait systématiquement que son esprit aille jusqu'au bout des choses, et de fil en aiguille il en arrivait systématiquement à la même conclusion : rien ne durait jamais, tout était éphémère.

Une heure plus tard, il se réveilla en sentant le bercement du train, le roulement des roues sous le plancher. Puis il comprit que c'était seulement la machine à laver le linge électrique que sa sœur avait mise en route dans la buanderie. Il se leva à regret, laça ses chaussures, se coiffa, puis redescendit inspecter la digue une deuxième fois. Elle était irrévocablement en très mauvais état.

Le lendemain matin, Margo téléphona au médecin, lequel vint faire une piqûre d'adrénaline à Iseult. Pendant que Mike et les filles déjeunaient – encore des crackers et du lait concentré, cette fois avec des sardines –, la dame mexicaine qui s'était occupée de la maison l'été précédent se présenta à la porte de la cuisine. Mike l'engagea sur-le-champ et l'envoya avec les filles passer une commande à l'épicerie de Montecito. Puis il extirpa de la remise sa vieille bicyclette, huila les moyeux et l'intérieur de la chaîne, et pédala vers le centre de Santa Barbara.

Le bureau de Western Union était situé sur State Street, près de la gare de chemin de fer, mais il entra tout d'abord dans le boui-boui chinois voisin et commanda un café. Assis au comptoir, il rédigea sur une serviette en papier ce qui constitua le message de son télégramme.

WU SANTABARBARA CNCPMONTRÉAL
3089883-1432 CNCP
11 JANVIER 1931
À : M. J. O'BRIEN
O'BRIEN CAPITAL CONSTRUCTION LTD
ÉDIFICE CANADA CEMENT SQ PHILLIPS MONTRÉAL CANADA
CALIFORNIE

TOUT VA BIEN JE M'OCCUPE DE TOUT JUSQU'À TON ARRIVÉE
BAISERS MIKE

Le lendemain matin, il frappa à la porte de sa mère. Assise dans son lit, elle lisait le journal. La manchette du *Los Angeles Times* lui sauta aux yeux :

L'ARMÉE JAPONAISE DU KWANTUNG
ENVAHIT LA MANDCHOURIE

Il lui expliqua que la digue n'allait pas tenir beaucoup plus long-temps. Elle le regarda par-dessus son journal.

« À ton avis, que faut-il faire ? »

Il répondit qu'il pouvait trouver tous les ouvriers dont il avait besoin au centre d'embauche de Nopal Street. Les travaux devraient être effectués pendant la période entre la nouvelle et la pleine lune, quand les marées étaient à faible coefficient. À condition qu'il n'y ait pas de tempête, ajouta-t-il, cela prendrait cinq ou six jours. Tout ce qu'elle aurait à faire serait de signer les chèques.

Elle le fixait du regard mais l'écoutait-elle vraiment ? Avait-elle compris ce qu'il venait de lui dire ? Il n'avait pas encore tout à fait dix-sept ans. Tout ce qu'il avait construit jusqu'ici était une radio, mais si on ne prenait pas des mesures rapidement, la digue, le jardin, la maison, tout ce qui les abritait était menacé de destruction.

« J'ai fait une estimation à cinq cents dix-neuf dollars. Matériel et main-d'œuvre compris.

— Combien leur donneras-tu ?

— Trois dollars par jour aux ouvriers, quatre dollars au maçon et au charpentier.

— Ce n'est pas beaucoup.

— C'est le tarif.

— Bien, dit-elle. Tu n'as qu'à le faire. Construis-nous une digue. »

Elle releva son journal, se cachant derrière l'armée impériale japonaise et la Mandchourie.

Il sortit, exalté par l'ampleur de sa tâche. Il s'exhorta au calme. Un ingénieur devait être clair et précis, il devait calculer jusqu'au moindre détail et prévoir les éventuelles difficultés. Une digue n'était après tout qu'un mur, se raisonna-t-il, rien de bien extraordinaire, tout de même !

Leur voiture de vacances, un vieux break Ford avec une carrosserie en bois, se trouvait sur cales dans la remise à calèches. Après avoir changé l'huile et les bougies, rempli d'eau le radiateur et d'air les pneus, sans oublier de charger la batterie, il descendit au centre d'embauche dans le bas de Nopal Street, où il engagea deux journaliers mexicains et un maçon. Il les ramena à la maison et les mit tout de suite au travail : il fallait démolir l'ancienne digue pendant qu'il dessinait le plan de la nouvelle.

Le temps resta au beau fixe. La nouvelle digue mesurait cinquante mètres de long sur deux mètres et quelque de haut. Les ouvriers – Miguel Prieto, Guillermo Hernandez, Ruben Betancourt – travaillèrent d'arrache-pied. Il trouva un charpentier mexicain pour diriger la construction des moules. Ils couchèrent sur l'herbe des planches bout à bout afin de permettre à la bétonnière de reculer jusqu'au chantier sans abîmer la pelouse. Il fallut deux jours pleins pour couler le béton. Ils le renforcèrent avec des barres d'acier et veillèrent à assurer un bon drainage en pratiquant des ouvertures et en installant des tuyaux au niveau du fossé. D'une largeur de soixante-seize centimètres à la base, il ne mesurait plus que soixante centimètres à la crête. Il avait prévu, pour descendre sur la plage, des marches soutenues par des poutres, elles-mêmes étayées et enfouies dans le bâti côté pelouse.

Alors que le béton n'avait pas tout à fait pris, il se saisit d'un bâton pointu et inscrivit avec soin les initiales des ouvriers et les siennes au sommet de la digue, ainsi que la date, le *17 février 1931*. C'était la première fois qu'il apposait sa marque sur le monde et la sensation lui plaisait beaucoup, cette impression d'avoir construit quelque chose de robuste et d'utile. Désormais, par tous les temps, sa digue à la mer les protégerait.

Mr Spaulding vint en voiture depuis Pasadena pour s'occuper de l'inscription des deux filles à la Marymount School et de Mike au lycée de Santa Barbara. L'avocat était vêtu d'un épais costume de tweed avec un pantalon de golf s'arrêtant sous le genou. Frankie le surnommait «tête de singe». À la mort de sa femme, il avait laissé pousser sa barbe. Longue et très blanche, elle tranchait sur son petit visage ridé et tanné par le soleil. Ses filles étaient mariées et vivaient sur la côte Est. Il s'était retiré de la Société théosophique de Pasadena lorsque celle-ci s'était divisée en factions rivales.

Après avoir passé une heure à l'étage avec Iseult, Spaulding rejoignit Mike et les filles sous la véranda pour le déjeuner. Il mangeait même comme un singe. Il cueillait dans le panier des morceaux de pain qu'il déchirait à toute allure en minuscules morceaux avec ses petites mains parcheminées. Il buvait sa citronnade à gorgées rapides, croquait une tige de céleri et n'était pas très bavard. Au milieu du repas, Frankie pouffa. Margo s'étrangla sur sa nourriture. Les deux sœurs s'excusèrent, sortirent de table et disparurent à l'intérieur. Mike entendit leur fou rire, mais l'avocat ne parut rien remarquer.

« J'aimerais voir votre digue, Michael. »

En bas du jardin, Spaulding s'assit sur l'herbe, ôta ses riche-lieus et ses chaussettes, puis suivit Mike sur la crête en béton et descendit derrière lui les marches jusqu'à la plage. La marée était basse. Un vol de pélicans bruns rasait l'océan.

« Vous avez hérité du talent de votre père pour traduire vos idées dans le monde matériel. Pour les concrétiser. »

Debout dans l'eau qui tourbillonnait autour de leurs chevilles, dos à l'océan, ils regardaient la digue.

« C'est revenu à un peu moins de cinq cents dollars, lui annonça Mike. Pile ce que j'avais calculé.

– Votre père serait fier de vous.

– Mon père aurait sans doute réussi à la construire pour moins de quatre cents dollars. »

Mike se tourna vers Spaulding. En fait, avec sa barbe blanche, son œil luisant et son tweed poilu, le petit avocat ressemblait à George Bernard Shaw sur une photo que Mike avait vue dans *Time*. Il avait envie de lui demander si Iseult lui avait parlé d'un divorce à Reno, mais il avait peur qu'une fois les paroles prononcées, ce qui pour le moment était dans l'air devînt inévitable.

« J'emmène cet après-midi votre mère à Ojai, Michael. Je veux lui présenter un homme remarquable.

– Un médecin ? »

Spaulding le regarda avec curiosité.

« Pourquoi dites-vous "un médecin" ?

– N'est-elle pas malade ?

– Il s'appelle Krishnamurti. Il est indien, jeune, un grand philosophe, et une grande âme. Ce serait bien qu'elle le prenne en photo; cela lui permettrait d'élargir le rayonnement de ses enseignements.»

Le vieil homme frappa la maçonnerie du plat de la main avant d'ajouter:

«Du beau travail. Une belle ténacité. Votre père sera fier. Et votre chère mère et moi ferions bien de prendre la route.»

L'après-midi même, Spaulding conduisit Iseult à Ojai dans sa vieille Lincoln décapotable. Il était tard, près de minuit, quand Mike les entendit rentrer. Le lendemain matin, l'avocat prit le train pour Pasadena en laissant la Lincoln à Iseult.

D'ordinaire, l'été, Iseult consacrait deux après-midi par semaine au dispensaire-maternité de Milpas Street. Avec deux autres dames de Montecito, elle se rendit à Summerland et dans la Goleta Valley pour s'approvisionner en produits de la ferme afin de les distribuer dans les camps de journaliers et auprès des mères nécessiteuses du dispensaire. Le mercredi soir, elle rendait visite aux femmes en garde à vue au commissariat de La Vina Street ou aux détenues à la prison du comté. Elle leur apportait des vêtements, écrivait des lettres sous leur dictée – mais cette année, elle ne fit rien de tout cela.

Après cette première visite, elle se mit à monter à Ojai avec la Lincoln trois ou quatre fois par semaine. Elle revenait avec des fleurs sauvages à la boutonnière. Elle disait qu'elle respirait mieux dans la chaleur sèche et odorante de la vallée d'Ojai. Elle prenait ses appareils et photographiait Krishnamurti à Arya Vihara, sa résidence à Ojai, ainsi que les visiteurs qui venaient du monde entier suivre les «enseignements».

«Il donne des cours de quoi? s'enquit Margo.

– Des cours de danse? enchérit Frankie.

– Ils veulent apprendre à y voir clair, voilà tout, expliqua leur mère.

– Et ils apprennent le cha-cha-cha? entonna Frankie.

– Pourquoi il faut que tu ailles si souvent à Ojai? continua à questionner Margo.

– La vérité est un pays sans chemin », répondit leur mère.

Ces paroles ne lui ressemblaient pas. Que voulait-elle dire par là ? Pourquoi s'adressait-elle soudain à eux avec les mots de quelqu'un d'autre ?

Elle avait épousé leur père alors que celui-ci construisait un chemin de fer dans la montagne. Ne croyait-elle plus en lui ?

> WU SANTABARBARA CNCPMONTRÉAL
> 3089883-14232 CNCP
> 20 FÉVRIER 1931
> À : MR J.O'BRIEN
> O'BRIEN CAPITAL CONSTRUCTION LTD
> ÉDIFICE CANADA CEMENT SQUARE PHILLIPS
> MONTRÉAL CANADA
>
> DIGUE MATÉRIAUX $261,33 MAIN-D'ŒUVRE $230 TOTAL
> $491,33. ELLE TIENDRA BON. BAISERS. MIKE.

Le lycée de Santa Barbara comptait beaucoup plus d'élèves que le collège du Bas-Canada. En outre, Mike n'avait jamais été en classe avec des filles. Les professeurs étaient décontractés, comparés aux frais émoulus d'Oxford et de Cambridge qui soufflaient le chaud et le froid à leurs jeunes oreilles. Les matières lui paraissaient incongrues – l'instruction civique, l'histoire des États-Unis –, consistant pour l'essentiel en récits simplets que l'on aurait dit tirés d'albums illustrés. Les élèves dormaient dans les rangs. Les enseignants somnolaient parfois aussi ; les uns et les autres semblaient d'un commun accord résignés à s'ennuyer ferme. Une dolence favorisée peut-être par le climat doux et ensoleillé. À Santa Barbara, on s'estimait heureux de vivre dans le plus beau pays du monde.

Chaque matin, Mike s'éveillait la poitrine serrée, mais il finit par s'habituer à la routine : il rassemblait ses affaires de classe, prenait son petit déjeuner et faisait démarrer le break. Après avoir déposé ses sœurs à Marymount, il allait au lycée. Le samedi, il partait pour des promenades solitaires le long de la côte vers le nord ou du côté de la Santa Ynez Valley, par le San Marcos Pass. Il traversait des patelins, longeait des ranchs, des champs de pétrole plantés de tours de forage, de stations de pompage et de citernes. Il lui arrivait de prendre un auto-stoppeur poussiéreux – ouvrier du pétrole, ouvrier agricole mexicain –, mais il préférait être seul et rouler vitres baissées, le vent s'engouffrant dans la voiture.

Quand Iseult était à Arya Vihara, il n'arrivait pas à dormir en pensant qu'elle risquait de tomber en panne ou, pire encore, d'avoir un accident. Elle conduisait comme une folle sur ces routes de montagne et la vieille Lincoln ne tenait pas bien la route. En plus, elle ne se donnait jamais la peine de vérifier les pneus et le niveau d'huile, et oubliait de remettre de l'eau dans le radiateur.

La vérité est un pays sans chemin.

Non. La vérité, c'était de pouvoir compter sur une voiture capable de franchir Casitas Pass sans que le moteur surchauffe ou qu'une durite lâche. La vérité, c'était de pouvoir se fier à une digue de béton armé étayée de poutres, assez robuste pour résister au ressac pendant plusieurs générations.

On toqua doucement à la porte. Il ouvrit. Margo tenait dans chaque main une bouteille de bière – la bière à 3,2 degrés que Lidia, la gouvernante, gardait au frais à la cave.

« Mère n'est pas encore rentrée, dit Margo.

– Je sais.

– Tu as des clopes ? On n'a qu'à sortir sous la véranda. Ne réveille pas Frankie. »

Sous la véranda, il décapsula les bières avec la lame de son canif. Margo but une gorgée.

« Papa te manque ? Ce vieux pirate… Il me manque à moi. Mes amies aussi. Elle est amoureuse du swami. Je la déteste, je te jure.

– Ne dis pas ça.

– Son baratin sur la vérité… C'est le genre de choses que les gens racontent quand ils ont mauvaise conscience. Moi, ça me fiche la trouille.

– C'est un professeur.

– Crois ce que tu veux », répliqua Margo.

Cela faisait près de trois mois qu'ils étaient à Butterfly Beach, pourtant, plus que jamais, il avait la sensation d'être sans domicile. L'air était frais la nuit, cela sentait les fleurs et la mer.

« Tu ne t'inquiètes pas pour papa ? demanda Margo. Où est-il en ce moment ? Une fois qu'elle aura obtenu son stupide divorce, Frankie et moi, on ne pourra jamais retourner à Marymount. Tu penses qu'elle aurait pensé à ça ? Ils ne nous reprendront pas non plus chez les religieuses. Et je peux mettre une croix sur le bal de Sainte-Marie. Je ne ferai jamais ma sortie dans le monde. Tasch et Mary Cohen vont passer l'année à s'amuser et moi, je ne connaîtrai aucun garçon. »

Ils terminèrent leurs bières et jetèrent leurs mégots sur le gravier. De retour dans sa chambre, le clair de lune s'obstina à l'empêcher de dormir.

Mike s'était renseigné à la bibliothèque de Santa Barbara sur les procédures de divorce. Dans la province de Québec, on ne pouvait l'obtenir que par une loi d'intérêt privé du parlement du Canada à Ottawa, et la seule raison valable était l'adultère. À Reno, c'était beaucoup plus simple, il suffisait de résider six semaines dans l'État du Nevada. Il existait à cet effet des « ranchs à divorce ». Ce divorce ne serait jamais reconnu à Montréal, évidemment, mais que lui importait si elle ne remettait jamais les pieds là-bas ?

Finalement, Mike se releva. Il enfila un sweat-shirt et une salopette. Leur mère n'était toujours pas rentrée. Margo avait éteint sa lumière. La maison était endormie. Il descendit à tâtons l'escalier. Il y avait une lampe de poche quelque part dans un tiroir de la cuisine mais, avec la pleine lune, il n'en avait même pas besoin. Il traversa nu-pieds la pelouse et descendit vers la plage par les marches de béton. La marée était haute. Une vague déferla contre la digue et arrosa ses jambes. Il roula le bas de son pantalon et marcha sur le sable, d'une douceur soyeuse sous la plante de ses pieds au moment où la mer se retira. Un deuxième rouleau explosa contre la digue, et cette fois il fut trempé. Alors que l'eau reculait à toute allure, il courut après elle et plongea.

L'eau était chaude. Une vague plus petite le souleva et sans réfléchir, il se mit à nager vigoureusement vers le large. Tout ce qu'il avait à redouter, c'est qu'une vague scélérate le précipite contre le mur en béton de la digue. En voyant un gros rouleau approcher, il piqua une tête à l'intérieur. Lorsqu'il revint à la surface, il se trouvait à trente mètres de la plage. Quand il aperçut la vague suivante, dont la crête était phosphorescente, il plongea de nouveau et émergea de l'autre côté. Il sentait s'exercer sur lui la pression du courant de retour qui l'entraînait vers le large. Il savait qu'il serait plus sage de regagner la plage. Un autre rouleau se cabrait à l'horizon. Il se trouvait au milieu d'un « mécanisme » de vagues devenant de plus en plus grosses – à moins, tout simplement, qu'il ne commence à ressentir les effets de la fatigue à force de lutter contre elles. La lune éclairait le Pacifique. Ne lui restait plus qu'à plonger sous la prochaine vague et à nager de son mieux pour regagner les marches de la digue avant que la houle ne l'écrase contre le béton.

La vague suivante lui donna l'impression de lui traverser le corps. Il fallut qu'il s'arme de toute sa volonté pour résister à la tentation de se laisser faire. Il se mit à nager comme un fou à contre-courant du reflux. Il réussit à planter ses pieds dans des remous de sable mouillé et à s'extraire du ressac écumeux. Il avait à moitié remonté l'escalier de la digue quand une vague se fracassa contre sur le béton. Des jets d'embruns le fouettèrent mais il parvint au sommet de la digue, sur l'herbe.

De retour dans sa chambre, il se sentit très lourd. L'océan avait neutralisé son angoisse. Maintenant, pour dormir, il devait se concentrer sur des choses simples. Rien qui pût l'émouvoir, seulement des images de lumière dans des pièces, les motifs qu'elle traçait. Sa façon de jouer sur les murs de leur ancienne maison de l'avenue des Pins. Et la lumière froide qui devait tomber le soir dans sa nursery sur le chantier du chemin de fer. Rien n'était plus léger que ces souvenirs-là, pourtant sa mémoire les avait retenus, ou du moins en avait-elle gardé une impression. En dirigeant toute son attention sur ces images, en lâchant prise sur tout le reste, il s'endormirait.

Le 1er avril, ils allèrent tous pique-niquer à Arya Vihara. Comme la Lincoln était au garage à cause d'une fissure dans le carter, ils prirent le vieux break. Mike au volant, ils quittèrent Santa Barbara par la Foothills Road, puis longèrent les champs de fleurs aux environs de Carpinteria. Dans la montée de Casitas Pass, par crainte de couler une bielle, il resta en seconde. Quand, enfin, ils arrivèrent à Arya Vihara, il aperçut tout de suite le jeune homme au teint sombre tout de blanc vêtu qui se tenait assis sous la véranda, un journal ouvert devant lui. C'était une grande véranda ombragée dont la balustrade disparaissait sous une profusion de bougainvillées. On y accédait par un escalier bordé de pots de géraniums. Le jeune homme posa son journal et se leva pour les accueillir. Il ne leur décocha pas un sourire tandis qu'Iseult faisait les présentations, se contentait de les saluer de la tête quand elle prononçait leurs noms.

« Et que nous apportez-vous là ? dit-il en regardant avec curiosité le panier à pique-nique que Margo transportait. Quelles bonnes choses y a-t-il là-dedans, quelles petites gâteries allons-nous pouvoir partager ?

– Krishnaji, dit leur mère. Je suis si heureuse. Je voulais tellement que vous rencontriez les enfants. »

Krishnamurti n'avait pour sa part l'air ni heureux ni malheureux de les rencontrer. Son visage au nez un peu gonflé, légèrement tordu, semblait avoir servi de punching-ball. Il avait des dents blanches, une poignée de main légère et de grands pieds aux orteils griffus chaussés de sandales. Les manches de sa chemise de coton étaient roulés sur des avant-bras de la couleur de l'acajou. Des pages de journal étaient disséminées çà et là sous la véranda, comme déchirées par une lecture vorace.

« J'ai promis aux enfants qu'ils pourraient se baigner, déclara leur mère. Nous allons commencer par l'étang, ensuite nous déjeunerons. On est si heureux d'être ici, tous ensemble. C'est formidable, non ? »

Mike percevait dans sa respiration ce petit sifflement qui signalait qu'elle était fatiguée ou que quelque chose était sur le point de déclencher une crise d'asthme. Elle répétait trop souvent qu'elle était heureuse ; peut-être essayait-elle de s'en persuader.

« Oui, c'est formidable, acquiesça Krishnamurti.

— Les enfants, je vais vous montrer l'étang.

— Où est-ce qu'on se change ? » s'enquit Margo.

À cet instant sortirent de la maison un deuxième Indien, aussi filiforme que le premier, et deux femmes blanches. Une mère âgée et sa fille plus toute jeune non plus, toutes les deux très bronzées. Iseult emmena ses filles se changer dans une chambre pendant que Mike mettait son maillot dans une salle de bains.

Avait-elle dit à Krishnamurti qu'elle projetait de divorcer à Reno ?

Autrefois, son père avait construit plus de trois cents kilomètres de voies ferrées dans les montagnes. Où était-il maintenant ? Peut-être était-il soulagé de les savoir ailleurs. Peut-être était-ce plus facile pour lui de vivre seul. Peut-être voulait-il se noyer dans l'alcool et disparaître. Mike tenta de s'imaginer son père dans une chambre d'hôtel à New York ! Qu'est-ce qui n'allait pas chez lui ? Rien. Qu'est-ce qui n'allait pas chez lui ? Tout.

Ils traversèrent un pré rutilant de pavots orange, Iseult ouvrant la marche, Krishnaji sur ses talons, puis Mike et ses sœurs, avec les deux femmes blanches et l'autre Indien en queue de cortège.

Des papillons orange voletaient sur l'herbe. À l'orée du pré, là où commençait le bois de sycomores, les deux femmes et le jeune Indien se disputèrent pour savoir quel était le meilleur chemin jusqu'à l'étang si l'on voulait éviter tout risque de contact avec le sumac vénéneux. Finalement, le jeune Indien s'en alla tout seul. Krishnamurti et leur mère suivirent les deux femmes, la mère et la fille. La fille avait à peu près l'âge d'Iseult.

« La vérité est un pays sans chemin », chuchota Margo alors qu'ils s'enfonçaient dans un sous-bois odorant et chauffé par le soleil.

Un ruisseau aux eaux vives roulant bruyamment sur un lit de galets s'élargissait pour former un profond bassin à l'ombre d'un bouquet de manzanita, de peupliers, de chênes et de sycomores.

Qui se tremperait en premier ? Personne ne paraissait pressé de se baigner. La profondeur de l'étang était difficile à évaluer.

« J'y vais, finit par dire Margo. J'y vais avec Frankie. »

Leur mère déballa des sandwichs concombre-tomate et en tendit un à Krishnamurti et l'autre au jeune homme, qui les avait finalement rejoints. Les deux femmes refusèrent.

« Vous mangez trop, Iseult, lui dit la plus âgée. Il n'y paraît pas à cause de votre métabolisme rapide, mais ce n'est pas toujours bon pour l'esprit, qu'en pensez-vous ?

– Vous avez peut-être raison », répliqua la mère de Mike.

Margo et Frankie ôtèrent leurs tennis et se glissèrent dans l'eau, aussi silencieuses que des biches. Pendant qu'elles traversaient l'étang à la nage puis faisaient un concours à qui resterait le plus longtemps sous l'eau, Mike, étendu sur le dos au soleil, en absorbant les rayons brûlants, écoutait distraitement la conversation des femmes.

« Nous devons retourner en Inde cette année, déclara la plus vieille. Si vous voulez nous accompagner, Iseult, il faut que vous nous aidiez à lever des fonds pour financer le voyage, sinon nous ne pourrons pas partir.

– Je pense que ce qu'il faut à Iseult, enchérit la plus jeune, c'est de passer davantage de temps seule afin de développer une conscience plus simple. J'ai toujours l'impression que vous n'êtes pas concentrée. Votre aura est trouble, si je puis me permettre.

– Krishnaji déteste l'idée que vous le considériez comme une de vos œuvres de charité, comme ce que vous faites pour ces pauvres Mexicaines, dit la plus âgée.

– Nous n'avons besoin de la charité de personne, confirma la plus jeune.

– Krishnaji, dit Iseult, trouvez-vous sage de voyager autant que vous le faites ?

– Peu importe, répondit Krishnamurti. Il y a des cornichons ?

– Il aime les voyages, fit observer la plus jeune. Ils le ressourcent.

– Ce ne serait pas mieux si les gens venaient à lui ?

– Vous ne devez pas vous en mêler, Iseult, la gronda la plus âgée d'un ton sévère.

– Arrêtez ! s'exclama Krishnamurti. J'en ai assez de ces harcèlements.

– Nous nous faisons du souci pour vous, Krishnaji, opina la plus âgée.

– Il n'y a rien de mal à poser des questions. C'est une femme honnête, répondit-il. Plus que vous deux, dans un sens. »

L'autre jeune homme étouffa un hoquet de rire. Les deux femmes blanches se turent mais Mike sentait bien qu'elles étaient furieuses. Elles n'aimaient manifestement pas Iseult. Alors pourquoi celle-ci s'obstinait-elle à venir les voir ? Était-elle amoureuse du morose et compassé Krishnaji, avec ses pieds crochus et ses bras d'acajou ?

La plus âgée des deux femmes se leva, sa fille l'imita.

« Si vous vous décidez à rester pour le *tiffin*, déclara la plus vieille, avertissez-nous, Iseult. Il faudra faire des courses au village. »

Les deux femmes s'enfoncèrent dans le bois de sycomores. Margo et Frankie étaient toujours dans l'eau. Personne ne parlait.

Les minutes s'égrenèrent. Krishnaji et le deuxième homme étaient allongés sur le dos sur un tapis d'herbe sèche et de glands, les mains derrière la tête ; ils somnolaient. Iseult était restée assise. Elle portait une robe blanche en lin, sans bas ; elle avait ôté ses chaussures. Mike ne distinguait pas son visage sous son chapeau, mais elle avait l'air de surveiller les filles. Il fut soudain frappé par sa maigreur. Ses épaules étaient osseuses. Sur ses mollets et ses poignets, les tendons étaient apparents. Une femme frêle. Jamais encore il n'avait pensé à elle comme à quelqu'un de fragile. Son père lui avait semblé concentrer toute la faiblesse de la famille, mais à présent elle flanchait à son tour.

Le soleil versait sur l'étang ses rayons poudrés d'or fin. Ses sœurs sortirent de l'eau en faisant beaucoup de bruit. Mike se dit que le moment était venu de piquer une tête. Il n'avait pas follement envie de nager, mais c'était une bonne manière de s'échapper.

Après son bain de soleil, l'eau lui parut froide, mais elle était tiède en réalité. Il fit quelques longueurs, puis cassa son corps en deux et plongea tout droit vers le fond de l'étang, là où l'eau était vraiment froide, la lumière trouble et ambrée. Il sentit un étau se refermer sur son crâne alors qu'il touchait le fond. C'était paisible. Il aurait voulu rester là, mais le besoin de respirer était le plus fort. Il remonta énergiquement à la surface, revint sur la berge et sortit en pataugeant dans les herbes.

Margo et Frankie étaient allongées à plat ventre sur leurs serviettes. Leurs jambes étaient dorées. Krishnaji leva vers lui un mince sourire. Sa mère lui sourit.

Il se rappelait qu'elle lui avait dit : « Je n'ai jamais eu de crise d'asthme après avoir rencontré ton père. Il m'a guérie. Il m'a appris à respirer. » Ce n'était pas vrai – elle avait eu plusieurs crises au fil des années. Cela ne faisait pas beaucoup, d'accord. Mais là, il entendait un léger sifflement qui sortait de sa poitrine : le bois de sycomores avait réveillé son allergie. Sur les eaux tranquilles de l'étang, il discernait une fine couche de pollen gris.

Au lieu de se rallonger au soleil, il se sécha. Leurs vêtements étaient restés dans la maison. Il sentait sur lui les regards des deux Indiens qui l'observaient comme s'ils savaient qu'il avait une idée derrière la tête et se demandaient si sa tentative allait être couronnée de succès.

« Maman ? »

Elle leva vers lui un visage aux yeux cernés de noir. Maintenant, tout le monde pouvait entendre sa respiration sifflante. Frankie et Margo se redressèrent en même temps et s'assirent sur leurs serviettes. Il était peut-être présomptueux de sa part de prétendre prendre en charge sa mère, mais qui d'autre allait le faire ? Il allait la ramener à la maison par la route du col, au bord de la mer, loin de la touffeur et de la poussière de cette étroite vallée.

« Il est l'heure de partir », dit-il.

Sa mère le dévisagea longuement puis acquiesça.

La vérité était peut-être un pays sans chemin, mais celui de la maison était tout tracé et il comptait le prendre.

Le deuxième homme resta au bord de l'étang, mais Krishnaji les raccompagna à travers bois et attendit à côté de la voiture pendant que Mike et les filles se changeaient à l'intérieur. Lorsque Mike revint, il était appuyé sur le marchepied. Mike le vit se pencher et poser sa main sur le front d'Iseult comme pour voir si elle avait de la température. Il y avait une grâce stupéfiante dans ce geste tout de douceur quoique dépourvu de tendresse. Un geste qui exprimait une distance, un retrait, plutôt que de l'intimité. Krishnaji était plein de bonté, mais cette bonté avait quelque chose d'impersonnel – c'était la main froide et sèche d'un médecin qui se tend, pas la main d'un amant, ni celle d'un mari.

Mike se mit au volant. Ses sœurs grimpèrent à l'arrière avec leurs maillots emballés dans leurs serviettes. Alors que le moteur pétaradait au démarrage, il entendit sa mère s'exclamer « Au revoir ! Au revoir ! » à l'adresse de Krishnamurti.

Mike appuya sur la pédale d'embrayage et passa les vitesses le plus doucement possible. Sans avoir à se tourner vers lui, il sentit que Krishnamurti s'écartait de la voiture. «Au revoir! Au revoir»! dirent les filles tandis que Mike tirait sur le starter en donnant un coup d'accélérateur. L'instant d'après, ils étaient sortis de la propriété.

Margo aurait voulu appeler le médecin pour qu'il fasse une piqûre d'adrénaline à leur mère, mais celle-ci affirma qu'elle n'avait besoin de rien ou plutôt juste de se coucher. Et en effet, dès qu'ils eurent franchi le col qui séparait la vallée d'Ojai de la descente vers le Pacifique avec, tout en bas, l'océan qui miroitait et l'horizon ourlé de brumes violettes, sa respiration devint moins sifflante.

Le lendemain était un dimanche. Il faisait frais et la brume blanchissait la lumière. Mike enfila son maillot et descendit alors que la maison était encore endormie. Il mangea une orange dans la cuisine, puis traversa la pelouse et s'immobilisa sur sa digue, face au Pacifique. L'air était humide et collant, mais ce n'était que de la brume, pas le redoutable brouillard marin. La brume se lèverait bientôt dans le soleil, surtout qu'il allait faire chaud aujourd'hui. Il dévala l'escalier en courant et plongea dans les vagues. Lorsqu'il sortit de l'eau, quelle ne fut pas sa stupéfaction de voir sa mère assise sur la digue. Elle portait un des gros tricots irlandais de son père sur une jupe en lin. Son petit Leica était suspendu à son cou.

«Qu'est-ce que tu fais? lui cria-t-il.

— Et toi?

— Je nage.

— Eh bien, je réfléchis.

— Tu réfléchis à quoi?» lui demanda-t-il en ramassant sa serviette pour se frictionner.

Cela faisait des semaines qu'elle était nerveuse, ne se maîtrisait pas, mais c'était fini. Il gravit les marches de béton pour s'asseoir sur la digue à quelques mètres de sa mère, les jambes dans le vide.

«Tu sais que tu es très beau, Michael?

– Oh, pas ça. »

Elle souleva son Leica, réarma, visa et appuya sur le bouton. Clic, clic, clic. Il était tellement habitué à être photographié – ils l'étaient tous – qu'il ne songea même pas à la prier d'arrêter.

« Tu vas divorcer à Reno ? » finit-il par prononcer en fixant l'objectif dans un froncement de paupières.

Elle abaissa son appareil et le regarda droit dans les yeux. Comme elle était à contre-jour, dans une lumière blanche éblouissante, il ne sut dire si elle était choquée, atterrée, pas étonnée ou simplement fatiguée. Elle leva le Leica et il entendit le bruit caractéristique de l'obturateur.

L'avait-elle appelée ou était-il venu de son propre chef ? Ils ne le surent jamais.

Une chose était certaine, elle ne les avait pas prévenus. Peut-être était-ce son idée à lui. Ou bien elle était au courant mais doutait qu'il puisse aller jusqu'au bout. Elle s'attendait peut-être à recevoir un télégramme ou un coup de fil du directeur de quelque hôtel de luxe de Chicago, Denver ou Salt Lake City, où Joe aurait fait étape – une nouvelle qu'elle aurait pris soin de ne pas dévoiler aux enfants.

Ils dormaient lorsque le taxi arriva. Lidia était dans la cuisine en train de siroter de la bière en jouant aux cartes avec son mari quand elle entendit la voiture. Dès qu'elle vit Mr O'Brien en sortir, elle monta en courant prévenir Iseult.

Trop impatient pour attendre le train régional, il avait pris un taxi depuis la gare de Los Angeles.

Réveillée par les bruits de pas et les voix de Lidia et de sa mère, Mike descendit, aperçut la valise de son père dans l'entrée et trouva ses parents dans le noir au salon. Son père était assis sur le canapé, sa mère dans un fauteuil.

« Ton père est arrivé », déclara-t-elle d'une voix calme.

Elle se leva et alluma une lampe sur une table.

Qu'est-ce qu'ils avaient fait dans l'obscurité? Ils s'étaient parlé ou étaient restés à se regarder sans rien dire? Son père sentait la sueur et le tabac. Sa mère était en chemise de nuit, sans châle, sans rien. Pieds nus. Impossible de savoir si elle était contente de voir son mari. Ce qui signifiait peut-être qu'elle ne l'était pas. Elle était devenue si maigre, songea-t-il. Son corps ressemblait à celui d'une ascète.

« Je viens de voir ton mur, Mike. »

Son père se leva. Son costume bleu était froissé, il avait besoin de se raser. Il était pâle, mais ses yeux toujours du même bleu insaisissable.

« J'irai le revoir demain matin. Tu l'as étayé avec des poutres?

— Et comment.

— Ça va?

— Pas trop mal.

— Bien. »

Debout devant son père, Mile ne savait pas quoi dire. Pendant les travaux de la digue, il s'était parfois senti plus proche des hommes qu'il employait – Miguel, Guillermo, Ruben – que de son père.

Ne sachant que faire d'autre, Mike s'avança d'un pas et tendit sa paume ouverte. Son père et lui échangèrent une poignée de main, mais Mike savait que son père était déçu: il s'attendait à quelque chose de plus, même s'il ignorait en quoi ce plus consistait.

Les filles ne le virent qu'au petit déjeuner. Il avait déjà soumis la digue à une inspection en règle et pris un bain de mer. Il arriva à table douché, rasé de frais et vêtu d'un costume en seersucker, avec à la main le *Los Angeles Times* qu'il venait de ramasser dans l'allée.

Après avoir déposé un baiser sur le front de Margo et de Frankie, il s'assit et attaqua son pamplemousse tout en lisant la une du quotidien. Mike et ses sœurs échangèrent un regard de part et d'autre de la table. Frankie retint un gloussement de rire.

Il n'y a pas que moi, décida Mike. *Il ne sait pas quoi nous dire.*
Alors que son père ouvrait le journal, ses yeux tombèrent sur le gros titre.

FAILLITE DE LA KREDITANSTALT BANK EN AUTRICHE
QUATRE MILLIONS DE CHÔMEURS EN ALLEMAGNE

« Tu es d'un fringant dans ce costume crème », lui dit Margo.
Sans lever les yeux, il répliqua :
« Je le prends comme un compliment. »
Le lendemain, il leur acheta un catboat de 4,20 mètres à voile aurique, un Sea Mew construit à Santa Barbara même. Margo le baptisa *Girl Guide*. Ils le sortirent tous les jours. Leur mère était la seule à posséder des notions de navigation, ayant fait jadis du bateau dans le Maine. Elle leur apprit à tirer des bords autour du port, puis dans la baie et, au bout d'une semaine, ils s'aventurèrent dans le détroit des Channel Islands. Leur père ne tarda pas à devenir un très bon marin, excellant dans le calcul des marées et des vents. En prenant la barre à tour de rôle, Margo et Mike apprirent à manœuvrer le voilier et à voir d'où venait le vent. Frankie était la seule à faire grise mine. Elle détestait le brouillard et se méfiait des coups de vent. Dès que la terre était hors de vue, elle était saisie par la panique. Elle passait ses après-midi au club de poney ou à la piscine du beach club avec ses copines.
Leur père n'évoquait même pas leur retour à Montréal – peut-être n'avait-il pas l'intention d'y retourner. Après tout, il y avait une crise économique majeure. Si l'on en croyait la presse, les affaires ne marchaient pas. Personne ne construisait plus rien. Ils allaient probablement passer un autre hiver en Californie.
Mike s'étonnait que Margo n'ait pas encore mis le sujet sur le tapis, elle qui avait son franc-parler et n'hésitait pas en général à faire valoir ses revendications en matière de vie sociale. Seulement, voilà, à la question de leur lieu de séjour pour l'année à venir

s'ajoutait celle du mariage de leurs parents, ou de leur divorce. Il savait que Margo, aussi désireuse fût-elle de retourner auprès de ses amies, surtout les Taschereau, redoutait d'aborder ce sujet délicat.

Chaque mercredi soir, le beach club organisait un barbecue et le premier samedi soir de juillet, un garçon escorta Margo à son premier bal. Iseult montait toujours à Ojai deux ou trois après-midi par semaine dans la vieille Lincoln, à présent réparée. Leur père lui avait proposé d'acheter un nouveau coupé Ford, mais elle avait refusé.

Un après-midi, au lieu de sortir en mer, Joe monta avec elle à Arya Vihara dans la Lincoln. Ils rentrèrent ce soir-là à Butterfly Beach hâlés par le soleil et fatigués, mais elle se tenait à son bras et tous deux souriaient. Ils s'étaient arrêtés sur le chemin du retour au Montecito Inn, où l'on servait une cuisine exquise et où ils avaient eu comme voisins de table Charlie Chaplin et une bande de gens de Hollywood.

Le lendemain, Iseult fit du bateau avec eux. Frankie se laissa persuader de les accompagner. Leur père prit la barre pour sortir du port. Une fois de l'autre côté du brise-lames, au moment de louvoyer, Mike vit sa mère frôler de sa main le poignet de son père. Était-ce le signe d'un regain d'affection en dépit de tous ses défauts, de toutes ses erreurs? Ou tout simplement cherchait-elle à lui indiquer qu'il fallait tirer une bordée?

Il savait que ses parents étaient persuadés que plus leurs émotions étaient fortes et profondes, moins ils devaient les montrer. Trahir ce qu'ils ressentaient, de leur point de vue, avait paradoxalement quelque chose de factice.

La houle était faible, la mer chaude et une petite brise du large se leva après trois heures de l'après-midi. Ils faisaient du bateau en famille. Avec Iseult à la barre, Margo à l'écoute de grand-voile, Frankie à celle du foc et Mike et leur père maniant la gaffe, ils parvinrent même à aborder un bateau de pêche. En vidant tous leurs poches, ils eurent assez pour acheter un crabe et un bar rayé, qu'ils ramenèrent dans un seau de glace et grillèrent pour leur dîner.

COLOMBIE-BRITANNIQUE
1931

Le retour

Elle sortait chaque fin d'après-midi au jardin cueillir des fleurs pour la table du dîner. Un soir, elle le vit assis sur la digue de Mike, de dos puisqu'il était tourné vers la mer. Depuis son arrivée, ils avaient partagé le même lit, mais pas une fois il n'avait fait un geste vers elle. D'ailleurs, elle ne savait pas comment elle réagirait s'il le faisait. Ce n'était pas commode de parler à Joe des choses importantes. Elle sentait qu'ils faisaient chacun de leur mieux pour éviter de se trouver seuls. Elle était toujours éprise de Krishnaji.

Pourtant quelque chose, le besoin de quelque chose, avait mené ses pas jusqu'à l'autre bout du jardin et l'avait poussée à s'asseoir sur la digue à côté de Joe, quoique pas tout près de lui. À quelques mètres.

« Je pense que nous devrions vendre cette maison, Iseult », lui dit-il.

Il avait perdu sa pâleur de citadin, il était même très bronzé. Un homme qui ne reculait devant rien. Du moins était-ce l'impression qu'il donnait. Ses mains, ses bras, ses épaules, son cou, tout chez lui dégageait de la force.

Le Pacifique roulait ses eaux d'un bleu tranquille, on distinguait à peine les Channel Islands à travers le voile de brume.

« La Californie est horriblement loin. Les enfants grandissent, il sera de plus en plus difficile de les enlever à leurs amis. Notre vie est sur la côte Est à présent. J'ai eu récemment un chantier à Portland, dans le Maine. C'est beaucoup plus près de Montréal. Il y a une maison à Kennebunk qui nous irait, je crois. C'est à six heures de route de Montréal. On achètera un voilier plus grand. Qu'en dis-tu ?

– Pour l'instant, je n'en dis rien. »

Chaque matin, même si un brouillard cotonneux avait englouti la plage, même si la marée était trop forte pour se baigner, il tentait le diable en plongeant dans les rouleaux.

« Tu ne m'as pas posé la question, mais je veux que tu le saches, Iseult. Je n'ai pas bu une goutte d'alcool depuis ton départ. Bon, c'est dit maintenant. »

Il tapota le béton de la digue.

« De la belle ouvrage. Ce garçon sait ce que c'est que de mener à bien un travail. Quand il aura fini ses études universitaires, il pourra me flanquer dehors et diriger l'entreprise comme il faut. »

C'était ainsi qu'il exprimait son amour : en organisant leur vie selon ses propres idées, projets, besoins.

« Je voudrais qu'on fasse un voyage tous les deux, Iseult. Toi et moi, seuls. Je pensais que nous pourrions remonter dans la montagne. Nous avons laissé là-haut un peu de bonheur, n'est-ce pas ? »

Elle eut la sensation que des mains lui serraient la gorge, mais l'instant d'après, elle respirait de nouveau normalement. Toutefois, elle avait trop peur des mots qui pourraient sortir de sa bouche pour parler. Cela ne servait à rien d'espérer tirer du passé de quoi sauver leur couple. Elle ramassa ses fleurs coupées et retourna à l'intérieur.

Pourtant, le lendemain, quand il réitéra son invitation, elle accepta. Tôt ou tard, il faudrait bien prendre le taureau par les cornes. Et elle préférait que cela ne se passe pas devant les enfants. L'éloignement lui permettrait peut-être d'y voir plus clair en elle-même, de débrouiller l'écheveau des désirs contradictoires qui mobilisaient à chaque instant ses pensées.

Il réserva une cabine de wagon-lit sur une ligne de la côte Ouest à destination de Seattle. Sur le quai à Los Angeles, il lui tendit un écrin de velours bleu. Elle y trouva une broche en or sertie d'une perle, un travail délicat, désuet. Elle l'épingla à sa poitrine, sachant qu'elle le blesserait si elle ne la portait pas, et elle n'avait pas envie de lui faire de la peine pour rien.

Ils partagèrent une grande couchette. La chaleur de son corps si proche du sien suscitait bien des sentiments, essentiellement dominés par la colère, la rancœur. Il essayait de la neutraliser. Elle passa la première nuit et la plus grande partie de la deuxième dans un fauteuil du salon, en négligé, à lire *La Terre chinoise* de Pearl Buck. Quand ils allaient au wagon-restaurant, elle emportait son roman. Joe regardait par la fenêtre les champs jaunes des vallées de l'Oregon et du Washington, où il possédait des terres. De temps à autre, elle levait les yeux de son livre et leurs regards se croisaient. La vue des couples d'âge mur qui n'avaient plus rien à se dire l'avait toujours déprimée. C'est ce qu'ils étaient devenus. Ses pensées désordonnées revenaient alors tourbillonner à tire-d'aile autour de Krishnaji.

Elle termina le roman à la gare de Seattle. Joe acheta le *Seattle Post-Intelligence*. Dans le train de Vancouver, elle lut un article sur les exactions commises en Mandchourie par les soldats japonais. Quatre heures plus tard, ils traversèrent le dépôt de la gare de Vancouver où des convois entiers de wagons de marchandises étaient mis à l'écart sur des voies de garage, portes ouvertes sur des rangées de vagabonds assis, jambes ballantes, tandis qu'une foule d'hommes et d'adolescents déambulait, sacs et couvertures sur l'épaule, le long des rails brillant sous la pluie argentée.

La dernière fois qu'elle avait vu Vancouver, c'était en 1914, sur la route de la concession. À cette époque, Joe O'Brien et elle n'avaient fait qu'un dans leur volonté et dans leurs désirs, mais ce n'était plus vrai aujourd'hui.

À l'hôtel Vancouver, ils prirent un tardif souper sur le pouce au Timber Club, puis montèrent tout de suite dans leur chambre. Le train de la Continental Limited partait à neuf heures le lendemain matin. Pendant que Joe se déshabillait, elle sortit sa chemise de nuit de sa valise et se fit couler un bain. À son retour dans la pièce, Joe dormait. Il souhaitait regagner son amour ; c'était la raison qui présidait à ce voyage. Joe ne pouvait pas vivre sans elle. Krishnamurti, si ; lui n'avait besoin de personne. Elle aurait voulu être ainsi. Mais elle avait fini par s'éprendre de lui : une situation humiliante.

Arya Vihara. Tous les deux étaient assis sous la véranda pendant que la belle-sœur de Krishnaji et la mère de celle-ci n'arrêtaient pas d'entrer et de sortir de la maison telles deux abeilles furieuses. Iseult était perdue, malheureuse dans son mariage, sans plus de goût à rien, vivante mais sans le goût de vivre. Elle rendait Joe coupable, avec ses cuites solitaires et clandestines. Elle ne comprenait pas ces fugues qu'elle jugeait irresponsables, ni ce qui les motivait, pas plus que leur survivance chez une personne par ailleurs si consciencieuse, si volontaire, si stable.

Les enfants pensaient que Krishnaji les privait de sa présence, mais en fait, il avait refusé de lui renvoyer autre chose que sa propre histoire. « Vous me regardez comme si j'étais un seau d'eau. Je ne suis pas un seau d'eau, madame. Si vous avez soif, allez à la cuisine. Versez-vous vous-même un verre au robinet, buvez. »

Le lendemain, le train de la Continental Limited quitta Pacific Station, la gare de Vancouver, pour remonter la vallée du fleuve Fraser sous une pluie battante. Après les paysages bruns de la Californie et du Washington, les vastes champs cultivés paraissaient luxuriants. Alors qu'ils parcouraient les kilomètres de voies qui serpentaient dans les gorges rocheuses de Fraser Canyon, Joe et elle étaient assis l'un en face de l'autre dans le wagon-salon. Elle lisait un énième article sur les saccages auxquels se livraient les Japonais en Chine, et sentait sur elle le regard de Joe.

Le voyage sans fin depuis la Californie, la sauvagerie de la montagne, l'impression d'être l'un pour l'autre des inconnus : elle y voyait la fidèle reproduction des premiers jours de leur mariage – sans doute était-ce intentionnel de la part de Joe – à laquelle toutefois manquaient le désir, peut-être, et la foi.

En traversant la gorge de Hell's Gate où le fleuve se rétrécissait et la voie ferrée se cramponnait à la pente le plus à-pic de tout le canyon, elle baissa les yeux vers l'eau au fond du vertigineux chaudron. Elle fut soudain prise d'une folle envie de laisser son journal, de traverser le wagon, de sortir sur la plate-forme et de se jeter dans le vide.

Elle posa son journal, mais au lieu de se lever, ferma les paupières et, le corps parfaitement immobile, caressa du bout des doigts le velours du siège. Elle résisterait à l'appel de la mort ; son père n'avait pas pu le faire, mais elle, elle le pouvait. Ses enfants ne grandiraient pas abandonnés et malheureux, privés de l'éducation d'une mère. Elle était peut-être instable, mais elle ne baisserait pas les bras.

Sous elle grondaient les roues, acier contre acier ; de tous côtés, les attelages des wagons claquaient, grinçaient, chuintaient. Un concentré de force brutale. Vitale. Une force rude, impassible, qui n'en finissait pas de foncer devant elle. Elle ouvrit les yeux et s'aperçut que Joe n'avait pas cessé de l'observer.

Dès lors, et pour le restant de ses jours, chaque fois qu'elle repenserait à cette traversée de Hell's Gate, elle éprouverait un sentiment d'émerveillement mêlé de terreur. Au fil du temps, ce souvenir deviendrait pour elle une source de courage. Près de se laisser happer par la confusion et le désespoir, elle avait eu un sursaut : elle avait résisté, elle en avait réchappé.

La mobilisation

Johnny Taschereau l'attendait dans le hall de l'hôtel Mont-Royal. En le voyant lever son poignet pour jeter un coup d'œil impatient à sa montre, Margo sut tout de suite qu'il y avait eu un changement. Elle n'avait que quelques minutes de retard et Johnny n'avait jamais l'air pressé en général.

Il la regarda approcher avec un sourire. Comme toujours, il était presque trop bien habillé dans le costume de Savile Row noir à fines rayures blanches qu'elle adorait, au pantalon coupé près du corps. Elle portait une robe d'été verte et sa capeline en paille noire.

Johnny l'embrassa sur les deux joues.

« Il paraît qu'on va être mobilisés », dit-il.

Elle eut alors l'impression qu'on déposait des sacs de sable sur ses épaules.

« Qu'est-ce que ça veut dire, Johnny ?

– *Qui sait* ?* »

Il la prit par le bras et ils traversèrent le hall en direction du bar.

« Je doute qu'ils envoient tout de suite le régiment de Maisonneuve se battre contre les panzers. Pour commencer, nous n'avons pas de munitions. D'un autre côté, vu la bêtise ambiante, sait-on jamais ? »

C'était la première fois qu'ils réservaient une chambre au Mont-Royal – ils prenaient des risques. Parmi ceux qui venaient déjeuner au restaurant de l'hôtel, beaucoup les connaissaient ; le tout-Montréal s'y donnait rendez-vous. Pendant des années, le principal book-maker de la ville avait opéré d'une suite au neuvième étage. Le Normandie Roof était le restaurant night-club préféré de Johnny. Les bureaux du père de Margo dans l'Édifice Sun Life n'étant qu'à quelques rues, Joe et Mike emmenaient parfois des clients y déjeuner. Mais voilà, Johnny et Margo avaient épuisé leur réserve d'hôtels convenables. Elle ne voulait jamais « utiliser » deux fois le même *endroit**. Ils avaient déjà rayé de leur liste le Ritz-Carlton, le Windsor, le Reine Elizabeth et le Berkeley. Les bons hôtels coûtaient cher. Johnny gagnait très peu d'argent en travaillant dans le cabinet de son père, mais sa grand-mère lui avait laissé une jolie somme. Au mois d'août, ils avaient passé deux après-midi brumeux et pluvieux dans un gîte touristique à trois kilo-mètres de Kennebunk Beach, et une nuit dans un gîte des White Mountains.

Johnny réservait toujours sous le nom de Constant Papineau, un cousin mort au champ d'honneur pendant la Grande Guerre. Margo sortait l'alliance qu'elle gardait dans son sac à main. Des rituels nécessaires, même si elle ne se faisait guère d'illusions : les concierges, les grooms d'ascenseur et les maussades tenanciers des gîtes savaient parfaitement ce qu'elle et Johnny venaient faire là.

Ils pénétrèrent dans la pénombre fraîche du bar du rez-de-chaussée où on les conduisit à une banquette. La salle n'était pas grande, et le manque de clarté dispensait une atmosphère non pas lugubre mais propice à l'intimité. Il y flottait une odeur de glaçons, de bois encaustiqué et de verres polis. Johnny commanda deux manhattans. Elle picora des amandes salées dans une sou-coupe en argent.

Tout l'été, un soir par semaine, Johnny avait suivi un entraî-nement avec le régiment de Maisonneuve, l'unité d'infanterie dont il était un réserviste volontaire. Margo avait passé le plus gros de son été dans le Maine, Johnny descendait pour le week-end dès qu'il le pouvait. Les deux familles avaient une maison à

Kennebunk Beach. Elle aimait la lumière dure de la côte, elle aimait avoir Johnny auprès d'elle sur la plage, son torse brun ruisselant d'eau. Elle aimait se tenir debout dans les vagues en se retenant à son bras.

Le jour où son bataillon serait mobilisé, les choses ne seraient plus aussi simples. Les « Maisies » pouvaient être envoyés outre-mer d'un moment à l'autre.

Leurs manhattans arrivèrent dans de grands verres remplis de glaçons, d'une finesse aussi exquise que le nectar qu'ils contenaient. Elle aimait le cliquetis de la glace, la couleur cuivrée du cocktail, l'éclat langoureux de la cerise.

Ils avaient l'habitude, quand ils étaient ensemble, de ne pas combler les vides par du bavardage. Tous deux avaient le don de susciter des silences qui les liaient aussi étroitement que tout ce qu'ils faisaient ensemble. Quand ils avaient l'impression d'être loin l'un de l'autre, ils se taisaient un petit moment. La quiétude qui s'installait alors ne manquait jamais de rétablir entre eux l'harmonie, même s'ils avaient des personnalités très différentes. Elle vivait une vie protégée, en retrait ; il était intrépide et ouvert sur le monde. Elle était solide comme un roc grâce à sa famille ; lui était malléable, encore en transformation. Elle montrait de la froideur, il était chaleureux. Pourtant, sous ses magnifiques costumes et ses airs de bon vivant, il était plus sérieux qu'elle. Il avait lu des centaines de livres, passé une année à étudier l'histoire du droit à la Sorbonne, appris à faire la cuisine, été cuistot dans un bouchon lyonnais et traversé l'Allemagne à motocyclette.

Au début de leur relation, il leur arrivait de ne pas échanger une parole. Ils entraient dans la chambre, se déshabillaient sans allumer l'électricité, défaisaient le lit et s'étendaient sur le drap propre. Il commençait par l'embrasser lentement, la conversation venait ensuite. Quand elle était dans ses bras, il voulait qu'ils parlent français. Son français scolaire était rouillé mais elle faisait des progrès.

« M'sieu dame ? »

Un serveur en courte veste rouge s'était matérialisé devant eux. Il attendait leur commande. Pour elle, ce fut une bisque de homard et une salade Waldorf. Elle avait les bras nus, elle n'avait pas encore perdu son bronzage. Johnny portait une chemise rayée et un *ascot* en soie sang-de-bœuf.

Quand ils se mettaient à parler, elle se surprenait en général à confier à Johnny Taschereau des choses qui la concernaient, elle et les siens, dont elle ne s'ouvrait à personne, même pas à Lulu, sa meilleure amie depuis le pensionnat. Il l'écoutait avec une telle attention, à la fois candide et sage, une disponibilité qu'elle n'avait rencontrée chez nul autre, que leur relation était devenue pour elle comparable à une drogue.

Le serveur s'éloigna. Margo trempa ses lèvres dans son cocktail. Les saveurs riches du breuvage glacé lui rappelaient qu'elle avait un passé et que tout ce qu'elle avait vécu – une accumulation désordonnée – l'avait conduite à ce moment-ci précisément.

« Maintenant, ma Margo, il va falloir parler de la guerre qui vient.

– Papa déteste la guerre.

– Pourtant la guerre lui a rendu la prospérité.

– Il le fait pour Mike. Papa pense que, s'ils croulent sous les commandes de guerre, Mike sera moins pressé de partir se battre. Le gouvernement ne lui permettra peut-être pas de s'engager. »

Pendant la crise, son père avait fermé son entreprise, mais dès l'entrée à Prague des troupes allemandes, il avait loué des bureaux dans l'Édifice Sun Life et engagé des ingénieurs et des employés de bureau. Mike, qui détenait un diplôme d'ingénieur de l'université McGill, revint de Californie. Leur père l'avait nommé chef de projet sur un chantier d'un million de dollars : la reconstruction d'un ancien terrain d'aviation militaire de l'autre côté du fleuve. De nombreux ingénieurs avaient plus d'expérience que Mike, mais c'était Mike que leur père avait choisi.

Elle toucha la main de Johnny.

«Si seulement on pouvait passer une semaine de plus dans le Maine. Crois-tu que tu arriverais à te libérer ? Ce ne serait pas pour longtemps, Johnny.

– Je vais y réfléchir.

– Tous les deux, seuls à la plage.

– La mobilisation peut avoir lieu n'importe quand.

– Tu nous remets donc entre les mains de la Providence ? »

Il haussa les épaules avec un sourire.

Elle vit oncle Grattan dans sa tenue d'aviateur traverser le hall de l'hôtel. Prenait-il le chemin du bar ? Mais Grattan – si c'était vraiment lui – ne reparut pas. Sans doute était-il entré dans la salle de restaurant, toujours bondée à midi.

Après la vente de sa station de sports d'hiver à des investisseurs américains, son oncle s'était mis à tenir une chronique dans le *Montreal Herald* sur les questions militaires et les affaires étrangères. Depuis la prise du pouvoir par Hitler, il avait effectué trois voyages en Allemagne ; il écrivait que les Allemands étaient un peuple fasciné par l'«âge des ténèbres». Une fois Prague occupé par les nazis, ses articles furent repris régulièrement par quantités de journaux du dominion, en Australie, et parfois par l'*Evening Standard* de Londres.

Grattan s'était récemment fait élire maire de Westmount, le premier catholique à ce poste. Une fonction avant tout honorifique, à en croire le père de Margo. Westmount constituait au milieu de Montréal une enclave gérée par un administrateur extrêmement compétent, lequel était chapeauté par un conseil municipal composé des hommes d'affaires les plus avisés du pays. Même avec son collier de chevalier et ses réverbères en fonte à l'entrée de son petit immeuble de l'avenue Carthage, Grattan n'avait qu'un rôle représentatif, disait toujours le père de Margo. «Ça lui rapporte quoi ? Cinq cents dollars par an ? Nous payons plus l'employé de la fourrière. »

Pendant la visite royale l'été précédent, Grattan, en chapeau de soie et pantalon rayé, bardé de médailles, avait reçu le roi et la reine à l'hôtel de ville de Westmount. Il était ensuite monté avec eux dans la Cadillac officielle jusqu'au parc de Murray Hill – rebaptisé parc King George en l'honneur du monarque. Dans son discours hésitant, le petit roi déclara se rappeler la cérémonie de 1918 à Buckingham Palace où son père avait épinglé l'Ordre du service distingué à la poitrine du capitaine Grattan O'Brien du Royal Flying Corps.

Cet après-midi-là, dans le parc, Grattan fit une intervention critiquant le manque de préparation à la guerre du dominion. Ce qui était la vérité, admettait le père de Margo. Le pays n'était pas prêt. N'empêche, il détestait voir son frère faire le zouave devant une bande d'Anglais assoiffés de sang. « Tu n'as pas assez soupé de la guerre la dernière fois ? » avait-il crié à Grattan le dimanche, alors que l'Angleterre était déjà entrée en guerre et que le Canada n'allait pas tarder à l'imiter.

À présent, dans le bar de l'hôtel Mont-Royal, Johnny lui disait :

« Je ne peux pas partir vu l'état des choses. Mais peut-être dans quelques semaines, si on est encore là. »

Avant qu'on leur serve leurs cocktails, elle avait pris discrètement la clé de la chambre dans la poche de son veston. Leur numéro était au point. Elle avait en commun avec son père le goût de la furtivité – et des chambres d'hôtel.

Pourquoi se sentait-elle si proche de Johnny ? Il était le seul homme qu'elle ait jamais connu. Il possédait le don du plaisir. Avec lui, elle se sentait bien. Et elle avait conscience d'exercer sur lui une séduction irrésistible. Sa mère avait-elle éprouvé quelque chose d'approchant avec son père ? Avaient-ils fait l'amour comme on se bat ? Les seuls moments où elle se sentait entière, c'était au lit avec Johnny Taschereau.

Ils ne discutaient jamais de leur relation. L'un d'eux avait-il jamais prononcé le mot *amour*, en français ou en anglais ? Lui, non, en tout cas. Elle n'en était pas moins convaincue que l'amour était ce qui les liait. Ce philtre qui rendait leurs silences intimes et magiques. C'était lui aussi qui exacerbait ses perceptions pendant les instants solitaires et poignants où il s'endormait. Après l'amour, il était semblable à un oiseau mort, chaud, chatoyant, tandis qu'elle gardait les yeux grands ouverts, tous les sens en éveil. Parfois, elle se disait qu'elle l'épouserait. Mais dehors, hors des chambres d'hôtel, cette perspective semblait moins plausible, compromise, presque désespérée.

Johnny Taschereau et le père de Margo s'entendaient bien. De tous les jeunes gens qu'elle avait ramenés à la maison, il était le seul que Joe eût invité dans son bureau.

« De quoi avez-vous parlé ? avait-elle demandé à Johnny.

– De toi. Et nous avons d'autres sujets d'intérêt communs. La bourse. La politique. Ton père n'a pas grand-chose à dire, mais tout ce qu'il dit est juste. »

Johnny était moins vulnérable que son père, plus souple, plus cynique, plus à l'aise dans le monde. Elle imaginait mal Johnny fuguant à Manhattan par le train de nuit. Elle ne voyait pas quel problème il ne serait pas capable de regarder en face, quelle émotion ou sentiment il ne saurait formuler, en l'accompagnant d'un trait d'ironie. Johnny Taschereau était solide comme le chêne.

S'il partait à la guerre, qu'allait-elle devenir sans lui ? L'amour lui avait fait découvrir sa propre incomplétude.

Ses parents avaient vendu la maison de Butterfly Beach en 1932 et en avaient fait construire une nouvelle à Kennebunk, dans le Maine. L'été, ils passaient deux ou trois semaines à naviguer dans Penobscot Bay à bord de leur vieux Friendship Sloop, juste tous les deux, sans enfants.

Trois semaines après l'invasion de Prague, un adjoint du gérant de l'hôtel Pierre à New York avait téléphoné chez eux. Mr O'Brien était souffrant ; un des siens pouvait-il venir le chercher ?

À sa connaissance, c'était sa première fugue depuis celle qui avait déclenché leur départ en Californie. Elle avait accompagné sa mère à New York. Elles l'avaient trouvé dans sa suite du Pierre, les fenêtres grandes ouvertes sur le vent qui soulevait les rideaux et brassait le papier à lettres de l'hôtel sur la table.

Un infirmier lui avait fait sa toilette et l'avait habillé. Pendant qu'Iseult se reposait dans la chambre, Margo avait emmené son père chez le barbier de l'hôtel pour qu'on le rase et qu'on lui coupe les cheveux, puis dans un coffee-shop de Madison Avenue, où il avait avalé un jus d'orange et du café pisseux mais avait refusé de toucher à ses œufs brouillés, même après que le serveur lui eut apporté de la sauce Worcestershire.

Pendant le retour, laissant son père ronfler dans le wagon-salon tandis que le train longeait l'agglomération d'usines autour de Poughkeepsie, sa mère et elle, attablées au wagon-restaurant devant des bols de soupe à la tomate, avaient évoqué le voyage que Joe et Iseult avaient fait en 1931, de Santa Barbara aux monts Selkirk. Sa mère employait le terme de pèlerinage. En se rendant là-bas, si loin, ils avaient retrouvé ce qui comptait le plus pour eux, et cela avait sauvé leur mariage. C'était une belle histoire, avait songé Margo, mais sa mère y croyait-elle vraiment ? Surtout à cet instant où le deuxième pèlerin était affalé à quelques mètres d'elles, rasé de frais mais souffrant d'une gueule de bois carabinée.

Il y avait peu d'hommes de l'âge de son père dans le bar de l'hôtel Mont-Royal, et deux d'entre eux étaient en uniforme. « Des capitaines, précisa Johnny en jetant un coup d'œil dans leur direction. On a beaucoup de capitaines quinquagénaires de la dernière guerre. Il va falloir s'en débarrasser. »

Après le café, ils firent semblant de se dire au revoir. Johnny se leva, ils s'embrassèrent en camarades, sur les deux joues. Elle le laissa debout au bar et traversa le hall. Des hommes d'affaires américains qui débarquaient de la navette de l'aérogare formaient une grappe autour de la réception. Dans les fauteuils, des clients lisaient les journaux londoniens de la veille, imprimés sur du papier avion aussi mince qu'une pelure d'oignon.

Parfois il valait mieux ne pas trop réfléchir et foncer. La chambre était au septième étage. Comme elle ne voulait pas qu'on la voie danser d'un pied sur l'autre devant l'ascenseur, elle passa devant le stand de journaux, puis enfila un couloir bordé de boutiques : fleuriste, barbier, magasin de fourrures. Le désir sexuel – plus proche de la soif que de la faim – devenait indissociable de son humeur furtive. Cette dernière faisait partie intégrante de son plaisir.

Une porte à double battant en acier s'ouvrait sur l'escalier de service dont les murs peints d'un blanc immaculé reflétaient une lumière électrique crue. Manifestement, personne n'empruntait jamais ce passage. Elle gravit rapidement deux étages, ses talons claquant sur les marches en béton, et déboucha sur un large couloir moquetté et bordé de portes identiques, numérotées et laquées de noir. Elle trouva l'ascenseur. Comme il mettait du temps à arriver, elle se regarda dans la glace. Sa robe n'allait pas du tout – trop gamine, pas assez chic. Elle l'avait commandée au printemps, avant que les choses ne soient allées aussi loin avec Johnny, avant qu'elle ne se soit pleinement épanouie. La capeline noire, ça, c'était davantage son style maintenant. Elle avait bonne mine, la taille fine, les jambes longues. Elle se trouvait parfois trop maigre, avec des seins trop petits. Ses épaules et son visage étaient en revanche photogéniques. Tante Elise l'avait prise en photo pour un article du *Star Weekly* sur la vie nocturne montréalaise. Elise aimait bien ce portrait d'elle et lui avait demandé si elle pouvait l'inclure dans sa nouvelle brochure, avec la légende : « Une fiancée montréalaise ».

« Mais c'est faux. Je ne suis pas fiancée, Elise. Il n'a jamais parlé de mariage.

– Regarde-toi. Tu es la fille que tout le monde veut épouser.

– Pas lui », avait-elle murmuré.

Passeraient-ils l'après-midi dans la chambre ou serait-il obligé de retourner au bureau ? Les Taschereau étaient avocats de père en fils depuis plusieurs générations; Louis-Philippe n'aurait pas apprécié que son fils refuse d'intégrer son cabinet. Johnny ne se plaignait jamais, mais elle savait qu'il s'y ennuyait.

Elle portait le bord de son chapeau rabattu sur le visage; une femme qui dissimule un mélange de sentiments disparates et contradictoires, un peu comme si elle transportait une valise pleine de linge sale. Ses émotions puaient le désir, un désir brutal et lancinant. Ainsi c'était cela que les gens appelaient l'amour. Elle en avait les jambes en coton. À moins que les deux manhattans bus au déjeuner et son sprint dans l'escalier de service…

Elle regarda le mouvement languide de l'aiguille sur le cadran au-dessus de l'ascenseur. Si elle avait attendu plus longtemps dans le hall, elle serait probablement tombée sur son père. Qu'aurait-il fait? Qu'aurait-il dit?

Le jour où Johnny était venu la chercher en uniforme après une parade militaire organisée par la paroisse, son père avait dit: «Il fera un bon mari s'il ne se fait pas tuer.»

Si jamais elle perdait Johnny, se refermerait-elle sur elle-même, comme une crevette dans un verre de gin? Ou continuerait-elle à mener la même existence – voluptueuse, dissolue – avec un autre homme? Elle l'ignorait. Mais une chose était sûre: elle était dans la vraie vie, elle prenait des coups, elle en garderait les cicatrices.

L'ascenseur arriva et s'arrêta avec un léger tressautement. Les portes s'écartèrent. Il était bondé, encombré de grooms, de valises, d'hommes d'affaires américains en flanelle grise. Le moment de se pencher sur ses états d'âme était passé.

«Il y a encore une place? demanda-t-elle en souriant au garçon d'ascenseur.

– *Bien sûr, mademoiselle**.»

Deux heures plus tard, elle se réveilla dans un lit en désordre. Johnny était au téléphone. Un rai de lumière entre les rideaux tirés striait la douce obscurité de la chambre. Elle distinguait sa silhouette. Assis à la table, il maintenait l'écouteur contre son oreille. Il était nu.

« *Oui, oui, je comprends**. »

Elle se sentait défaite, courbatue. Les rêves de chambre d'hôtel étaient toujours pesants, déjà elle oubliait celui dont elle émergeait. Elle fit un effort pour reprendre pied dans la réalité.

« *À bientôt**. »

Johnny raccrocha. Il avait un cou et des épaules magnifiques.

« Qui était-ce ? » s'enquit-elle d'une voix rauque.

Il se tourna vers elle. Un visage aux traits forts, très français, comme ses cheveux châtain foncé qu'il portait assez longs.

« J'ai téléphoné à Rainville, notre adjudant. Je me suis dit que si quelqu'un était au courant de quelque chose, c'était lui. »

Elle était nue au lit dans une chambre de l'hôtel Mont-Royal, rue Peel, à Montréal, au cœur de la province de Québec, dans le dominion du Canada coloré en rouge sur la mappemonde à cause de son appartenance à l'Empire britannique, et à ce titre engagé dans le conflit.

« J'ai bien fait. Il vient de recevoir un télégramme déclarant la mobilisation de tous les volontaires. De son métier, il est éditeur, tu sais. Et il était furieux qu'on le lui ait envoyé en anglais. *Mon Dieu**, que tu es belle !

– Et alors ?

– Eh bien, ma section est chargée de monter ce soir la garde sur la jetée Victoria[1]. Ensuite, je ne sais pas ce qui va se passer. Ça va être dur de rassembler tout le monde. Ils n'ont pas tous le téléphone. Il faut que je fasse d'abord un saut chez moi pour me mettre en uniforme. Peux-tu me conduire ?

– *Reviens au lit**, Johnny. »

---

1. Réservée aux navires de guerre.

En souriant, il revint s'allonger auprès d'elle. Elle posa sa tête sur son épaule. Ils restèrent comme ça. Au milieu de l'après-midi, une chambre d'hôtel, c'était un écrin obscur et secret. Depuis le lit, elle sentait l'odeur de la savonnette dans la salle de bains. La poitrine de Johnny était chaude comme s'il avait de la fièvre.

Il faisait de son mieux pour cacher son excitation, car celle-ci n'avait rien à voir avec Margo et il ne voulait pas lui faire de la peine. Mais il était impatient de se lever, de se rhabiller, d'entamer le chapitre suivant de sa vie. D'un autre côté, il était très bien élevé.

Entre eux s'établissait déjà une certaine distance. Elle lui prit la main, une main virile, robuste, et se mit à lui embrasser le bout des doigts.

«*Jolie**», lui dit-il.

Elle la voyait maintenant. La guerre. Aussi étouffante qu'une épaisse et sombre moquette d'hôtel qui se serait déroulée en libérant une odeur de poudre antimite, la guerre occultait jusqu'à la lumière du jour. Dieu sait pourtant qu'elle l'avait appelée de ses vœux, cette guerre, comme la plupart de ses amis d'ailleurs, davantage par désœuvrement que par véritable conviction.

«Si tu veux bien me conduire à droite à gauche dans Montréal-Est, je vais essayer de récupérer mes hommes. C'est peut-être une fausse alerte. Mais les ordres sont les ordres.»

Dès qu'il parlait anglais, ils n'étaient soudain plus aussi proches. C'était comme si une autre femme avait surgi de nulle part, comme si elle lui découvrait une épouse. Éveillée par cette pensée, la douleur aiguillonna son désir. «Viens, Johnny, prends-moi.»

Il devint instantanément dur, elle se laissa caresser, s'ouvrit et l'instant d'après, elle le sentit en elle. Elle enroula ses jambes autour de ses hanches. Il y avait dans l'intensité de la pénétration et du balancement de leurs corps quelque chose de fulgurant, de l'ordre de la panique. Comme s'ils cherchaient à extraire l'un de l'autre une force nerveuse, primitive. Comme s'ils conduisaient une voiture à toute vitesse; car même Johnny Taschereau n'était pas immunisé contre la peur. Une accélération à la limite de la perte de contrôle. Elle ne pouvait pas être sûre de ce qu'il éprouvait, mais sous son excitation, sa peur était néanmoins palpable.

Quand il éjacula puissamment, elle se retint à ses épaules puis lâcha prise, propulsée au cœur d'une tempête, secouée par des spasmes, des larmes jaillissant de ses yeux, et elle respira sa propre haleine.

Elle n'avait pas pris la précaution de mettre son diaphragme ; il l'avait sûrement remarqué, mais il n'avait rien dit.

Il resta sur elle une minute. Elle sentit le cœur de Johnny battre contre sa poitrine. Puis il l'embrassa, se leva et disparut dans la salle de bains. Elle entendit le bruit de la douche. Une phase de leurs relations venait de se terminer, et une nouvelle, encore plus périlleuse, venait de commencer.

Un voiturier de l'hôtel lui avança sa décapotable crème et elle passa aussitôt prendre Johnny au coin de Mansfield et Sherbrooke, à deux rues du Mont-Royal. Elle avait le goût des subterfuges, de la dissimulation et du mensonge, elle y évoluait dans son élément. Certes, elle aurait préféré ne pas avoir à porter une alliance, mais dans l'ensemble, elle s'était bien débrouillée pour passer inaperçue. Cela aussi les rapprochait.

Ils prirent la direction de Westmount. Sur Murray Hill, ils passèrent par l'avenue Skye. Elle jeta un coup d'œil à sa maison. À cette heure, il n'y avait personne, hormis la cuisinière et les bonnes ; ses parents étaient toujours occupés. Même Frankie faisait du bénévolat à la clinique en espérant qu'on lui confierait un vrai travail. Mike passait sa vie de l'autre côté de la rivière à diriger la construction de son terrain d'aviation. Dernièrement, il voyait beaucoup la copine de pensionnat de Margo, Mary Cohen, de retour à Montréal après plusieurs années en Europe – Margo les avaient vus ensemble au Normandie Roof et au restaurant Mother Martin's. On racontait que Buck Cohen avait filé après que des gangsters new-yorkais eurent tenté de l'assassiner ; il était mort d'une crise cardiaque sur la Côte d'Azur. Mary et sa mère, qui était irlandaise, habitaient désormais avenue Carthage. Mary était secrétaire dans un cabinet d'avocats juifs qui se trouvait dans l'Édifice Sun Life.

Mike était officier de réserve volontaire dans le Royal Montreal Regiment. Margo connaissait des garçons de cette unité bilingue qui attendaient d'être envoyés outre-Atlantique d'un jour à l'autre. Mais le ministère des Munitions et des Approvisionnements avait classé la mission de Mike comme prioritaire dans les « efforts de guerre de l'Empire ». Par conséquent, il ne devait pas être appelé en service dans l'armée d'active. Elle avait été un peu étonnée qu'il accepte cette décision, mais il se rendait sans doute plus utile en construisant des terrains d'aviation militaires qu'en formant de jeunes recrues dans le parc Westmount, d'autant que son frère n'avait jamais manifesté beaucoup d'intérêt pour la vie de soldat.

Personne n'était là non plus chez les Taschereau, sauf la cuisinière, qui dormait, et la vieille femme de chambre, Albertine. Pendant que Johnny montait se changer, Albertine conduisit cérémonieusement Margo au salon et lui demanda si elle voulait du thé.

« *Non, merci*.* »

Albertine était une lointaine parente des Taschereau, originaire du comté d'Arthabaska, où la famille possédait toujours des exploitations agricoles. Elle avait servi de nounou à Johnny jusqu'à son remplacement par une Écossaise. Après vingt-cinq années à Westmount et autant d'étés dans le Maine, Albertine ne parlait toujours pas anglais. Elle allait quatre ou cinq fois par semaine à la messe à Saint-Léon-de-Westmount, où elle s'asseyait aux places réservées aux Taschereau.

Margo, gênée par les petits yeux noirs qu'Albertine dardait sur elle, traversa la pièce pour se poster à la fenêtre. Elle fouilla du regard le bout visible du parc de Murray Hill, que personne n'appelait par son nouveau nom, parc King George. Les courts de tennis n'attiraient guère de monde en ce moment. Les mauvaises nouvelles venues d'Europe empêchaient-elles les gens de s'amuser ? Peut-être était-ce tout simplement l'été qui tirait à sa fin. Elle ne voulait pas qu'il se termine, pas encore.

Des bancs de nuages se formaient au-dessus du parc où deux garçons jouaient au foot – encore un signe de l'automne. La journée perdait de sa luminosité. Le ciel se colorait de différentes nuances de gris, avec des parties si noires qu'on pouvait craindre un orage. Il allait sans doute pleuvoir.

Johnny n'avait jamais pris au sérieux son entraînement militaire. Il disait toujours en plaisantant que le colonel Rivard, quoique détestant les « Boches », préférerait cent fois se battre contre les Anglais dans l'Ontario. Les Maisies étaient surtout portés sur le hockey et les jeux de ballon. Les plus jeunes volontaires venaient de l'université de Laval, à l'exception de quelques étudiants de Loyola, comme Johnny. Les capitaines et les majors étaient tous d'anciens combattants des tranchées, moyenne d'âge quarante-six ans.

Johnny n'était pas encore redescendu. Margo ne l'entendait même pas. Si Albertine n'avait pas été là, elle serait montée le rejoindre. Elle aurait adoré voir sa chambre.

À Kennebunk Beach, les maisons étaient toutes fermées pour la saison, leurs fenêtres côté mer protégées par des planches. Il y avait toujours un violent orage en septembre, avec d'énormes vagues vertes et des trombes d'eau tiède. Hélas, Kennebunk était à cinq cents kilomètres de Montréal. On disait que si la guerre durait, il faudrait rationner l'essence et les pneus. Déjà ce n'était plus aussi facile de changer des dollars canadiens contre des dollars américains. Elle se demanda quand elle reverrait l'océan.

Elle avait toujours admiré le salon des Taschereau. Le mobilier aux lignes épurées était beaucoup plus moderne que celui de ses parents. Elle aimait en particulier le tapis gris perle et les lampes japonaises. Mme Taschereau appartenait à une famille de Philadelphie et collectionnait des toiles d'artistes canadiens. Des paysages du Grand Nord, du *pays sauvage**, étaient accrochés aux murs à côté d'œuvres plus abstraites de peintres de Montréal, les mêmes que ceux que la mère de Margo affectionnait : Paul-Émile Borduas, Alexander Bercovitch, Jack Humphrey.

Toujours consciente de la présence vigilante d'Albertine, Margo se dirigea vers le piano à queue sur lequel était posée, dans un cadre d'argent, une photo de Johnny prise par tante Elise avant son départ pour l'Europe. À vingt et un ans, il n'avait pas l'air très heureux, mais pas malheureux non plus. Elise avait décelé chez lui un trait de son caractère qui passait inaperçu à cause de sa nature joyeuse : il était sur ses gardes. Elle avait choisi de faire poser Johnny dehors, *en plein air**, ce qui n'était pas dans ses habitudes de photographe de studio. Johnny lui avait raconté qu'ils avaient sillonné le centre-ville avant de tomber sur un vieil érable au sommet de la rue Peel, au bord du parc du Mont-Royal.

« De quoi avez-vous parlé en vous promenant ?
– De la lumière.
– Elle n'a rien dit sur notre famille ?
– Pas vraiment.
– Les gens accusaient autrefois oncle Grattan d'être fou.
– Eh bien, ce n'est plus vrai aujourd'hui. »

Sur ce portrait, Johnny avait les cheveux soulevés par le vent et semblait porter son regard vers un lointain horizon. *La guerre*, songea Margo. *Était-ce la guerre qu'il voyait venir ?*

Mais le cliché datait de 1935 ou 1936. À l'époque, personne ne pensait à la guerre. Il regardait peut-être un écureuil, ou un bus qui filait sur l'avenue des Pins. Elise l'avait emmené sur la colline pour bénéficier d'un éclairage plus favorable. Margo avait assez travaillé avec des photographes pour savoir qu'ils étaient prêts à tout pour trouver la bonne lumière.

« *Alors** ? »

Elle pivota sur elle-même. Albertine avait disparu et Johnny, sac sur l'épaule, se tenait sur le seuil dans son uniforme neuf.

« *On y va*?* »

Il griffonna un mot pour ses parents, puis il se rendit à la cuisine. Elle l'entendit dire au revoir à la cuisinière et à Albertine, qui sortit avec lui, leur ouvrit la porte et les suivit des yeux pendant qu'ils se dirigeaient vers la voiture. Johnny se retourna pour lui adresser un signe de la main, mais la petite femme en robe noire et tablier amidonné resta immobile, comme figée, semblable à l'une de ces statues folkloriques canadiennes françaises sculptées dans du bois de pin massif.

Ses premiers adieux avant le départ. À cette pensée, comme si elle venait de recevoir une gifle, elle chancela sur ses hauts talons qui claquaient sur les dalles en ardoise de l'allée. S'il ne l'avait pas tenue aussi fermement par le bras, elle se serait effondrée sur l'herbe et, à quatre pattes, aurait pleuré, craché et hurlé à la mort!

Il se mit à pleuvoir alors qu'ils amorçaient leur dernière montée avant Montréal-Est. Johnny conservait les adresses de tous les hommes de sa section dans un petit carnet noir. Ils n'étaient que quatre à avoir un numéro de téléphone, et ceux-là, l'adjudant se chargeait de les appeler. Johnny avait pour mission de prévenir les autres et de se rendre au rapport à huit heures du soir à la caserne de la rue Craig.

Sous les torrents de pluie tiède, la rue était jonchée de branches et de feuilles. Des voitures, au moins une douzaine, s'étaient garées sur les bas-côtés. Le pare-brise était embué, les balais d'essuie-glace d'une lenteur exaspérante dans la montée. Au sommet de la colline, Margo sentit tanguer la voiture sous la pression du vent qui soufflait en rafales. La pluie tambourinait sur la toile de la capote. Johnny se pencha pour essuyer la vitre avec son mouchoir, mais on ne voyait toujours rien. Rétrogradant en seconde, elle alluma les phares. C'était comme conduire au milieu d'un nuage. Mais dans la descente, elle eut la satisfaction de voir les balais d'essuie-glace accélérer le rythme.

Johnny alluma une cigarette et la lui passa. Ils s'étaient réinstallés dans leur silence coutumier.

En août, alors que tout le monde était rentré à Montréal, Margo et Frankie avaient passé du temps seules dans la maison de vacances familiale, Johnny dans celle des Taschereau. Ils projetaient de rentrer ensemble, mais à la dernière minute, Frankie avait été invitée chez des amis à Ogunquit; Margo et Johnny étaient donc partis tous les deux. Personne ne les attendant à Montréal, ils s'étaient arrêtés dans un motel à Franconia, avaient acheté à l'épicerie de quoi manger ainsi que de la bière, préparé un feu dans leur cabane et passé la nuit ensemble. Le lendemain matin, en traversant la verte vallée du Saint-Laurent entre d'odorants champs de luzerne, Margo s'était sentie propre, puissante, à l'abri du danger.

Johnny mit la radio et trouva la station qui diffusait les nouvelles en français. Les Polonais suppliaient Londres et Paris de leur envoyer des troupes. Des vents extrêmement violents avaient provoqué le déraillement d'un train au nord de Boston. L'ouragan qui avait pris naissance dans les Caraïbes se rapprochait de Montréal. Deux enfants du quartier Saint-Henri, un garçon et une fille, jouaient dans la rue quand ils avaient été électrocutés à la suite de la chute d'une ligne électrique. Le présentateur ne fit pas la moindre allusion à une mobilisation.

« C'est ça, le secret militaire, commenta Johnny. Personne ne sait ce que nous faisons… même pas nous! Alors, messieurs les Allemands, prenez garde! »

La voiture dévalait à présent le boulevard du Mont-Royal vers le centre de la ville francophone. Johnny examina sa liste.

« Le soldat Gingras, Jean-Louis, 3412 boulevard Saint-Joseph. Tourne ici, à droite. Roule jusqu'au boulevard Saint-Joseph, puis tourne à gauche. »

La pluie martelait la capote. Cette tempête était un signe. L'été se terminait d'un seul coup, et sa vie tout entière s'apprêtait à basculer.

Ils trouvèrent le jeune Gingras sur le balcon de l'appartement familial, au troisième étage d'un immeuble. Lorsque Johnny lui cria de descendre, il rentra en toute hâte mettre son uniforme. Pendant que Margo attendait au volant, Johnny sonna à deux autres portes du même pâté de maisons. Un des soldats, un caporal, était au travail dans une grande boulangerie de la rue Marie-Anne, mais le deuxième était là ; il descendit en tenue et s'assit à l'arrière auprès de Gingras. Ils prirent le chemin de la boulangerie, où Johnny ne tarda pas à repérer son caporal. Il lui ordonna de rentrer chez lui passer son uniforme et lui donna de quoi prendre un tram jusqu'à la rue Craig. Après quoi, ils se rendirent chez d'autres qui habitaient des appartements ou des taudis dans des douzaines de rues à l'est du boulevard Saint-Denis. Margo ne connaissait pratiquement pas le quartier ; il lui parut austère et gris. Pas de magasins. Johnny n'arrêtait pas de héler des taxis qu'il remplissait de jeunes soldats avant de les envoyer à la caserne. Il n'y avait pas un chat dans les rues, sans doute à cause de l'orage, et très peu de voitures. Ils passaient sans cesse devant d'énormes églises de pierre grise.

Au bout de deux heures, Johnny avait rempli trois taxis supplémentaires à destination de la caserne et quatre gaillards en tenue de combat s'entassaient sur la banquette arrière de la voiture de Margo. Ils étaient aussi joyeux que de jeunes chiens. Il faisait noir. Des torrents d'eau se déversaient du ciel. Johnny, penché en avant, s'acharnait à essuyer la buée sur le pare-brise.

Dans l'avenue du Parc, Margo aperçut soudain un tramway figé sur ses rails au beau milieu de la chaussée inondée. À la vue des éclairs électriques sur la caténaire, Margo, la gorge nouée de terreur, eut du mal à résister à l'envie de se ranger le long du trottoir, de sauter hors de la voiture et de se sauver en courant. Elle retint son pied prêt à écraser la pédale de frein. Et voilà sa peur supplantée par un calme froid, ou plutôt un engourdissement intérieur – peut-être s'agissait-il d'un instinct, se dit-elle, semblable à celui de l'oiseau se préparant, avec des milliers d'autres, à une migration sans fin. Elle serra plus fermement le volant et, au lieu de freiner, accéléra. À la dernière seconde, les roues de sa voiture soulevant une gerbe d'eau noire, elle contourna le tram et ses câbles illuminés.

Johnny, qui étudiait son calepin noir à la lumière d'une lampe de poche, avait à peine remarqué sa manœuvre magistrale. En vérifiant les noms sur sa liste, il se remit à lui indiquer le chemin avec une précision extraordinaire, la guidant de rue en rue, de taudis en taudis. Margo s'efforça de balayer de sa conscience la plus petite particule d'apitoiement sur soi, de terreur, pour suivre ses instructions sans flancher.

Violence

MONTRÉAL
OCTOBRE 1939

Le lundi étant son jour de congé, Frankie descendit s'acheter des chaussures dans le centre-ville. On disait partout que la pénurie s'installait, et elle ne voyait pas comment elle pourrait se passer d'une bonne paire de chaussures.

Elle prit le tram avec Margo jusqu'au square Phillips. Sa sœur continuait jusqu'à la rue Craig rendre visite à Johnny Taschereau. Ils devaient discuter de l'organisation de leur mariage, précipité par la guerre puisque le régiment de Johnny risquait d'être envoyé outre-mer d'un jour à l'autre.

Frankie ne niait pas la frivolité de sa propre expédition. Elle avait vu des garçons à l'entraînement dans le parc Westmount, elle avait regardé les actualités de Pologne qui montraient des enfants et des chevaux blancs morts sur les routes, mitraillés par des avions nazis. Et sa sœur épousait un homme qui serait bientôt au cœur des combats. D'un autre côté, l'idée de ne plus pouvoir se procurer des chaussures neuves lui semblait quelque chose de terrible et de bizarre.

Elle ne trouva rien qui lui convînt dans les grands magasins. En entrant chez Holt Renfrew, saisie d'une subite inspiration, elle prit l'ascenseur jusqu'au troisième où elle tomba en arrêt devant des escarpins italiens ravissants.

Cela lui était déjà arrivé, et plus d'une fois, de pressentir ce qui allait se passer. C'était la raison pour laquelle elle adorait les jeux de cartes, et ce pourquoi les gens lui répétaient qu'elle avait de la chance. Bien entendu, le jaune était une couleur d'été, alors que l'été était déjà loin, mais elle pouvait toujours réserver ces chaussures pour les jours où il faisait chaud et elle serait contente de les avoir au printemps. Elles lui serraient un peu le bout du pied, mais le cuir finirait par s'assouplir.

Le cœur en fête, elle sortit de chez Holt avec ses escarpins dans un sac en papier. C'était un beau matin d'octobre, clair et lumineux. Maintenant qu'elle avait accompli la mission qu'elle s'était fixée, elle n'avait pas envie d'aller s'enfermer quelque part. Depuis des semaines, on suffoquait, surtout que cela sentait partout la poudre à canon, du moins était-ce son impression car, bien entendu, cela n'avait aucun sens. Aujourd'hui, l'air était limpide et les seules odeurs étaient celles de la terre et des feuilles mortes.

Elle se demanda si Margo voudrait bien descendre en voiture avec elle dans le Maine pour quelques jours. La lumière d'automne était si belle sur la plage. Elles seraient bien dans la maison, toutes les deux. Elle soutirerait un bref congé à la clinique de la rue Notre-Dame où elle faisait du bénévolat quatre jours par semaine – elle aurait eu trop mauvaise conscience si elle n'avait pas tout de suite participé à l'effort de guerre. Sa mère aurait voulu qu'elle s'inscrive dans une université, comme les jeunes filles américaines, mais après onze années chez les religieuses, elle n'avait plus envie d'ouvrir un manuel scolaire.

Elle aurait préféré être employée comme mannequin chez Holt plutôt que de distribuer des vitamines et d'épouiller des petits garçons, mais sa mère s'était montrée inflexible là-dessus : Frankie devait se rendre utile auprès des nécessiteux. Elle ne savait pas si elle était vraiment utile, mais ce qui était sûr, c'était que certains étudiants en médecine de la clinique étaient charmants. D'autres se montraient méprisants, mais elle ne désespérait pas de se les mettre dans la poche. Bien entendu, elle ne porterait pas ses chaussures neuves au travail. Des escarpins jaunes, aussi ravissants fussent-ils, ne seraient pas vus d'un bon œil par des catholiques de gauche.

Alors qu'elle cheminait au long de la rue Sherbrooke et tournait dans la rue Peel, les seules manifestations visibles de la guerre étaient les manchettes en grosses lettres noires qui vous sautaient aux yeux dès que vous passiez devant un kiosque à journaux. Elle marquerait une halte à l'Édifice Sun Life pour prendre sa raquette de tennis, que son père avait fait recorder dans un magasin de sports de la rue Sainte-Catherine. Au début de la guerre, tout le monde avait déserté les courts, mais c'était un jeu trop merveilleux pour qu'on y renonçât jusqu'à la fin des hostilités. Il restait encore deux ou trois semaines avant que l'hiver ne les ferme tout à fait et, en plus, elle trouvait que la jupette blanche lui allait bien. Cet après-midi même, d'ailleurs, elle avait été invitée à disputer un match contre un sous-officier de vingt et un ans du Royal Montreal Regiment, à condition qu'il obtînt deux heures de permission. En attendant, si elle était gentille avec lui, son frère l'inviterait à déjeuner.

Rue Mansfield était garé un véhicule de l'armée de terre qui tractait un canon. Elle eut la curiosité de lire les mots peints à la main sur la carrosserie d'un vert éclatant :

5ᵉ batterie d'artillerie de campagne de Westmount
L'Artillerie royale canadienne
ENGAGE
Opérateurs radio / Mécaniciens / Arpenteurs
Adressez-vous ici ou à la caserne rue Craig

Un des sergents recruteurs expliquait quelque chose à un jeune télégraphiste qui l'écoutait, assis mi-fesse sur la selle de son vélo. Un autre militaire, adossé au véhicule, était occupé à se curer les dents quand il aperçut Frankie et lui fit un clin d'œil. Retenant un sourire, elle monta en courant les marches de granit et franchit la porte de bronze. Elle traversa l'entrée en piquant droit vers les ascenseurs.

Dès que la porte s'ouvrit au vingt-deuxième étage, elle entendit son père hurler. Ceux qui passaient dans le couloir firent semblant de ne pas la voir ou bien lui lancèrent un petit sourire. Ils filaient tous tête basse sous la canonnade verbale en provenance du bureau. Elle regretta soudain de n'avoir pas prévu autre chose pour le déjeuner, mais pas question de reculer maintenant, elle ne voulait pas qu'ils croient tous qu'elle avait peur de son papa, même quand il était dans sa phase « ogre ».

« Que se passe-t-il ? s'enquit-elle auprès de la jolie réceptionniste. Le ciel est tombé sur nos têtes ?

– M'sieu Mike est avec votre papa. »

La jeune fille refusa d'en dévoiler davantage.

Serrant contre elle son sac à main et le sac contenant ses chaussures, Frankie se planta courageusement devant la porte et frappa des coups codés – *barb' et coup' de ch'veux, deux sous.* Son frère les lui avait appris quand elle était petite, c'était leur signal secret.

« Sainte Frankie du Coup-à-la-Porte », annonça Mike.

« Pas maintenant ! » vociféra son père.

Mais elle était déjà en train d'entrer.

« Ce n'est que moi », dit-elle en se coulant à l'intérieur et en refermant doucement derrière elle.

Mike, nonchalamment appuyé à la table de travail paternelle, allumait une cigarette avec un briquet de la forme d'un ananas. Leur père faisait les cent pas devant les fenêtres donnant sur la ville, le Saint-Laurent et les montagnes violettes de l'État de New York qui barraient l'horizon. Les fenêtres en vis-à-vis donnaient, elles, sur le square Dominion, ses arbres, ses parterres de fleurs, ses statues laides.

« Mike, tu veux bien m'inviter à déjeuner ? »

Mike lui sourit. Leur père tira sur sa cigarette et l'observa en plissant les yeux. Tout cet été, il avait eu la tête ailleurs et manifesté une humeur de chien. En juillet, distrait par les nouvelles de la guerre à la radio, il avait même oublié leur cuisinière à une station-service des White Mountains : elle avait eu la malencontreuse idée d'aller faire un tour aux toilettes.

Frankie le regarda poser son mégot au bord de son bureau dont la surface était déjà striée de marques de brûlures. Il ramassa un gros cahier à couverture cartonnée, une sorte de registre.

« Les chiffres du cahier des charges du nouvel aéroport sont tous consignés ici, déclara Mike. Le lieutenant-colonel Blades dit que même si on en étend la surface, le terrain de Saint-Hubert ne sera jamais assez grand pour les nouveaux bombardiers. Il va falloir un autre champ d'aviation quelque part, sans doute à Dorval. Le problème, c'est que tout a augmenté de quinze pour cent en deux semaines, la matière première comme la main-d'œuvre. Il va falloir surveiller les coûts de près. Blades conseille de répondre à l'appel d'offres avec les prix les plus bas possible, même si on aura l'air de perdre de l'argent pour commencer. Ils vont en construire beaucoup d'autres, des aéroports comme celui-là. Il y a déjà celui de Grander qui va être considérablement agrandi, et on parle aussi de celui des Açores, et de la construction de plusieurs autres dans la région des Prairies pour l'entraînement de troupes venues d'un peu partout.

— Tes chiffres n'ont ni queue ni tête, rétorqua leur père. Je vais y perdre ma chemise. »

Il arracha une page du cahier, si méticuleusement que Frankie entendit le papier se déchirer centimètre par centimètre. Mike regarda son père froisser la page dans sa main, puis arracher une deuxième page, puis une troisième, dont il fit des boulettes avant de les jeter par terre. Pour finir, il flanqua le registre tout entier dans la corbeille, s'écroula dans son fauteuil et se mit à tourner lentement sur celui-ci, comme un petit garçon, le bout de ses chaussures faites sur mesure frôlant à peine le tapis. Il s'habillait bien, mais à côté de Mike, il aurait toujours l'air d'un tronc d'arbre attifé d'un beau costume. Le seul bruit que l'on entendait était le grincement du fauteuil.

« Mike, fit Frankie. On va déjeuner ?

– Oui, tout de suite. »

Mike fixait leur père comme s'il n'arrivait pas à croire qu'on puisse se conduire de pareille façon.

« On va où ?

– J'ai rendez-vous avec Mary Cohen, mais tu peux te joindre à nous.

– D'accord.

– Des aérodromes, des stations météorologiques, des usines aéronautiques… Cette guerre se gagnera par les airs, papa. Il faut bien que quelqu'un mette le pied dans la porte. Autant que ce soit nous.

– Qu'est-ce que tu veux dire par "nous" ? »

Mike haussa les épaules :

« Pardonne-moi. »

Leur père arrêta de tourner pour prendre une autre cigarette.

« Je vais chercher mon chapeau, Frankie, lui dit Mike. On se retrouve devant l'ascenseur.

– OK. »

Mike sortit en laissant la porte ouverte. Leur père alluma sa cigarette et reprit doucement son manège.

Ils s'étaient toujours parfaitement entendus, elle et son père. En général, Frankie devinait ce qu'il éprouvait. Tous les deux avaient hérité le type Black Irish : le teint clair, les cheveux noirs et les yeux bleus. Elle le connaissait, lui semblait-il, aussi bien qu'elle se connaissait elle-même.

Il cessa soudain de faire pivoter son fauteuil.

« Tu sais quoi ? murmura-t-il.

– Non, papa, quoi ?

– Ce lieutenant-colonel de l'armée de l'air, cet Anglais avec qui ta mère a déjeuné dimanche dernier, ce… Blades… Il a tout combiné. Il envoie ton frère en Angleterre avec une bande d'étudiants de McGill pour en faire des pilotes de guerre. Je lui ai dit :

"Si tu veux qu'on gagne la guerre, ton devoir est de rester ici. Tu n'as pas besoin de prouver quoi que ce soit. Fais ton boulot ici… Il y en a à revendre. Quand tu auras construit cet aéroport, il y en aura un autre."

– Papa, tu connais Mike. Une fois qu'il a une idée en tête. »

Il leva les yeux vers elle.

« Il est évident que Mike doit partir. Il n'est pas le seul après tout », ajouta-t-elle.

Ce n'était peut-être pas le mot à dire. Elle aurait aimé réconforter son père, l'aider à écouter sa raison plutôt que ses émotions. Elle voyait bien que, sous son calme apparent, il était bouleversé. Lui qui prévoyait l'issue des événements, comme elle d'ailleurs. C'était leur côté Black Irish : ils percevaient des choses sans savoir comment, c'en était parfois effrayant.

« Papa, rentre à la maison cet après-midi. Parle avec maman.

– Pourquoi ? Il le lui a déjà annoncé. À ton oncle aussi. Ils pensent que c'est épatant. Ils l'applaudissent. Ils veulent tous cette satanée guerre. »

Il se montrait injuste. Personne n'avait souhaité la guerre. Les gens étaient survoltés, voilà tout.

À vrai dire, les jeunes l'avaient appelée de leurs vœux. Elle-même ne l'avait-elle pas voulue ? Mais c'était comme donner un coup de pied dans une canette en revenant d'une fête dans la nuit, au milieu d'un quartier assoupi. Rien que pour faire du bruit. Rien que pour se prouver qu'elle était en vie.

Son père avait oublié sa cigarette qui se consumait dans le cendrier ; il en alluma une autre. Ses mains tremblaient alors qu'il levait le pesant briquet de bureau et présentait à la flamme l'extrémité du tube blanc ridiculement petit entre ses doigts épais.

Frankie n'avait jamais eu l'impression d'être plus forte, plus calme et plus sage que son père. Margo, elle, avait fait cette expérience quand elle avait été le chercher à New York. C'était étrange.

« Pourquoi ne rentres-tu pas à la maison te reposer, papa ? »

Il fit pivoter son fauteuil pour lui faire face. Mais son visage n'exprimait rien. Il ne la voyait même pas.

Qui irait à New York le chercher la prochaine fois? Si Mike s'engageait dans l'armée de l'air et si Margo se mariait, ce serait peut-être son tour à elle, Frankie. Elle était partante d'ailleurs. Bizarrement, elle avait envie de voir son père anéanti. Non qu'elle lui en voulût ou qu'elle le méprisât, mais parce qu'elle l'aimait et avait besoin de se sentir plus proche de lui. Elle avait besoin de voir ce que sa sœur avait vu, le désordre de la suite, le cendrier qui débordait, les cadavres de bouteilles, le corps de son père couché sur le sol comme une bête écrasée au bord de la route. Elle voulait le voir comme ça, comme il était vraiment.

«Frankie! On y va!»

Dans la grande salle, son frère, le chapeau à la main, louvoya entre les bureaux et les tables à dessin. Leur père se leva et se dirigea rapidement vers la fenêtre qui donnait sur le square. L'espace d'un instant, elle se dit, *Il va sauter.* Mais il se contenta de se baisser pour ramasser un objet debout contre le mur, le presse-raquette de Frankie.

«Frankie! Tu viens ou pas? Mary nous retrouve dans l'entrée.»

Son père, soupesant la raquette, s'approcha de la porte.

«Cette *youpine*, dit-il. Cette petite traînée… Je ne veux pas la voir à la maison.»

Mike se figea et pivota sur ses talons. Frankie entendait le couinement du ventilateur de plafond. Quelque part un téléphone sonna. C'était l'heure du déjeuner, les bureaux étaient à peu près vides, mais il restait quand même deux dactylos et une douzaine d'employés – des ingénieurs, des dessinateurs, des acheteurs – qui travaillaient ou déballaient leurs sandwichs. Certains sourirent, comme si le père de Frankie avait lancé une plaisanterie n'ayant rien de drôle mais qui nécessitait leur assentiment puisqu'il était le patron. Si l'un d'eux s'était mis à rire, peut-être se seraient-ils tous esclaffés.

Mike, immobile entre deux tables à dessin, son chapeau dans une main, le col de son manteau ouvert.

« Tu sais quoi, papa ? rétorqua-t-il sans manifester de colère, l'air fatigué. C'est horrible ce que tu dis là. Pourquoi ne retournes-tu pas au bord de l'Outaouais ? C'est là-bas qu'est ta place. »

Leur père prit son élan, la raquette serrée dans son poing droit. Frankie n'eut plus qu'une envie : sortir, vite ! Courir jusqu'aux ascenseurs, s'échapper de ce bâtiment, mais elle était coincée, elle ne pouvait plus bouger. Personne d'ailleurs ne semblait capable de bouger excepté son père qui se faufilait entre les tables sous les yeux des employés et des jeunes dactylos l'observant comme un éléphant sur une piste de cirque. Même Mike s'était changé en statue.

Quand leur père leva la raquette, le frère de Frankie ne réalisait peut-être toujours pas ce qui était en train de se passer. Ou bien une partie de lui estimait qu'il le méritait, qu'il était passible de cette correction. Toujours est-il qu'il ne s'esquiva même pas. Il attendit, immobile et figé, tandis que son père brandissait la raquette et que la salle parut pousser un soupir, à croire que tout le monde avait retenu sa respiration jusqu'à cet instant. Mike reçut le coup sur la tête – le poids de la raquette auquel s'ajoutait celui du presse-raquette.

« Bon Dieu ! » s'exclama-t-il.

Leur père leva de nouveau l'objet, cette fois en la tenant des deux mains, mais Mike se recula, et le coup le manqua.

« Qu'est-ce qui te prend ? » dit Mike en lâchant son chapeau et en saisissant son père par les poignets.

Mike faisait une bonne tête de plus que son vieux père, mais celui-ci possédait toujours une force hors du commun – effet de la folie ou de l'amour. Il se libéra d'une secousse et frappa Mike sur le flanc.

Mike poussa un cri de douleur et envoya son poing dans la figure de son père, faisant sauter ses lunettes et l'obligeant à lâcher la raquette. De nouveau, il le prit par les poignets, mais une fois encore, son père se libéra et se retira prestement dans son bureau. Frankie s'enfuit alors qu'il claquait la porte derrière lui.

Margo épousa Johnny Taschereau en octobre 1939. Mike lui servit de témoin et Lulu Taschereau de demoiselle d'honneur. Son père conduisit la mariée à l'autel. Johnny et elle sortirent de l'église sous une haie de sabres. Mike annonça ses fiançailles avec Mary Cohen, en précisant qu'ils attendraient la fin de la guerre, ou au moins son retour, pour se marier. Une semaine plus tard, il quittait Montréal. Margo et Johnny, Frankie, sa mère et Mary Cohen se rendirent à Bonaventure pour lui dire au revoir, mais le père de Frankie s'abstint de venir à la gare.

ANGLETERRE ET AFRIQUE DU NORD
1940-1942

Les mains de la Providence

RAF Pembrey[1]
1ᵉʳ août 1940

Chère Mère,

S'il m'arrive quoi que ce soit, tu dois fournir à Mary toute l'aide dont elle aurait besoin et veiller à ce qu'elle se sente libre de refaire sa vie. Je m'en veux de l'avoir liée par ces fiançailles. Sur le moment, c'était notre souhait à tous les deux. J'ai toujours l'intention de l'épouser après la guerre, rien ne change de ce point de vue, sauf que je ne suis plus celui qu'elle a choisi comme mari. Un coup d'œil dans la glace en me rasant suffit à m'apporter la preuve que je ne suis plus le même.

Mais si je meurs demain, surtout que rien ne l'empêche de croquer la vie à belles dents : je refuse qu'elle s'impose de vivre avec mon fantôme.

Déjà deux missions aujourd'hui. Au cantonnement, nous avons droit à une piscine, tu te rends compte. Jour après jour il fait beau et chaud. Les gars du « 92 » sont de braves garçons. On ne me reprendra pas à dire du mal des Anglais.

---

1. Terrain d'aviation de la Royal Air Force situé au Pays de Galles.

Les deux autres Canucks[1] de l'escadron sont de Toronto, tous les deux appartenant au groupe de chasse «A». Il y a aussi un Africain et un Néo-Zélandais.

Je ne voudrais être nulle part ailleurs qu'ici. Tout se passe si vite et il se passe tant de choses. Je n'ai même pas le temps de penser, mais avec un peu de chance, il me restera 40 ou 50 ans pour le faire. À mon avis, papa ne devrait pas fermer la boutique. J'aimerais qu'il réfléchisse.

Je t'embrasse bien affectueusement,

Mike

15 août 1940
RAF Pembrey

Cher Oncle Grattan,

Le Spit est une merveille. On ne voit rien au sol – au roulage on doit slalomer de gauche à droite pour voir ce qui se passe devant. Mais on doit faire vite car le Merlin a tendance à surchauffer. Je n'avais encore jamais senti une accélération pareille. La vitesse, horizontale comme ascensionnelle, est supérieure à n'importe quelle machine allemande, y compris le Messerschmitt 109. Il vire plus serré aussi. Tu pousses un peu le manche, et en un clin d'œil tu te retrouves à 630 km/h.

Il a reçu quelques gnons de la part des Boches, mais il tient le coup. Les gens s'achètent des maisons, se demandent quelles fringues ils vont mettre, s'inquiètent de ce qu'ils ont à

---

1. Canadiens.

la banque… Incroyable, non? Moi, j'ai toujours l'impression que ce brave petit Spit me ramènera au bercail.

Je t'embrasse et embrasse de ma part tante Elise,

Mike

16 août 1940
RAF Pembrey

Chère Mère,

Non c'est vrai, cela ne me fait rien de tuer, pas plus que les autres, ici nous avons tous vu des camarades descendre en flammes et personne n'a demandé à ces saloperies de venir bombarder l'Angleterre.
Je n'ai aucun remords, c'est lui ou moi.

Ton fils,

Mike

RAF Biggin Hill[1]
10 septembre 1940

Cher Oncle Grattan,

On a quitté le Pays de Galles il y a quelques jours. L'activité au-dessus de Bristol était déjà importante, mais ici, on est au cœur de l'action. Les Boches ont une autoroute directe dans le ciel jusqu'à Londres. Déjà trois attaques aujourd'hui. Ils veulent jouer au plus fort. Nous ne sommes pas assez nombreux et ils ont mis le paquet.
Je me suis retrouvé ce matin avec un Messerschmitt

---

1. Aéroport des environs de Londres, une des bases de commandement pendant la bataille d'Angleterre.

aux fesses. Je n'avais jamais vu un 109 pousser à 530 mais j'avais les gaz à fond et j'ai fait une boucle. Les commandes sont devenues très dures et l'aiguille du Badin s'est retrouvée à droite à 660 km/h, alors que je me trouvais dans son dos. Il a viré et je lui ai lâché une rafale, en continuant à tirer quand il a commencé à piquer. Je voyais les balles qui perçaient le côté de son fuselage pendant que je plongeais pour le suivre. Nous étions à 1 500 mètres. La descente fut rapide. À quelques kilomètres devant moi, j'apercevais les côtes françaises. Je lui ai envoyé une bonne rafale de plus — de la fumée blanche s'est mise à sortir de son radiateur gauche, une fuite de glycol de refroidissement. Quand j'ai redressé, il était en vrille serrée. Billy Cruikshank, qui me suivait, l'a vu plonger dans la mer et se désintégrer. Ça va me faire trois Messerschmitt descendus avec certitude. J'en ai trois autres probables et des frappes partagées sur une demi-douzaine de Heinkel et de Junkers. Le raid aérien de l'aube est oublié l'après-midi même, quelles que soient les circonstances. Il y a toujours du nouveau. Les Heinkel sont patauds et lents, faciles à atteindre, sauf s'ils sont couverts par suffisamment de Messerschmitt. Si on parvient à casser leur formation, on les descend. Les Junkers sont plus costauds et celui qui réussit à passer embarque assez de TNT pour faire d'atroces dégâts à Londres. Comme les Heinkel, ils dépendent de leur escorte de chasseurs, mais ils sont plus difficiles à descendre, ils ont un meilleur blindage et beaucoup plus de puissance de feu.

Les deux dernières semaines nous ont paru une vie entière. Ils lâchent tout ce qu'ils ont sur nous et nous, on les envoie au tapis. Deux gars ne sont pas revenus ce matin. Quelqu'un va se rendre dans leurs chambres et ranger leurs affaires. C'est toujours très dur.

Je vous embrasse très fort, toi et tante Elise

Mike

RAF Biggin Hill
15 septembre 1940

Cher Papa,

Ça barde dans le sud-ouest de l'Angleterre. Le
Pays de Galles était calme à côté. Nous avons droit à
deux ou trois raids aériens allemands par jour. Si tu
n'es pas mort au bout des trois premières semaines,
tu as une chance de souffler un peu. Je ne m'attendais
quand même pas à quelque chose d'aussi intense. C'est
fichtrement dur.

Lever à quatre heures et demie du matin. Gillis, mon
ordonnance, me secoue comme un prunier. Bon sang, une
aube de plus, c'est ce que je me dis en sortant comme
un somnambule du baraquement pour me rendre au mess.
La guerre ne nous lâche pas. Hangars aplatis, avions
effondrés. C'est une journée magnifique, pas un souffle
de vent pour te décoiffer. Le mess est un foutoir.
Chopes sales, cendriers pleins, partout des magazines.
L'ordonnance n'a pas encore eu le temps de ranger. À
table, tout le monde boit son thé et mange ses toasts,
et quand on regarde autour de soi personne ne parle.

Dehors un bruit de freins. Une camionnette va
bientôt nous conduire au *dispersal hut*[1].

Il nous arrive de nous endormir. J'ai vu un type qui
lisait un livre, il le tenait à l'envers. Quand t'as
trop bu pendant la nuit, ce qui est interdit, mais on
le fait quand même, tu respires de l'oxygène pur. Le
toubib donne des petits cachets quand il trouve que tu
n'as pas bonne mine.

Le téléphone sonne. Branle-bas de combat. Tu te
colles ton parachute dans le dos et tu fonces sur
la piste en herbe jusqu'à ton Spitfire. Il te vient
une sorte de résignation. Tu remarques des choses
minuscules. Silence, quiétude. Pas un oiseau. La

1. Baraque où les pilotes attendent les ordres de courir à leur avion.

rosée sur tes godillots. Une lumière de bord de mer.
De temps en temps, le cliquetis d'une clé anglaise.
Le mécano me fait la courte échelle, je grimpe dans
l'avion, il me brêle, il me charrie un peu, gentiment,
on se sent mieux. « C'est bon, mon vieux, paré,
contact. » Tout à coup, c'est une douzaine de moteurs
Merlin qui ronronnent. Une fois en vol, tu ne fais
plus qu'un avec ton Spit. Tu ne pilotes pas, tu revêts
une seconde peau. Comme on vole en formation, tu vois
les autres, tu ne te sens pas seul. Il fait un froid
terrible là-haut. Ce que tu fais avec ton avion ne
figure pas au manuel. Si un Messerschmitt te file le
train, pour devenir difficile à cibler, tu descends au
ras du sol, tu passes au-dessus des collines, tu te
faufiles entre les bois et au fond des vallées, puis tu
remontes de l'autre côté. Voilà ce qu'il faut savoir
faire si on veut survivre plus de trois semaines. Il
faut toujours être sur le qui-vive et réfléchir à toute
vitesse. Ne jamais questionner son instinct, toujours
rester réactif. Si un doute te vient, hop, il faut
l'effacer et passer à l'action. Ne jamais voler droit,
ne jamais conserver ton altitude plus de dix secondes.
Dix ou vingt secondes maxi. Ne jamais conserver son
cap ni son altitude, je répète. Si tu vois quelque
chose à contre-jour, c'est eux, c'est sûr. Si tu te
retrouves face au soleil pendant une ou deux secondes
et que tu sentes que ça cloche quelque part, vire sans
hésiter. Beaucoup de types se font avoir comme ça.
Et s'il n'y avait rien finalement, tu t'en fous, tu es
vivant et tu peux continuer à te battre. Tu dois parer
droit à l'attaque, n'essaye surtout pas de l'éviter.
Avec l'ennemi devant toi, qu'est-ce qui se passe si tu
fais demi-tour ? Il est tout de suite dans ton dos.
Alors vire et fonce sous son appareil. Ou bien attaque
de front. Essaie de lui couper les ailes. Dégage.
Droit au-dessous de lui. Oui, vaut mieux passer en
dessous. Le Spit est très agile. Quand tu te poses à
la base, tu le remercies, tu dis merci à ton avion.

            Qui vivra verra
                Écarte-toi
                Écarte-toi
               Je cingle
             vers le large
           Et ce qui arrivera
                arrivera
        Autre chose que toi ou moi
               décidera

Je t'embrasse et maman de tout mon cœur,
Ton fils

Mike

25 septembre 1940
RAF Biggin Hill

Ma petite chérie,

Je n'y pense pas. Ma résignation est totale.
Totale. Accepte-le. Tu ne dois pas y penser non plus.
Interdis-toi d'y penser.
Je baise tes genoux,

Mike

7 octobre 1940
RAF Biggin Hill

Papa, la vie tire sur la corde du temps où tous les
nombres sont préinscrits. Rien de ce que nous disons
ou faisons n'en altère la configuration. C'est ce que
je crois. Toi aussi ? Je pense que oui. Ne t'inquiète
pas trop pour moi, il n'y a pas lieu.
Je t'embrasse,

Mike

3 janvier 1941
RAF Manston[1]

Ma petite chérie,

Ta lettre est arrivée, je l'ai lue au pub. Je suis
sorti et j'ai marché le long de la petite route de
campagne dans un paysage anglais si vert même en
décembre. Je veux dire en janvier. Il y a des moutons.
Il marchait sur la route de campagne anglaise l'officier
il pleurait des larmes ruisselaient sur ses joues le
pauvre officier. Il craque.

Je dois t'avouer, je ne pleurais pas à cause de toi,
mais à cause de moi. La semaine dernière une émission
de radio sur les perruches de Londres revenant à l'état
sauvage a déclenché une crise de larmes. Si jamais le
magasin du NAAFI venait à fermer et que je ne puisse
plus acheter de cigares, je hurlerais de douleur.
J'espère que le service naval américain est mieux
organisé.

On s'est connus toi et moi. Tu es un nœud dans le
bois, jamais je ne t'oublierai. Ton odeur, tes jambes,
tout. Pense ce que tu veux de moi, mais rappelle-toi
ceci : quand de ma vie il ne restera que des braises,
je penserai à toi. Je serai à ton écoute.

Bonne chance,

                                        Michael

10 janvier 1941
RAF Manston

Chère Margo,

Six mois déjà et je ne sais même pas quelle tête à
la petite Madeleine. Envoie-moi très vite une photo
de ma nièce s'il te plaît. Dommage que Johnny l'ait
manquée. C'est ça l'armée (celle de l'air aussi). On
passe des mois sans recevoir d'instructions puis tout

---

1. Base de la Royal Air Force située dans le Kent.

d'un coup c'est l'avalanche… Je me demande si les Canadiens vont au Moyen-Orient.

Les camarades dont tu m'as demandé des nouvelles ne sont plus des nôtres. Ceux d'entre nous qui restent tirent la langue. J'ai été promu chef d'escadron. L'idée générale, aujourd'hui, c'est que nous avons fait notre guerre, au tour des autres d'y aller. Il arrive un moment où l'on se trouve au sommet de son efficacité, cela dure un mois ou deux, puis on se met à commettre des erreurs. La faute à la fatigue surtout. L'autre jour, un type s'est tué en rentrant dans une balise à l'atterrissage. Un bon pilote en plus. Si c'était un match de hockey, on aurait changé d'équipe ! Il est possible qu'on nous envoie sur la côte Est (Lincolnshire) où c'est un peu moins chaud. Ou alors au Moyen-Orient. Si seulement ils pouvaient me donner un poste de pilote d'essai, ce serait splendide, mais cela m'étonnerait.

Je ne vois pas venir la fin de cette guerre.

L'autre jour j'ai reçu une lettre de rupture de MC. Gentille lettre. Cela ne veut plus rien dire pour moi maintenant.

Fais à ton adorable Madeleine un gros baiser de la part de son oncle,

Ton frère,

Mike

11 NOVEMBRE 1942
À : MR JOSEPH MICHAEL O'BRIEN
10 SKYE AVE. WESTMOUNT PQ

7534 MINISTRE DÉFENSE NATIONALE AU REGRET INFORMER MATRICULE R94274 CHEF D'ESCADRON MICHAEL F O'BRIEN BLESSÉ AU COMBAT 3 NOVEMBRE 1942 STOP NOUVELLES SUIVENT

L'ADMINISTRATEUR DES REGISTRES

N°1 NZ General Hospital
Helwan, Égypte
4 décembre 1942

Chers Mr et Mrs O'Brien,

Je suis infirmière à l'hôpital militaire néo-zélandais de Helwan, en Égypte. Michael, votre fils, m'a demandé de vous écrire pour vous dire qu'il se remet rapidement de ses blessures qui sont superficielles. Depuis un mois, il « profite de ses vacances » avant d'être tout à fait rétabli et renvoyé à son unité.

Veuillez croire à l'assurance de mes sentiments respectueux,

L. McEntee
Louise McEntee,
N.Z.A.N.S[1].

N°1 NZ General Hospital
Helwan, Égypte
4 décembre 1942

Cher Mr et Mrs O'Brien,

Je me permets de vous écrire afin de vous donner une idée plus proche du réel état de santé de votre fils — ma précédente lettre était écrite sous sa dictée. À mon avis, il vaut mieux que vous sachiez ce qu'il en est.

Il a été transféré au N°1 NZ au milieu du mois de novembre depuis un poste d'infirmerie du désert. Son cou et son torse ont été criblés d'éclats de shrapnel et de verre au moment où son avion a été touché par des tirs de canons antiaériens. Il a subi jusqu'ici trois interventions pour retirer ces éclats. Il est en

1. New Zealand Army Nurses.

train de se remettre mais il est néanmoins possible qu'il reste des fragments de shrapnel dans sa poitrine. Il est bien sûr alité et reprend depuis peu quelques forces, mais je dois vous dire que son état général est marqué par une fatigue extrême, ce qui n'a rien de surprenant après deux ans aux commandes d'un Spitfire en Angleterre et au-dessus du désert africain. On serait « usé » à moins. Son moral va « de moyen à très bas ». Par exemple, il ne peut pas écrire ses lettres lui-même. Mutique, il faut lui arracher les mots de la bouche. Son humeur est très irritable. Je doute que les autorités compétentes renvoient le capitaine O'Brien dans le désert. À mon avis, il n'est pas près de reprendre le service actif.

Après les combats de ces dernières semaines, notre hôpital est bondé mais je puis vous assurer que le capitaine O'Brien reçoit les meilleurs soins et qu'il sera bientôt remis sur pied.

Veuillez recevoir, chers Mr et Mrs O'Brien, l'assurance de mes sentiments respectueux,

L. McEntee
Louise McEntee,
N.Z.A.N.S.

Un répit

En traversant les White Mountains sur le chemin du retour, Joe avait dit à Iseult qu'il avait l'intention, dès que la guerre serait terminée, de commander au chantier naval de Hogdon, à East Boothbay, un nouveau voilier, un yawl de douze mètres, suivant un design conçu par Francis Herreshoff. « Le genre de bateau qui nous permettra, à Mike et à moi, de naviguer jusqu'en Nouvelle-Écosse et au Groenland, ou aux Bahamas, tant qu'à faire. »

Le chantier de Hogdon acceptait des commandes civiles mais rien ne pourrait être livré tant que le pays était en guerre. Iseult et Joe n'avaient commencé à prononcer cette petite phrase – « après la guerre » – qu'à partir du jour où leur fils avait été blessé. Pourquoi ? Le cours de la guerre en avait-il été changé ? Non. Les Allemands avaient été défaits à Stalingrad et battaient en retraite en Afrique du Nord, mais les combats faisaient toujours rage aux quatre coins du monde, des millions de gens souffraient, se battaient, mouraient, quand ils n'étaient pas traités comme du bétail et massacrés.

Joe avait-il changé ? Non. Joe avait d'emblée détesté la guerre. Avant même la mauvaise nouvelle concernant Mike, elle l'avait entendu déclarer à Elise : « Tu ne t'es jamais dit que la guerre était une maladie et tous les gens en guerre des malades ? »

D'un bout à l'autre de l'hiver leur étaient parvenues des missives brèves et optimistes de l'infirmière de l'hôpital militaire néo-zélandais en Égypte. En mars, ils avaient reçu une lettre de la main de Mike dans laquelle il disait être tout à fait rétabli. Était-ce possible ? La guerre s'était acharnée sur son fils, elle avait abîmé son corps si beau, elle l'avait marqué. Après sa convalescence en Égypte, il était retourné se battre en Tunisie, mais plus en tant que pilote.

J'ai été affecté à la logistique. TacOps (Tactical Air Control). Je suis le pilote d'un bureau de la 8ᵉ armée à Tunis. J'ai une mallette de bureaucrate. Sans rire.

Tout le monde, Mike compris, pouvait – devait – faire semblant qu'il était toujours le même. Mais bien sûr, ce n'était pas vrai, c'était une chose impossible.

Iseult avait toujours pensé qu'il fallait s'impliquer dans ce conflit. Mais cette guerre paraissait si démesurée pour un mot si bref, *guerre*. Elle débordait de toutes parts, elle s'insinuait partout. Et depuis que des fragments de métal et de Plexiglas avaient transpercé le corps de son fils, brisé la barrière de son épiderme, pour l'arracher à son vol, la guerre s'était immiscée dans sa propre chair à la façon d'un gaz toxique, d'une drogue, d'un sérum injecté malencontreusement. Tout cet hiver, la guerre, cette boursouflure, cette maladie, l'avait affaiblie dans son corps comme dans son âme.

Joe ayant téléphoné à l'avance pour demander au gardien, Hiram Pinkham, d'allumer l'électricité dans leur maison du Maine, il y avait assez d'eau chaude pour faire couler un bain. Ce n'était pas la peine d'ouvrir toute la maison puisqu'ils n'allaient sans doute pas y revenir de l'été – ils étaient bien trop occupés à Montréal. Margo gérait une cafétéria pour soldats à la gare Windsor et Frankie travaillait au Ferry Command[1] de la RAF installé à l'hôtel Mont-

---

1. Commandement de la Royal Air Force chargé, de 1941 à 1943, de transporter vers l'Angleterre les avions militaires produits en Amérique du Nord.

Royal, où elle flirtait avec les pilotes et réservait des places aux hommes politiques et aux généraux qui allaient et venaient d'un côté à l'autre de l'Atlantique à bord des bombardiers. L'entreprise de Joe était chargée de construire des champs d'aviation dans le Manitoba, au Saskatchewan et dans l'Alberta, un gigantesque bassin destiné à accueillir les navires à Halifax et un poste de ravitaillement à Saint-Jean de Terre-Neuve. Iseult passait au moins deux jours par semaine dans les cliniques de Sainte-Cunégonde et de Maisonneuve. Elle avait en outre accepté d'effectuer en juillet une tournée de l'Ontario, de Québec et des provinces maritimes afin d'aider les comités locaux à lever des fonds pour aider les familles des soldats.

La maison de Kennebunk sentait le moisi. Derrière les volets fermés, les matelas étaient pliés sur les sommiers, les meubles du salon enfouis sous des draps. Pendant que Joe allumait des feux dans les cheminées, Iseult ouvrit les fenêtres de quelques pièces. La plage était noyée sous un brouillard empêchant de voir la mer.

La guerre n'était pas finie, mais le monde avait tout de même repris un visage familier. Mike était en sécurité. Johnny Taschereau aussi, du moins pour le moment, même si, au bout de trois années de séparation, Margo n'en pouvait plus. Johnny avait été relativement hors de danger en Angleterre pendant que Mike sillonnait le ciel au-dessus du désert. À présent, Mike ne craignait plus rien derrière un bureau, mais un débarquement en Europe se profilait, une opération d'envergure dans laquelle les troupes canadiennes auraient leur rôle à jouer, et Johnny était officier d'infanterie.

Mike allait-il avoir envie de naviguer en compagnie de son père après la guerre? Resterait-il à Montréal pour reprendre la direction de l'entreprise, comme Joe l'espérait? La guerre avait bouleversé l'existence de ses filles, la sienne, celle de son mari, et à plus forte raison celle de Mike. Impossible de prédire dans quel état d'esprit il rentrerait. Elle espérait qu'il ne serait pas aussi troublé et malheureux que Grattan après l'armistice.

Joe prépara du haddock et des pommes de terre pour le dîner. Ils écoutèrent les nouvelles à la radio et se mirent au lit en laissant la fenêtre entrouverte, juste assez pour laisser entrer l'odeur du brouillard qui soufflait de l'Atlantique et le bruit des vagues déferlant sur la plage. Il fit glisser sa main jusqu'à Iseult et elle se lova dans ses bras ; ils firent l'amour comme s'ils avaient quelque chose à fêter. C'était la première fois depuis qu'ils avaient appris que leur fils avait été blessé en Afrique. Joe pouvait mourir brusquement, elle de même ; à partir de cinquante ans, n'importe qui était susceptible de s'éteindre dans son sommeil, terrassé par une crise cardiaque ou une attaque, sans parler des accidents de voiture et du cancer. Comme c'était étrange de penser à la mort alors que son mari la couvrait de son corps, de son poids, de sa chaleur. Depuis ce qui était arrivé à Mike, elle s'était remise à ruminer sur la fin de la vie. Joe vieillissait certes, mais il semblait plus fort et plus robuste que jamais. Quant à elle, elle était trop maigre, ses filles ne cessaient de le lui répéter. Margo lui apportait de la crème glacée et la forçait à en manger à la petite cuillère ; elle mangeait mais cela ne changeait rien. Elle ne grossissait pas, comme certains enfants à la clinique qui restaient rachitiques en dépit des litres de lait et des kilos de légumes frais qu'on donnait à leurs mères.

Joe s'endormit rapidement, mais elle resta éveillée. Le grondement des vagues lui rappelait la digue de Mike. Elle se demanda si elle tenait bon. Elle priait le ciel qu'aucun d'eux ne meure avant le retour de leur fils.

Au cours de ce voyage en Colombie-Britannique en 1931, le train s'était exceptionnellement arrêté dans un hameau du nom de Blue River, où le fils du chef de gare les attendait dans un vieux break Ford. Il les conduisit vers le nord sur des routes de gravier. Sa minceur et sa timidité lui rappelèrent Mike. L'été avait été sec, une couche de poussière duvetait l'intérieur de la voiture. Elle s'était endormie sur la banquette arrière pour ne s'éveiller qu'une fois arrivée au campement de pêcheurs au bord de la rivière Thompson. Une femme en salopette était là pour les accueillir alors qu'il était deux heures du matin.

La poussière de la route retombée, l'air nocturne sentait le glacier et le pin gris. Iseult avait écouté les eaux puissantes de la North Thompson qui roulaient avec le même bruit que dans son souvenir, un son caractéristique des chantiers de fin de voie ferrée.

La femme les conduisit jusqu'à une cabane en rondins où, sur une table de planches, étaient posés une lanterne allumée et un bouquet de minuscules fleurs sauvages dans un vase en verre taillé. Un feu pétillait dans l'âtre de pierre sèche. Le lit était soigneusement fait, avec des draps blancs en flanelle, des oreillers joufflus et une couverture Baie d'Hudson rouge et noir bien tendue. Une deuxième couverture était pliée au bout du lit. Joe et le garçon apportèrent les bagages.

Elle s'était soudain sentie loin de ses trois enfants, loin de la Californie et de Krishnaji, plus proche en fait de la jeune femme qu'elle avait été. Il y avait un lavabo en porcelaine émaillée et un pichet en fer-blanc rempli d'une eau pure tirée du ruisseau, qu'on pouvait faire chauffer sur le poêle nickelé. Les cabinets étaient dehors, à l'orée du bois.

Joe pria le fils du chef de gare de passer les prendre le lendemain à dix heures. Le garçon devait les emmener aussi loin dans les profondeurs de la forêt que le permettrait l'état des pistes des bûcherons. Leur désignant la lampe de poche électrique sur le plancher à côté du lit, la femme les mit en garde contre les ours qui rôdaient autour du campement. Puis Iseult et Joe se retrouvèrent seuls avec le gazouillis du feu et le chant de la rivière.

Il ajouta une bûche et se retourna vers elle.

« J'ai l'impression que je vis un rêve, Iseult, en revenant ici.

— Mettons-nous dans le lit, dit-elle. Je suis trop fatiguée pour parler. »

C'était tellement typique de lui : l'idée qu'elle puisse tomber amoureuse d'un autre, même après qu'elle l'ait présenté à Krishnamurti, ne lui avait même pas traversé l'esprit !

Ayant sorti son pyjama de la valise, il se brossa les dents au-dessus du petit lavabo. Elle se dépêcha de se déshabiller et, pendant qu'il avait le dos tourné, enfila sa chemise de nuit par-dessus sa tête. Il était toujours le seul homme avec qui elle avait couché. Voilà à quoi se résumait leur mariage, songea-t-elle. La proximité des corps constituait leur unique lien, au fond.

Elle sortit de la cabane et fit quelques pas dans le noir. Elle n'avait aucune intention de pousser à tâtons jusqu'aux latrines – les ours représentaient une véritable menace, et elle détestait les latrines. Elle s'accroupit pour faire pipi sur l'herbe glacée.

La fumée qui sortait de la cheminée était rabattue vers le sol. Sous le ciel étoilé, un pré reluisant de givre descendait en pente douce vers la route où clignotaient les dernières lueurs des feux arrière du break qui s'éloignait. C'était ici le pays où Joe O'Brien et elle avaient scellé leur union dans le travail, la réussite et la souffrance. Elle se demanda ce que l'avenir leur réservait à présent.

Le lendemain matin, ils étaient les seuls à la table du petit déjeuner. Les autres clients de l'hôtel se trouvaient déjà au bord de la rivière en compagnie du pêcheur qui leur servait de guide. Elle n'avait pas envie des épaisses crêpes au sirop d'érable ni des saucisses d'élan. Un biscuit aux flocons d'avoine et une tasse de café noir à la main, elle annonça qu'elle allait jeter un coup d'œil à la rivière.

« Tu veux que je vienne avec toi ?

– Non, termine ton petit déjeuner.

– Fais attention aux ours. Là où l'eau est poissonneuse, tu peux être sûre d'y apercevoir un de ces gaillards. »

Elle se rappela les ouvriers des chemins revenant de la rivière avec des saumons et des histoires de grizzly. Quand ils partaient pique-niquer le long de la ligne en construction, Joe n'oubliait jamais de prendre une carabine chargée. Plus d'une fois, ils avaient reconnu leurs silhouettes trapues galopant dans les prairies alpines au milieu des herbes hautes et des fleurs, tels des saumons remontant les eaux tumultueuses d'un torrent. Mais ce matin-là, sous le soleil qui inondait la clairière, elle ne pensait pas au danger et ne songeait qu'à se remémorer le nom des fleurs qui s'ouvraient à la chaleur des premiers rayons : arbousier des Alpes, epilobium, chrysanthème arctique.

Entre ses rives sablonneuses, la North Thompson était un serpent d'eau vive que des particules de glacier en suspension coloraient d'un vert laiteux. Le courant charriait aussi de l'argile, du sable, des graviers, avec une force phénoménale qui, alors que l'été tirait à sa fin, continuait à buriner le sol de la vallée. Joe avait tenté autrefois d'utiliser des barges pour transporter les matières premières jusqu'aux stations, mais les unes après les autres elles avaient chaviré avec leur chargement, ce qui l'avait amené à renoncer à cette idée.

Joe avait pris pied dans sa vie à la manière d'une armée d'occupation. Sitôt cette pensée formulée, elle en questionna la sincérité. N'avaient-ils pas aussi construit leur vie à deux ? Il lui avait promis qu'il n'y aurait plus de « fugues ». Et doté d'une volonté de fer, quand il prenait une résolution, il la tenait.

Du coin de l'œil, elle aperçut une ombre se mouvant dans la prairie. Son cœur ne fit qu'un bond dans sa poitrine. Un grizzly, venu satisfaire son insatiable appétit de poisson. Sauf que ce n'était pas un ours, c'était Joe. Coiffé de son vieux chapeau en feutre, il portait une chemise de flanelle et des bretelles. Elle avait oublié avec quelle grâce il se déplaçait quand il était dans les bois. Lui revint alors le souvenir de pique-niques et de petites escapades loin de Head-of-Steel, quand il l'aidait à ramasser des brassées de fleurs. La douceur de l'air, le silence. Ni les branches ni même les épines ne semblaient le gêner. Il était aussi furtif qu'un cerf. Enfant, il avait chassé pour nourrir sa famille, il avait appris à ne faire aucun bruit en marchant et à montrer une patience infinie.

« Iseult, le garçon est là. Il faut qu'on parte. »

Partir pour où ? Ses sentiments étaient aussi froids, rapides et brutaux que l'eau de la rivière, insaisissables. Elle était comme le courant qui courait sans savoir où il allait. Que faisaient-ils à revenir dix-sept ans en arrière à la recherche d'une fille qui avait à peine eu quelques minutes d'existence ? Que cherchaient-ils au juste ? Un commencement ou une fin ?

Le garçon conduisait et, à côté de lui, Joe, un bras sur le dossier de la banquette, lui parlait de chasse et de hockey – elle ne l'avait jamais vu bavarder de façon aussi décontractée avec leur fils. La piste en gravier avait été tracée aussi droite que possible à travers bois afin que les camions-remorques forestiers puissent les parcourir à vive allure. La femme de l'hôtel leur avait préparé un casse-croûte que Joe avait mis dans un sac en toile.

Le jeune homme leur raconta qu'il avait construit un petit voilier qu'il sortait sur Mud Lake, ainsi qu'un poste de radio (*exactement comme Mike*, se dit-elle). Il potassait des manuels de navigation parce qu'il voulait plus tard être officier de marine. Chaque année, l'Académie navale britannique admettait quelques cadets en provenance du Canada, et il espérait compter parmi les heureux élus. Il n'avait jamais vu la mer.

Assise sur la banquette arrière, elle avait un goût de poussière sur la langue. L'odeur de l'huile qu'on avait vaporisée sur la piste afin de réduire justement la production de poussière lui donnait envie de vomir.

Comme si de retrouver le lieu où ils avaient enterré leur fille allait changer quoi que ce soit. La vie de ses trois enfants pesait bien plus lourd dans la balance que la mort de leur premier-né.

Krishnaji était pareil à une boule dans sa gorge. Désorientée, nauséeuse, elle se pencha en avant, le front sur le bras de Joe.

« Ça va, Iseult ? Tu veux qu'on s'arrête ? »

Elle l'entendit dire au garçon de se ranger sur le bas-côté. Dès que le véhicule fut à l'arrêt, elle ouvrit la portière et sortit. Les pins et les épinettes sentaient bon le frais. Enjambant d'un bond le fossé, elle s'enfonça dans les bois.

Le calme de Krishnamurti. Ses mains élégantes, son bon sens, sa froideur.

Elle continuait à avancer droit devant elle, de plus en plus loin sous les arbres, dans la lumière et les ombres parfumées à la pomme de pin. Elle entendait Joe derrière elle, il n'essayait pas de la rattraper. Elle sauta par-dessus un ruisseau aux berges moussues qui ondulait entre les troncs en répandant dans l'air une douce moiteur. Joe restait loin derrière, il se gardait bien de la presser. Leur mariage durerait-il? Se révélerait-il assez solide pour les emporter dans sa marche en avant?

Jusque dans le tréfonds d'elle-même, elle savait qu'il resterait auprès d'elle. Pas un instant il ne perdrait son chemin, il retrouverait à coup sûr celui de la piste. Elle n'avait plus beaucoup de certitudes, sauf celle-ci.

Elle s'arrêta et se retourna. Il s'arrêta à son tour.

«J'ai cru que j'étais amoureuse d'un autre, déclara-t-elle. Je le suis peut-être toujours. Sais-tu ce que cela signifie?»

Il l'observait à travers la pénombre où tremblaient des taches de lumière. Le temps l'avait durci et voûté, un peu, pas trop, mais suffisamment pour qu'il ressemble à un homme d'affaires en tenue décontractée coiffé d'un vieux chapeau. Mais malgré son tour de taille épaissi, il était toujours aussi ténébreux et robuste, fiable.

Ses silences, ses cuites, ses fugues dans des hôtels de Manhattan : elle avait toujours perçu en lui quelque chose de rugueux assorti d'un éclat indéfinissable.

Et lui, que voyait-il en elle? Elle était bronzée par le soleil californien, et d'une maigreur à faire peur. Négligée… S'était-elle brossé les cheveux ce matin? Elle devait avoir l'air d'une folle…

Elle ferma les yeux et se remémora la voix de Krishnamurti, son détachement.

Joe lui tourna le dos et reprit le chemin de la piste.

Elle laissa passer une minute, puis le rejoignit. Il remplissait leurs gourdes à l'eau du ruisseau. S'agenouillant sur le moelleux tapis de mousse, elle s'aspergea le visage d'eau fraîche et pure. Ni l'un ni l'autre ne prononcèrent un mot.

Savait-il que son stratagème marchait ? Avait-il eu un stratagème ?

Elle l'aida à transporter les gourdes jusqu'au break où le garçon les attendait. Après une heure de piste, ils retrouvèrent la North Thompson et les rails du Canadien National. Ils descendirent de voiture pour suivre à pied la voie ferrée.

Les rails d'acier brillaient, plus impressionnants que dans son souvenir. Les traverses sur le lit de gravier du ballast avaient été solidement fixées et parfaitement nivelées. Sous le soleil brûlant, le goudron y faisait des bulles et dégageait une odeur entêtante dans l'air immobile. Le garçon marchait avec, sur l'épaule, un vieux fusil de l'armée. Joe lui racontait que pendant la Première Guerre, des kilomètres de rails avaient été arrachés pour en acheminer l'acier jusqu'en France.

Un coup de sifflet déchira la quiétude de la vallée. Soudain, un aigle à tête blanche jaillit de la cime d'un sapin et remonta le cours de la rivière entre les immenses conifères qui se pressaient jusqu'à ses rives. Trois kilomètres plus loin, ils atteignirent l'endroit où la nouvelle voie ferrée s'écartait du tracé de l'ancienne pour franchir la rivière sur un pont moderne en acier.

Ils n'eurent aucun mal à suivre l'ancienne voie même si les rails et les traverses avaient été arrachés et le ballast envahi par la végétation. Dans ce pays rude, la nature reprenait ses droits avec une brutalité extraordinaire, en l'espace d'un bref été, les fougères proliféraient avec une vitalité conquérante qui ne laissait pas la forêt conserver longtemps ses cicatrices.

À mesure que l'ancien tracé montait doucement vers Yellowhead et la ligne de partage des eaux, les arbres rapetissaient : des mélèzes et des trembles remplaçaient les sapins géants. Ils avançaient sur une piste que Joe avait construite dans la roche à coups de dynamite.

Le ciel se couvrait. Il flottait dans l'air une odeur de pierre et de glace.

À la sortie d'un virage, Iseult aperçut d'un côté de la voie une pente couverte d'éboulis grossiers, de cailloux, de rochers qui avaient dégringolé de la montagne. La pente aride était balayée par un vent qui leur soufflait au visage son haleine glacée. Sans un instant d'hésitation, Joe se mit à grimper, tout droit. Était-ce vraiment là qu'ils avaient enterré leur fille à l'automne 1912 ? Si Joe pensait que c'était bien à cet endroit, il devait avoir raison ; il ne se trompait jamais quand il s'agissait de se repérer sur une carte. Pourtant, rien de ce qu'elle avait sous les yeux ne lui paraissait fait de la main de l'homme. L'ossuaire avait disparu, sans doute englouti par une avalanche.

Joe escaladait si vite qu'elle ne parviendrait pas à le rattraper. Il n'y avait pas l'ombre d'un sentier. Rien qu'un escarpement caillouteux et glissant. Iseult et le garçon se mirent cependant en route à la suite de Joe, déjà loin. Au bout de quelques mètres, le glacier nacré que l'on apercevait d'en bas disparut derrière un promontoire. En guise de végétation, il n'y avait que du lichen noir et orange. Sur un terrain pareil, l'homme ne pouvait laisser aucune trace.

Un de ces petits rongeurs des montagnes que l'on nomme pikas bondit au sommet d'un rocher, fit claquer ses dents d'un air courroucé puis disparut à une vitesse fulgurante. Ce lieu désolé n'avait pas préservé la mémoire de leur petite fille. L'émotion n'avait rien à quoi se raccrocher.

Elle entendait Joe qui soufflait et grognait. Pour sa part, elle respirait avec aisance. Jamais elle n'avait souffert de son asthme dans ces montagnes. Des larmes coulaient de ses yeux, mais c'était à cause du vent. Elle n'en versait pas pour leur enfant, qui était semblable à la flamme d'une bougie quand elle s'éteint, partout et nulle part à la fois.

Joe avait marqué une halte et se tenait debout, penché du côté de la pente, un genou plié pour garder l'équilibre. Derrière elle, les bottes du garçon crissaient alors qu'il dérapait sur les débris rocheux. Joe lui avait-il dit ce qu'ils étaient venus faire là, ce qu'ils cherchaient ? Joe le savait-il lui-même ? Alors qu'elle arrivait à sa hauteur, il s'essuyait le visage avec son mouchoir, la respiration sifflante.

« Il n'y a rien ici, n'est-ce pas, Iseult ? »

La foi qu'elle avait en lui, la foi qu'il avait en lui-même, l'une et l'autre avaient été gravement entamées au fil des ans. N'empêche qu'il les avait amenés jusqu'ici afin de rendre hommage à leur fille défunte et à autre chose aussi. Elle devait admettre qu'elle admirait son courage. Cette pente symbolisait leur mariage, l'audace et la douleur sur lesquelles ils avaient construit leur vie.

« On est venus jusqu'ici, lui dit-elle. C'est ce qui compte. »

Et c'était vrai, d'une certaine façon.

« Je ne sais pas à quoi je pensais, haleta-t-il. Quelle idée !

— Ne crois pas ça. Ce lieu nous parle. »

Il lui jeta un regard interrogateur. Ils étaient tous les deux un peu usés, mais ils étaient les mêmes après tout, et ils auraient la force de prendre ce dont ils avaient besoin pour continuer.

« Je suis contente d'avoir fait l'effort, dit-elle. Merci. »

À cet instant, le jeune homme s'exclama :

« Un ours ! En face, de l'autre côté de la rivière ! Une femelle avec ses deux petits. Un grizzly. »

Elle se retourna. Sur la pente à avalanche qui s'élevait de l'autre côté de l'ancienne voie ferrée, un grizzly se dressait sur ses pattes arrière et balançait la tête de droite à gauche.

« Elle sent notre odeur, déclara le garçon en faisant glisser le fusil de son épaule.

— Elle ne nous veut pas de mal, n'est-ce pas ? s'enquit Iseult d'une voix affaiblie par l'effroi. Je veux dire, quand elle saura qu'on est là, elle ne s'approchera pas de nous ?

— Qui sait ? répondit leur guide en manipulant son arme.

— On ne va pas tarder à en avoir le cœur net », commenta Joe.

L'ourse se mit à descendre la pente en slalomant entre les arbustes grisâtres, les oursons gambadant devant elle.

« J'ai un chargeur avec plusieurs cartouches », précisa le garçon.

Joe, Iseult et le jeune homme se serrèrent, bras contre bras, épaule contre épaule. La peur étreignit Iseult. Elle percevait l'odeur de lubrifiant émanant du fusil et l'haleine du garçon, parfumée à la gomme de pin qu'il mâchonnait.

L'ourse marqua un nouvel arrêt, se leva sur ses pattes arrière et renifla l'air.

Ne traverse pas la rivière, pria Iseult dans son cœur. Ne tirez pas. Pas d'orphelins. *On va tous repartir d'ici gentiment sains et saufs.*

Le grizzly se remit à quatre pattes et continua sa descente vers la rive. Mais, arrivée au bord de l'eau, l'ourse suivit la berge de sa démarche chaloupée aussi fluide que si elle nageait dans une eau calme. Elle s'éloignait en direction inverse de l'endroit où ils avaient laissé le break. Les oursons la suivaient en jouant à sauter dans l'eau.

« C'est ça, ma grosse mère, passe ton chemin », dit le garçon.

Quel ne fut pas leur étonnement de se réveiller par un temps splendide : un jour limpide et chaud, une petite brise du sud-ouest. Pas question de s'embêter à réparer la maison ou à débroussailler le jardin. S'ils étaient là, c'était pour faire du bateau. Leur fidèle Friendship Sloop, mis à l'eau et équipé de son gréement avant leur arrivée dans le Maine, les attendait à son mouillage dans le port de Cape Porpoise. Iseult s'empara des rames de la barque pour les transférer à bord. Joe portait un vieux pantalon de flanelle grise avec un ruban en guise de ceinture, une chemise blanche au col effiloché, des chaussures de tennis et, sur la tête, un vieux chapeau en feutre. Iseult avait passé sur une jupe un ancien pull de Mike.

Le sloop était repeint de frais. Pendant que Joe attachait le foc, elle déroula les voiles en éliminant les plis, puis hissa la grand-voile.

Cela faisait douze étés qu'ils possédaient ce bateau, rien de luxueux : voilier de pêche rudimentaire plutôt que yacht.

Les croisières qu'elle avait, bon an mal an, effectuées avec Joe le long des côtes du Maine leur avaient fourni leurs moments de plus grande intimité. Ils jetaient l'ancre dans des criques tranquilles où ils nageaient nus le matin au réveil. Elle n'oubliait pas d'apporter ses jumelles afin d'observer cormorans, balbuzards, albatros, marsouins, phoques… De son côté, Joe notait tout ce qu'ils voyaient dans le journal de bord. Ils barraient à tour de rôle, pêchaient le maquereau au flotteur coulissant et achetaient du cabillaud et des homards auprès des bateaux de pêche. Après le dîner, elle fumait une cigarette à la proue pendant qu'il lavait la vaisselle. Les écoutilles couvertes d'une moustiquaire, ils jouaient au blackjack éclairés d'une lanterne. Lui dormait dans la cabine avant. Comme il ronflait, elle se bouchait les oreilles avec des boules de cire, puis s'allongeait sur une banquette du carré et lisait un roman à la lumière d'une lampe de poche. Au bout d'un moment, elle s'endormait. En bateau, elle n'avait pas de mal à trouver le sommeil. La houle absorbait ses angoisses.

Il largua les amarres et borda le foc du côté au vent de manière à faire pivoter l'embarcation. Elle barrait. Tandis que le sloop s'éloignait du lit du vent, Joe relâcha le foc. Elle le borda, puis tira sur l'écoute de la grand-voile. Ils étaient partis.

Une fois qu'ils eurent dépassé Goat Island et les casiers à homards encombrant l'entrée étroite du port, Joe s'étendit sur le pont, les mains sous la nuque, presque un rituel au début de chaque virée en mer. Elle se sentait à l'aise à la barre ; avec un voilier plus grand, elle aurait craint de manquer de force. Peut-être Joe n'aurait-il pas été aussi sûr de lui – ils ne rajeunissaient ni l'un ni l'autre. Mais ayant mis le cap sur le grand large avec un bon vent dans les voiles, elle n'avait pas l'intention de gâcher ces quelques heures sous un ciel sans nuage en s'inquiétant pour leur avenir.

SICILE
AOÛT 1943

Personnes déplacées
I

Sicile
11 août 43*

Margo ma chère*,

Cette lettre, je voudrais qu'elle vole vers toi sur les ailes d'une colombe et pourtant elle n'a rien d'un oiseau. J'ai la plume aussi sèche que la bouche. Je ne peux plus parler. Je n'ai pas eu une pensée cohérente depuis des jours.

J'essaye de me secouer comme nous avions secoué les draps des lits ce matin-là, tu te rappelles dans le Maine. Après, nous les avions laissés en boule pour la femme de ménage, pour qu'elle les lave, les essore et les pende dehors là où le soleil et l'air pur se chargeraient de les rendre tout propres.

J'ai bien peur que tu ne puisses jamais me rendre propre, Margo.

Le soleil qui brille ici est le même qui brille dans le Maine ou au Canada. C'est pas croyable, c'est vrai, je le sais.

Il y a un homme de la section du lieutenant Trudeau, le soldat de deuxième classe Blais, un fermier, non, un fils de fermier. D'Arthabaska.

Je te parlerai de lui plus tard.

Les avions font du bruit au-dessus de nos têtes. Ce sont les nôtres. Les Allemands n'en ont pas, nous dit-on.

Il paraît que nous sommes les maîtres du ciel.

D'après l'état-major, nous aurions vaincu les Boches mais ils ne s'en seraient pas rendu compte. L'infanterie va remonter à pied jusqu'en Allemagne pour le leur faire comprendre, kilomètre après kilomètre, ferme après ferme, village après village, rue après rue.

Comment es-tu habillée ? Tes doigts caressent-ils ce papier ? Mes mots te parlent-ils ? Qu'est-ce qui nous lie encore, Margo ? Je me sens souvent plus proche de certaines balles sifflantes que de toi.

Je pense à tes poignets.

J'ai autrefois connu ma femme, jusqu'à la forme de ses os.

Tu es joliment bronzée cet été ? Comme une huronne ?

Le peu de raison que j'ai jadis possédé, le peu de bon sens hérité de mes ancêtres normands m'ont été extorqués par la force sur ce sol vrombissant. C'est le mois de toutes les explosions.

Permets-moi, je t'en prie, de lâcher mes adjectifs. Laisse-moi les libérer entre tes bras.

sanglant,

bête,

fécal,

sonore,

découragé,

rouge,

terreur.

Tu vois, je dérape du côté des noms. Permets-moi de t'en envoyer quelques-uns. Tu n'es pas obligée de les déballer, Margo. Il te suffit de signer le bordereau, et tu peux ranger les colis sans les ouvrir.

enfant,

des enfants,
mitrailleuse,
antichar,
.303,
Flak 88,
fragment d'obus
contre-offensive
blessure à la tête,
prisonnier,
blessure au cou,
aorte,
artère fémorale,
bataille

Haut les cœurs! Les soldats chantent. Ceci est notre
«zone de repos» où ceux du 22ᵉ régiment* sont bien nourris,
hamburgers, fèves au lard puis une bouteille chacun
de Black Horse Ale. P'tit Canada dans une oliveraie
sicilienne*.

Tes cuisses t'appartiennent-elles toujours?
Excuse-moi, je te demande pardon.
Ô ma femme*.
La petite est-elle… non, je ne veux pas penser à elle. Non.
Je ne veux pas l'associer à cet endroit.
Ton con.
Excuse-moi, pardon, je t'en prie.
Moi, je veux me coucher sur toi.
M'enfoncer en toi comme dans une pâte au levain douce et chaude.
Antichar.
Obusier.
Perdre la tête, ici, c'est tellement facile*. À l'aube les
obus foncent à l'horizontale à travers les oliveraies, une
trajectoire plate à grande vitesse qui ébranche les arbres
d'un seul coup. Le plus dangereux n'est pas forcément l'obus

lui-même mais les éclats d'os de nos camarades, les fragments
de roche ou de bois. Cette saloperie vient à nous en remuant
du cul comme une gentille fille, douce et sournoise. Les soldats
sont tués par des bouts d'autres soldats. Bras, bottes, genoux.
Je dis toujours à mes chefs de section, voilà la meilleure raison
pour éviter de vous regrouper, ce que les boys font toujours
au début, comme un troupeau de bovins, malgré leur
entraînement, malgré les instructions.

Considérez vos camarades comme du shrapnel,
mortellement dangereux. Faites gaffe aux casques en acier
volants. Un éclat de fémur peut faire des dégâts pas croyables.

Mon sergent-major, sur la route de Catania.

Là.

Il faut me couvrir.

Trois jeunes Allemands sur une route de montagne à bord
d'un véhicule affecté au transport. À en croire son rapport,
le petit lieutenant Duclos avait la ferme intention de leur
demander de se rendre. Au lieu de quoi, le caporal Dextraxe
a fait parler sa mitrailleuse. Et le jeune lieutenant, cet
hypocrite jésuite fraîchement émoulu de Brébeuf, n'a pas cillé
en faisant son rapport : On ne perd pas le sommeil pour des
Boches morts. En revanche, le caporal, un de nos meilleurs
hommes, un bûcheron de Megantic, tremblait et jurait entre
ses dents.

Leur officier, c'est ce que je suis. Je ne suis plus ton mari,
Margo. Je n'appartiens plus à personne d'autre qu'à ces arbres
qui explosent et à l'odeur de graillon qui s'échappe de la
cantine où les survivants se gavent de hamburgers.

Des troupes fraîches sont attendues pour demain : je vais
avoir dix-sept bleus sous mes ordres.

Tout le monde est fatigué.

Les soldats me jurent qu'il y a dans les caves de Messine de
ravissantes jeunes filles qui meurent de faim et sont prêtes à

donner leur corps pour un morceau de fromage. Et après, elles vous offrent une bouteille de marsala en échange d'une infecte cigarette Sweet Caps.

Ce Blais, celui dont j'ai déjà parlé. L'imbécile a mis enceinte sa fiancée l'année dernière avant d'être mobilisé. Son père l'a collée chez les Sœurs Grises à Montréal où après l'accouchement elle a été forcée d'abandonner l'enfant et, maintenant, c'est leur servante, elle récure les parquets du couvent et elle est horriblement malheureuse. Sa lettre, il me l'a montrée, est pathétique… Crois-tu qu'ils envoient les filles à l'école à la campagne ? Celle-ci sait à peine se faire comprendre. Toujours est-il. Pourrais-tu te rendre au couvent de la Charité pour voir la mère supérieure ? Il faut faire quelque chose. Tu peux lui dire que tu viens de la part de mon oncle l'archevêque. Elle s'appelle Lucie je ne sais quoi, originaire de Tingwick, pas plus de quinze ou seize ans. Blais est un brave garçon et tient absolument à ce qu'ils se marient s'il s'en tire. Tu peux peut-être lui trouver une place de bonne. Avec les salaires qu'ils payent dans les usines de nos jours, vous devez être à court d'esclaves à Westmount.

Oh, ma chérie. Je suis secoué et personne d'autre que toi ne le sait.

Pardon. Je t'envoie mon sang, mon cœur, mes baisers que je dépose devant notre fille,

Jean

WESTMOUNT
AOÛT 1943

Le fils prodigue

On sonna à la porte pile au moment où Frankie et ses parents se mettaient à table pour dîner. Elle échangea un regard avec sa mère : ils n'attendaient personne. Depuis que Mike, puis Johnny Taschereau étaient partis, un bruit de sonnette inattendu avait l'art de semer l'effroi avenue Skye. Mike se trouvait à un poste en Afrique qu'on espérait sans danger, mais tout le monde savait que les Canadiens se battaient en Sicile, et Johnny comptait peut-être parmi eux. Margo souffrait d'insomnie. Elle buvait trop, pensait Frankie, et elle était souvent brusque avec Madeleine, sa fille de trois ans.

Cette peur se plantait comme un pic de glace dans vos entrailles. Son père présidait la tablée. Mais elle ne parvenait pas à déchiffrer son expression : nerveuse, pessimiste, perplexe ?

Sa mère adressa un signe de tête à Helen, leur nouvelle femme de chambre antillaise, laquelle posa le bol de salade sur la desserte avec un bruit sonore avant de courir répondre à la porte. Frankie avait vu sa mère vieillir d'un seul coup le jour où la guerre avait commencé. Cela faisait des années qu'elle ne s'achetait plus de vêtements neufs. Elle dirigeait toujours la maternité de Sainte-Cunégonde, voyageait beaucoup et organisait des meetings pour lever des fonds en faveur des familles des soldats. Mais elle n'emportait plus jamais son appareil photo. Depuis la naissance de

Madeleine, la chambre noire était restée fermée. Quand Iseult était à la maison, elle passait en général la matinée au lit, à lire son courrier et à écrire des lettres que Frankie tapait sur sa machine au bureau où elle travaillait en ville.

Sans bouger de sa chaise, Frankie jeta un coup d'œil vers la fenêtre, aperçut un taxi qui s'éloignait et éprouva un immense soulagement. Si son beau-frère ou son frère avaient été blessés ou tués, la nouvelle leur serait parvenue par télégramme, pas en taxi.

Une voix grave résonna dans le vestibule et aussitôt un grand jeune homme brun et maigre en uniforme des troupes coloniales entra d'un pas nonchalant.

« Qu'est-ce qu'il y a pour le dessert ? lança Mike. Du gâteau au chocolat, j'espère. Hip hip hourra ! On salue le retour du héros ! »

À l'époque où Mike s'était engagé, leur père en avait fait retomber la faute sur leur mère et sur oncle Grattan, ce qui était ridicule, pensait Frankie, parce que Mike serait parti quoi qu'en disent ou écrivent les gens dans les colonnes des journaux. Lorsque leur père avait voulu fermer son entreprise, un ami d'oncle Grattan – un ministre du gouvernement fédéral – lui avait conseillé de ne pas démissionner, non tant pour éviter la prison mais surtout à cause de Mike. Refuser de participer à l'effort de guerre reviendrait à jeter l'opprobre sur son fils, qui ne manquerait pas de se sentir responsable, n'est-ce pas ? Et puis Joe ne projetait-il pas de lui passer un jour la main ?

C'est ainsi que son père avait continué à diriger ses chantiers, cela faisait près de trois ans à présent. Était-il plus riche que jamais ? Frankie n'aurait su l'affirmer. En revanche, elle avait pu constater que pendant le long hiver suivant la blessure de Mike, alors qu'il était presque impossible d'obtenir des détails, son père et sa mère s'étaient mutuellement traités avec douceur et bonté.

Même les États-Unis étaient entrés en guerre. Sur les murs du bureau de son père, les cartes des chemins de fer canadiens avaient depuis belle lurette été remplacées par des cartes d'Angleterre, d'Afrique du Nord et de Russie, piquées d'épingles à tête rouge ou bleue aux endroits où son fils et son gendre avaient été ou étaient stationnés.

Et maintenant voilà Mike de retour sous leur toit. Frankie le reconnaissait à peine, mais il était là, avec eux. En l'embrassant, elle sentit sa maigreur à travers sa saharienne élimée.

« C'est du dernier chic d'être tué au combat », avait claironné Lulu Taschereau un soir au Normandie Roof, quelques semaines avant que son fiancé trouve la mort à Dieppe. Tout le monde à table, même Frankie, avait souri. Ce à quoi la vie ressemblait avant 1939, elle s'en souvenait à peine.

Jusqu'ici, elle avait eu deux « amoureux », des soldats, un lieutenant du régiment Loyal Edmonton et un capitaine appartenant à un régiment antichar. L'un et l'autre se trouvaient peut-être à cette heure en Sicile, tout comme Johnny Taschereau, qui avait quitté les Maisies pour prendre le commandement d'un autre bataillon d'infanterie canadien français, le 22ᵉ. Mais personne ne savait vraiment ; était-il même encore en vie ?

Son père ne s'était pas levé ; il observait en silence Frankie et sa mère s'agiter autour de Mike avec une ferveur de femmes inquiètes. Mike était en train de leur raconter qu'il avait réussi à prendre un B-17 en partance de Prestwick, en Écosse, un vol transatlantique à trente mètres d'altitude. D'après les galons bleus qu'il avait sur les manches, elle déduisit qu'il était lieutenant de l'armée de l'air, l'équivalent de capitaine dans l'infanterie. Elle avait passé son année à réserver des places pour des huiles dans des forteresses volantes. Une fonction dont ses amies lui enviaient le prestige. Eh bien, elle n'avait jamais entendu parler d'un militaire moins gradé qu'un major ou un général qui aurait été admis sur ces vols. Aucun soldat, aucun pilote ne rentrait au pays au milieu d'une campagne, sans être annoncé, sans une raison grave qui n'avait rien de réjouissant. Devant le silence de son père, et le pli de sa bouche, elle devina qu'il partageait son pressentiment : des souffrances de toute nature, le chagrin, l'écroulement des rêves.

Son frère avait une allure exotique, étrange. Il parlait avec un accent, oui, anglais. Il employait des expressions typiquement britanniques : *frightfully cold, bloody awful.*

Il avait maigri et son visage acajou faisait paraître ses dents d'une blancheur éblouissante. Une année dans le désert. Comment cela aurait pu ne pas le marquer ? Lui qui avait toujours adoré le soleil. Comment était-ce, la Tunisie, l'été ? Des oliviers poussiéreux... Ou bien pleuvait-il ? Le frère de son enfance se serait débrouillé pour dénicher la plage la plus belle, la plus vide, il se serait déshabillé et aurait nagé voluptueusement tout seul dans la Méditerranée.

Son visage semblait différent. Il ne souriait plus de la même façon. Ses pommettes saillantes lui donnaient une expression féroce. Autour de ses yeux, la peau était comme étirée, parcheminée. Il s'était fait couper les cheveux récemment, rasés sur les côtés et sur la nuque, plus touffus au sommet du crâne.

Elle avait la tête qui tournait. Le choc sans doute. Et puis elle avait eu une longue journée, pratiquement sans rien manger.

La femme de chambre tentait de servir trois petites assiettes de salade.

« Mettez un quatrième couvert, Helen, s'il vous plaît », dit Iseult.

Iseult venait de rentrer d'un voyage dans les provinces maritimes où elle levait des fonds pour les familles des soldats. Elle avait l'air plus décharnée que jamais. Quelques jours dans le Maine en juin lui avaient fait du bien, mais à présent sa pâleur était extrême, alors qu'on était en plein été.

Le lustre scintillait dans la glace au-dessus de la desserte. C'était un peu comme s'ils avaient sous leur toit un visiteur inconnu. Son frère était peut-être bel homme, mais sa jeunesse s'en était allée. Il avait la peau sur les os. La guerre l'avait desséché. Son uniforme était beaucoup trop grand pour lui. Son visage, ses poignets, ses mains étaient aussi noirs que ceux d'Helen.

S'il n'avait pas été son frère, elle aurait pu tomber amoureuse de lui. Il avait un aspect si extraordinaire. Épuisé physiquement et pourtant habité par une énergie sauvage. Il était méconnaissable.

Mike répondait par des hochements de tête distraits aux questions de leur mère : était-il en permission ? Combien de temps allait-il rester ? Frankie se disait qu'elle devrait téléphoner à Margo, mais elle était comme paralysée.

Alors que Mike s'approchait du bout de la table où il était assis, Joe tendit la main, manifestement pas de gaieté de cœur. Des manches élimées de l'uniforme de son fils surgirent des poignets semblables à des tiges de bois poli. C'est le désert qui lui a fait ça, se dit Frankie. Le désert l'avait poncé jusqu'à l'os. Frankie le regarda prendre dans la sienne la main de leur père, se pencher et la porter à ses lèvres.

L'espace d'un instant, rien ne bougea. Des bruits de vaisselle leur parvinrent de la cuisine, des bribes d'une émission de radio en français. Les odeurs de la salle à manger : cristal, sel, huile de citron.

« Tu es en permission, oui ou non ? » lança leur père.

Lâchant la main paternelle, Mike tira une chaise et s'assit. Frankie se remit à respirer normalement.

« Je dois me présenter au rapport à Rockcliffe, mais j'ai estimé que j'avais droit à un congé non officiel. »

Rockcliffe était la grosse base aérienne d'Ottawa où régnait une activité intense. À en juger à la crispation de son menton, Joe tiquait sur l'expression « congé non officiel ». La lumière du lustre se réfléchit dans le verre de ses lunettes, une série de clignotements, tels des signaux de morse ; Frankie lisait dans ses pensées comme dans un livre : *La guerre n'apporte jamais de bonnes nouvelles.* Un garçon qui était avec elle en maternelle s'était noyé lorsque son destroyer avait coulé dans le détroit de Belle Isle, entre Terre-Neuve et la péninsule du Labrador. Les jumeaux qui habitaient en face de chez eux étaient morts à Dieppe – elle n'oublierait jamais les cris perçants de leur mère. Montréal n'abritait plus que les malades, les infirmes, quelques nationalistes canadiens français opposés à la conscription, des hommes d'affaires d'âge mûr dans des uniformes splendides, les *zuit-suiters*[1] et les profiteurs du marché noir. Les meilleurs se trouvaient à bord de bombardiers qui survolaient l'Allemagne, dans des convois en mer du Nord, à l'entraînement en Angleterre, sur le front en Sicile.

Helen dressa le couvert devant Mike. Son fiancé était caporal dans le Royal Melbourne Regiment. La femme de chambre précédente, originaire elle aussi des petites Antilles, avait rendu son tablier pour accompagner son petit ami, maréchal des logis au «Lincs and Winks», le Lincoln and Wellands Regiment, envoyé dans un camp d'entraînement de l'Ontario. De plus en plus, les hommes étaient «loin des yeux».

Où se trouvait Johnny Taschereau à cette heure, alors que sa fille, qu'il n'avait jamais vue, dormait à l'étage? Frankie se leva.

«Je vais téléphoner à Margo.»

Sa sœur était de service à la cantine qu'elle gérait à la gare Windsor. Avant de partir, Johnny avait loué un appartement avenue Northcliffe, mais à la naissance de Maddie, Margo était revenue vivre avenue Skye.

Le téléphone le plus pratique était celui du bureau de son père.

«Quelles nouvelles de Johnny?» demandait Mike alors qu'elle sortait de la salle à manger.

Il faisait sombre et horriblement chaud dans le bureau de son père. Les auvents de toile masquaient en partie la lumière du soir.

1. Mode qui correspondait plus ou moins à celle des zazous.

Son télégraphe avait depuis longtemps disparu. Il avait maintenant un poste de radio pour écouter les nouvelles de la guerre pendant qu'il épluchait minutieusement les listes d'actions et d'obligations, les relevés de compte bancaire et les registres des différents comités d'Iseult.

Les lettres de Mike avaient toutes atterri dans le tiroir d'un classeur en métal vert, dans des dossiers classés par dates. Joe aurait voulu archiver de même celles de Johnny, mais Margo tenait à les garder dans sa chambre. Un pan de mur disparaissait sous les cartes d'état-major du sud-est de l'Angleterre, du Moyen-Orient, de l'Afrique du Nord, de Sicile, des épingles à tête rouge marquant les endroits où Johnny Taschereau avait été stationné, à tête bleue pour Mike. Sur l'autre mur, trois cartes marines punaisées l'une à côté de l'autre représentaient la côte entre l'embouchure de la Kennebunk et l'île du Cap-Breton en Nouvelle-Écosse. Des lignes et des points au crayon retraçaient les croisières que Joe avait effectuées le long des côtes du Maine, avec toutes les précisions utiles retranscrites à partir de son journal de bord.

Elle connaissait par cœur le numéro de la cantine. Un transport de troupes débarquait ce soir à la gare, trois unités en provenance de la côte Ouest et en route pour Halifax puis pour l'Angleterre, ou la Sicile. Les soldats s'attendraient à ce qu'on leur offre des *doughnuts* et du café. Frankie avait en outre promis à sa sœur qu'elle descendrait lui donner un coup de main – il n'y avait jamais assez de bénévoles le soir. Les hommes chahutaient un peu, surtout quand ils avaient passé des jours à bord du train, mais en général, ils se montraient timides et reconnaissants pour le café et les gâteaux. On aurait aussi bien pu les imaginer en route vers les zones céréalières pour la moisson, ou vers le nord afin de se faire embaucher dans les mines ou sur les chantiers forestiers. Ils n'étaient pas tellement du style à la ramener, sans doute n'était-ce pas l'usage dans les petites villes et les campagnes qui fournissaient le plus gros de l'armée canadienne.

À l'autre bout du fil, cela sonnait dans le vide. Elle était sur le point de raccrocher quand une bénévole prit l'appel.

«Elle est occupée, répondit la jeune fille lorsque Frankie demanda à parler à Margo. Rappelez plus tard. On a tout un bataillon qui nous tombe dessus.

— Je suis sa sœur. Il faut que je lui parle. C'est important.»

Une pause.

«Oh, mince, dit la jeune fille. J'espère que c'est pas des mauvaises nouvelles. C'est pas Johnny?

— Non. Pouvez-vous me la passer, s'il vous plaît?

— Ne quittez pas.»

Pendant qu'elle patientait, Frankie fouilla dans un tiroir et trouva un paquet de cigarettes appartenant à son père. Elle en prit une et l'alluma. Tout le monde fumait maintenant: le sceau de la guerre.

Ce qu'il lui fallait, c'était un jeune homme de son âge pour l'emmener dîner et danser au Normandie Roof, puis écouter du jazz au Ruby Foo en buvant des Brandy Alexander, et en dégustant des œufs brouillés. La tâche consistant à chercher des noms dans les listes des morts et des blessés n'avait rien de réjouissant, il fallait bien l'admettre. Il n'y avait pas beaucoup de jeunes Montréalais en Sicile, mais il y en avait quand même. Elle avait besoin d'un homme auprès d'elle, pas occupé à se battre contre les Allemands à des milliers de kilomètres.

«Frankie, qu'est-ce qu'il y a?»

Margo avait l'air à bout de nerfs.

«Mike est rentré.

— Quoi? Non. Ce n'est pas possible. Il est en Afrique du Nord.

— Il a pris un bombardier.

— Est-ce qu'il a des nouvelles de Johnny? Il était en Angleterre? Il a reçu des informations concernant Johnny?

— Quoi?

— Frankie, ce n'est pas un canular pour m'obliger à rentrer à la maison?

LE FILS PRODIGUE

« – Non, non, il ne sait rien sur Johnny. Il est rentré, c'est tout. »

Frankie entendait distinctement le son de la respiration de sa sœur.

« S'il y avait une mauvaise nouvelle, tu me la dirais tout de suite, débita Margo d'un trait. Ne me fais pas attendre. Tu me le dirais sur-le-champ, n'est-ce pas ?

– Bien sûr. »

Une deuxième pause. Elle écouta le son que fit Margo en expirant.

« J'ai mis Maddie au lit à six heures. Elle n'a pas pipé depuis.

– Oh, Frankie, je tremble. La guerre est peut-être presque finie, Johnny va peut-être rentrer bientôt. Je prends un taxi et j'arrive ! »

Margo réveilla Maddie. Mike tint la petite fille à moitié endormie sur ses genoux pendant qu'il leur racontait son voyage de la Sicile jusqu'à Portsmouth au milieu de centaines de soldats blessés à bord d'un ancien cargo réfrigéré qui avait transporté de la viande entre l'Argentine et la France.

« Dès que l'ordre est arrivé, nous avons été obligés de lever le camp avec une telle précipitation que toutes mes affaires sont restées à Catane. J'ai mon matériel de rasage et une chemise de rechange, un point c'est tout. »

Frankie jeta un coup d'œil à sa sœur. Le régiment de Johnny, le 22ᵉ – surnommé les Van Doos[1] – se trouvait en Sicile. Johnny, que l'on sache, pouvait être blessé ou mort, depuis des jours peut-être. Cela prenait parfois très longtemps pour que les nouvelles traversent l'Atlantique. Elle avait entendu dire que certaines familles avaient reçu leur télégramme des semaines après le malheur.

« Pour quelle raison t'ont-ils renvoyé en Angleterre ? » s'enquit leur père.

1. Transcription de la prononciation à l'anglaise de « vingt-deux ».

391

Mike caressait les cheveux de Maddie, avec une grande douceur mais rapidement, nerveusement. Son uniforme était lustré aux genoux et partait en lambeaux autour des poignets. Frankie n'aurait su identifier ses insignes. Les ailes sur sa poitrine indiquaient que, aux commandes d'un avion ou bien assis derrière un bureau, il serait toujours un pilote.

Frankie commençait à se demander si, en fin de compte, Mike n'était pas malade. Avec sa peau sombre tannée par le soleil, il lui rappelait les hommes qui avant la guerre frappaient à la porte de la cuisine pour obtenir une aumône, ou un petit boulot. Sa voix autant que ses gestes laissaient transparaître un profond épuisement ; il avait accumulé la fatigue comme les obèses accumulent de la graisse, elle faisait partie de lui.

Il embrassa Maddie sur le haut du crâne. Margo la reprit dans ses bras. Il se tourna vers leur père.

« Comment le savoir ? Quand on est dans la logistique, ils vous déplacent tout le temps.

— As-tu entendu des choses sur les Van Doos ? lança Margo. Ils sont toujours basés en Angleterre, non ?

— Qu'est-ce que tu vas faire à Ottawa ? poursuivit leur père.

— Je n'en ai pas la moindre idée.

— Quand dois-tu te présenter ?

— Demain après-midi, ce sera bien assez tôt.

— Je t'y conduirai.

— Je peux prendre le train, papa.

— Non, je t'emmène en voiture. »

Leur mère prit la petite Maddie endormie des bras de Margo. « Allons nous coucher, Joe. Laissons les enfants bavarder. »

Leur père se leva et fixa sur Mike un regard soupçonneux.

« Tu n'as pas d'ennuis, au moins ?

— Je n'en pouvais plus de l'Afrique du Nord, répondit Mike. Et pareil de la Sicile. Sinon, tout va très bien.

— Bon », opina leur père.

Une fois leurs parents montés, ils passèrent au salon. Margo alluma la radio et baissa le son. Du jazz, joué par un orchestre dans la salle des fêtes d'une base du Manitoba. Les nouvelles de la CBC n'allaient pas tarder. Mike leur offrit des cigarettes anglaises, des Senior Service. Frankie préférait ses Camel, mais elle en prit une quand même. Elle alluma les lampes à l'autre bout de la pièce, puis enleva ses chaussures de deux coups de pied et se pelotonna dans le fauteuil de leur père, sur le damas jaune aux rayures tantôt satinées tantôt duveteuses. Un charme ténébreux d'un luxe fastueux émanait des tapis persans superposés sur le parquet, tout chatoyant d'or, de pourpre, de brun chaud. « Papa aurait dû naître turc, avait un jour dit Margo. Un harem, cela lui serait allé comme un gant. Au lieu de… nous ! »

Mike resta debout, dos à la cheminée ; personne n'y avait allumé de feu depuis des mois. Margo s'assit sur le canapé, ses jambes repliées sous elle.

« Je pense qu'un petit cocktail nous ferait le plus grand bien, déclara-t-elle. Que diriez-vous d'un manhattan ?

– Excellente idée, approuva Frankie. On a des cerises ?

– Bien sûr, répondit Margo. Mike ? »

En général, elles buvaient des cocktails dans la chambre de Margo avant le dîner pendant que la bonne donnait son bain à Maddie. Leur mère se joignait à elles de temps à autre. Margo avait en réserve, achetées au marché noir, des bouteilles de scotch, de vermouth et de rye whisky canadien cachées au fond de son placard à chaussures. Les glaçons, les shakers et les citrons venaient de la cuisine.

« Pour moi, ce sera un *ginger ale* », dit Mike.

Margo haussa un sourcil.

« Tu plaisantes.

– Je suis fatigué, tu sais.

– *Comme tu veux, mon capitaine** . »

Margo sortit en bas nylon. Frankie l'entendit monter à pas feutrés. Mike s'assit sur le canapé.

Curieux tout de même que personne au bureau n'ait remarqué le nom de son frère sur une liste de passagers. Ils recevaient toujours par câble une dépêche de Prestwick avec la liste des noms de ceux qui faisaient la traversée. Elle était, entre autres, chargée d'organiser les vols des VIP à destination essentiellement de Washington et de New York.

Ayant ôté ses souliers marron, il s'étendit de tout son long sur le canapé. La radio diffusait du jazz en bruit de fond. Elle entendit Margo redescendre à la cuisine préparer leurs cocktails.

« Papa fait construire un voilier pour toi, dit Frankie.

– Oh, merde. »

Il ne la regardait pas. Ses yeux étaient fermés. Sur ses tempes palpitaient des veines gonflées.

« Il sera terminé après la guerre, pas avant. »

Dans la cuisine, Margo vidait les bacs à glaçons. Frankie s'enquit :

« Comment se fait-il qu'ils t'aient rapatrié ? Ferais-tu partie des huiles ? »

Il était affalé sur le canapé, comme vidé de toute son énergie. Elle pensa à leur oncle lors de son retour de la Première Guerre, qui se serait, paraît-il, jeté dans le canal Lachine. Ça ressemblait à leur père, lui qui était capable des coups les plus mystérieux, avec son côté autodestructeur et jusqu'au-boutiste.

Margo revint avec leurs verres sur un plateau. Frankie prit le sien et sans perdre une seconde cueillit la cerise et la croqua. Elle raffolait tellement de ces cerises macérées dans du whisky et du vermouth qu'elle aurait pu ne manger que ça – mais elle avait du mal à oublier la remarque d'une infirmière de l'hôpital militaire Lachine à propos des cerises de cocktail qui avaient la couleur du sang frais.

Mike se redressa pour boire une gorgée de *ginger ale*, puis il posa son verre sur le sol, enleva sa cravate bleue et déboutonna sa saharienne. Il défit les derniers boutons et se tourna vers ses sœurs en exposant son torse nu. Dans la lumière adoucie par les abat-jour en soie, Frankie, fascinée, compta quatre ou cinq cicatrices bordées de points de suture très fins, des cordons de chair dont la pâleur tranchait sur sa peau mate. Chacune avait la taille et la forme d'une cigarette.

« Oh, Mike », dit Margo.

Reviendraient-ils tous avec des blessures ? Pourquoi lui montrait-il ses cicatrices ? Il se doutait bien qu'elle allait imaginer le corps de son mari balafré, déchiré, recousu.

« Touche ça, dit Mike en se palpant. C'est en train de guérir. J'ai eu très mal, mais ça a bien dégonflé.

– C'est l'année dernière que tu as été blessé, lui rappela Margo. Tu dois être remis maintenant.

– J'ai du mal à respirer. J'ai les poumons encombrés par moments. Ils pensaient que je faisais de l'asthme. Finalement, j'ai été ausculté en Sicile par un toubib canadien. Il a fait des radios et a découvert un éclat de shrapnel dans ma poitrine. C'est pour ça qu'on m'a renvoyé en Angleterre. Touche, là… C'est pas si terrible. »

Margo, debout avec son cocktail et sa cigarette dans une main, l'autre soutenant son coude, restait parfaitement immobile. Les nouvelles de la CBC avaient commencé mais aucun d'eux n'écoutait. Frankie posa son verre, se leva et vint s'agenouiller devant le canapé. Son frère guida ses doigts sur son torse. Elle toucha le cordon sinueux de la cicatrice et la peau brune tout autour, dure et ferme.

« On m'a envoyé à Londres. Là, les toubibs de l'Air Force m'ont dit : grouille-toi de monter en Écosse et prends le premier vol pour ton pays. J'ai traîné mes guêtres à Prestwick trois jours pleins avant de trouver une place dans un avion. »

Margo s'agenouilla à côté de Frankie. Il guida les doigts de Margo sur ses cicatrices.

« Mes poumons sont infectés. J'ai lu mon dossier dans l'avion. Selon eux, je vais mourir. »

Margo eut un sursaut.

« Non, c'est pas possible.

– Tu peux lire le dossier si tu veux, Margo.

– Les médecins de l'Air Force sont des charlatans. Papa va te trouver un vrai médecin. »

Margo colla sa cigarette entre ses lèvres et reboutonna la saharienne de son frère en ajoutant :

« Si tu es malade, papa te fera soigner dans un vrai hôpital. Tu es fatigué, voilà tout. Tu es à la maison maintenant. On va bien s'occuper de toi. »

Mike saisit la cigarette aux lèvres de Margo. Frankie remarqua la trace de rouge sur le filtre. Mike prit une bouffée.

« Vous avez raison toutes les deux. Je me sens déjà beaucoup mieux. »

WESTMOUNT
AOÛT 1943

Personnes déplacées
II

Margo O'B. Taschereau
10 avenue Skye
Westmount, Province de Québec

Le 15 août

Cher Jean,

Toujours aucune lettre de toi, pourrais-tu au moins m'écrire quelques lignes, nous sommes tous terriblement inquiets.
Es-tu en Sicile ? Nous pensons que oui.
Mike est rentré, il est au plus mal. Il a pris l'avion en Écosse et il est arrivé à l'improviste chez nous avant-hier soir. Papa a pris un rendez-vous pour lui avec Wilder Penfield. Après sa blessure de l'an dernier, il n'a pas reçu les soins qu'il fallait.
Comme je te le disais dans ma dernière lettre, Madeleine et moi sommes très heureuses ici au N°10. Cet arrangement nous convient. Mais évidemment, il y a beaucoup de remue-ménage en ce moment... Papa est en train d'organiser le transfert de Mike de l'hôpital de l'Air Force au Royal Vic...
Je sais que tu voulais que nous gardions l'appartement de Northcliffe, mais c'était trop sinistre, Jean, tu n'aurais pas souhaité que j'y reste. On ne trouvait pas de femme

de ménage et tu sais que NDG[1] n'est pas ma tasse de thé. C'était vrai hier, ce sera vrai demain. Après la guerre, nous trouverons quelque chose de beaucoup mieux. Et puis Mère et Frankie m'aident tellement avec Maddie. Alors que je t'écris ces mots, Frankie lui donne son bain, je l'entends qui joue avec l'eau. Elle a de la chance d'avoir sa tante et ses grands-parents pour s'occuper d'elle pendant que son papa est loin. Ce matin au petit déjeuner, papa lui a donné un peu de ses œufs brouillés. Tellement mignon! Si seulement tu avais pu les voir.

J'espère que tu vas bien, où que tu sois, mon chéri.

S'il te plaît, dis une prière pour Mike...

Ce que tu me racontes dans tes lettres...

Je comprends combien cela doit être dur d'être séparé de ceux que tu aimes.

Tu es un homme de passion.

Quand la guerre sera finie et que nous serons de nouveau réunis, je saurai te montrer comme je t'aime.

Tout ce que tu attends de moi, tout ce que tu veux... J'essayerai d'être tout cela pour toi, mais en suis-je capable? Si je ne suis pas à la hauteur de ce que tu attends, que feras-tu? Dans un sens, j'ai la vie plus facile à présent que tu es loin. La guerre. Une bonne excuse pour ne pas nous marcher sur les pieds.

Notre petite Madeleine est une enfant adorable et très sage. Elle adore tout ce qui ressemble à un ballon, les balles de tennis, les balles de golf, de base-ball, les balles en caoutchouc, les ballons gonflés à l'hélium. Tu verrais sa tête quand elle voit la mappemonde dans le bureau de papa, elle tend les bras en disant ba, ba, ba.

---

1. Le quartier de Notre-Dame-de-Grâce.

Jean, écoute, j'ai froid sans toi. Je ne sais pas en quoi tu me fais autant d'effet, mais j'en ai besoin là, maintenant. Les jours sont les jours sont les jours.

Mike est affreusement maigre et aussi noir qu'un nègre. Et toi, tu es maigre aussi ? Oh, Jean, quelquefois j'ai envie de crier, et ce papier à lettres, j'aimerais le lécher, le manger. Comme je déteste ma propre faiblesse. Je pourrais briser mon stylo et le jeter par la fenêtre.

Voyagerons-nous jamais ? Je veux visiter Rome. La France. Je veux me promener à Paris en compagnie de mon mari, mon mari qui a été officier pendant la guerre.

J'espère que les médecins vont pouvoir aider Mike. Frankie a lu son dossier, il a eu le paludisme.

Tu disais toujours que je n'étais pas assez affectueuse et que tu n'étais pas sûre que je t'aimais, que mon amour pour toi était trop timide et inaccessible. Je me rappelle t'avoir entendu répéter que je ne me comprenais pas moi-même.

Comme si toi, tu te comprenais toi-même, Jean.

J'étais furieuse de t'entendre prononcer ces paroles et je tremblais à la pensée que tu avais peut-être raison. Mais aujourd'hui j'ai besoin de toi dans cette vie difficile. Ces derniers temps, j'ai l'impression que j'ai eu tellement de chance dans la vie, et je sens en moi une ouverture, Johnny, qui n'était pas là avant.

Avant ton départ, je n'ai éprouvé cette sensation qu'une fois ou deux, quand nous faisions l'amour. J'ai essayé de te le dire mais tu n'étais pas disponible parce que tu partais te battre. Désormais elle ne me quitte pas, rien à voir avec une appréhension. Je ne sais pas d'où vient cette impression, Johnny. Cette joie. Tout ce que les religieuses m'ont dit sur toi, la plupart de leurs avertissements se sont avérés justifiés, mais je m'en fiche. Je sais à présent que tu vas rentrer à la maison. Je nous ai vus en rêve, ne ris pas, toi et moi et Maddie réunis.

401

Je serai tout pour toi et nous ferons d'autres enfants, n'est-ce
pas ? Quand la guerre sera finie et que tu seras de retour,
nous partirons pour un long voyage. Nous descendrons dans
le Maine, ou nous irons dans le Grand Nord. Je tiens à ce
que tu me racontes tout, ce que tu as vu, ce que tu as vécu.
Et quand nous aurons laissé la guerre derrière nous, nous
poursuivrons ensemble notre vie jusqu'au bout.

Si tu veux mon avis, tu dois garder des choses pour toi, ne
pas tout donner à tes hommes, et quand tu touches le fond,
dors. Prie pour mon frère. Tout le monde ici t'embrasse,

ta xxx Marg

<u>R R94274 O'Brien F/L M.F. R.A.F.</u>

9 nov 42 NZ Gen Hosp, Helwan. Hospitalisé N°4 ADS.
Blessures multiples d'éclats d'obus. 13 fragments
extraits thorax, épaule, cou. 14 jours douleurs post-op
généralisées, anorexie, insomnies. Migraines, maux de
dos, toux. Sorti après 28 jours.

19 mars 43 Wadi Sirru. Fièvre intermittente. Le
malade a attrapé paludisme Égypte 42. Trait. Quinine
et Atabrine, d'où le teint jaune et foncé. Aspirine à
l'infirmerie. Léger soulagement.

20 mai 43 55th Gen. Hosp. Catane Sicile. Épuisement,
cachexie. Haute taille, teint mat, mauvais aspect. Se
sent bien quand n'a pas de température. Radio thorax
indique épanchement pleural infectieux causé par corps
étranger. Ponction pleurale. Diagnostic empyème du
poumon. Rapatriement immédiat s'impose.

8 août 43 Infirmerie de la base, 78 Wing, Ashburton,
Devon. 39,1. Douleurs dans la poitrine. Amaigrissement.
Flatulences. Perte d'appétit. Difficultés respiratoires :
comme un ballon dans la poitrine. Consomme bcp

d'aspirine. D'apparence en bon état de santé — un homme robuste qui ne se plaint que de fièvre intermittente et d'essoufflements.

1. Faiblesse depuis 7 mois.
2. Perte de poids. Déc. 42 / 87 kg — 5 août 43 / 78 kg

9 août 43 N°11 Canadian Gen. Hosp, Taplow. Radio révèle empyème du poumon sans doute éclats d'obus nov. 42 au MO. Épanchement pleural. Demande de rapatriement déposée aux services médicaux de la RAF.

10 août Services médicaux de la RAF Londres. Décision rapatriement immédiat. Canada.

À l'Honorable Charles Power
Conseil privé de la Reine
Ministre de l'Air
Ottawa
14 août 1943

Cher Chubby

Re : R94274 O'Brien F/L. M.F. R.A.F.

Mon fils qui est parti outre-mer en octobre 1939 pour ne plus quitter l'Angleterre, l'Afrique et la Sicile où il s'est battu dans la RAF, a été blessé en Égypte. Depuis lors, il est entre les mains de la médecine militaire.

Il a passé les cinq dernières semaines à servir de cobaye à tous les médecins qui passaient par là. Finalement, il y a dix jours, les services médicaux de la RAF à Londres se sont intéressés à son cas.

Ils ont, je dois dire, agi avec promptitude et l'ont rapatrié au Canada en avion. Ses poumons sont gravement infectés et il faut l'opérer d'urgence. Je l'ai conduit à la base de Rockcliffe dimanche où il a été hospitalisé immédiatement. On m'informe à présent qu'il doit être transféré à l'hôpital Lachine demain.

Je voudrais qu'il soit transféré au Royal Victoria ou ici, à l'institut de neurologie, où le Dr Wilder Penfield ou bien un autre chirurgien aussi compétent que lui pourra effectuer l'opération.

Avec l'assurance de mes meilleurs sentiments,

Joe

Re : R94274 O'Brien F/L M.F. RAF

15 août 43 Hôpital RAF base Rockcliffe F/L O'BRIEN. Radio des poumons. De haute taille, mince, bronzé et l'air maladif. Empyème de la cavité thoracique causé par éclats d'obus. Ponction confirme.

18 août 43 N°3 Command Medical Board Hosp., Lachine. Corps étranger dans cage thoracique taille d'un pépin de pomme. Repos lit. Contre la douleur asp. et vit. c.

20 août 43 À la demande min. (Air) transfert au Royal Vic Hosp pour consultation Dr Penfield. Pas de symptômes aigus.

21 août Radios thorax corps étranger dans la cage thoracique… empyème confirmé par ponction. Dr Penfield diagnostic malade en phase terminale. Rien de plus ne peut être fait.

23 août 43 Royal Victoria Hosp. Montréal P.Q. Températures très basses.
2 jours de douleurs poitrine… toujours pas d'appétit. Très faible, essoufflé, mal partout. Déclin très rapide. Expire 21 h 19. Permission autopsie refusée.

Rituel

I

WESTMOUNT
Août 1943

Frankie était dans l'atelier de couture où elle faisait de son mieux pour s'occuper quand une camionnette marron tourna le coin de Murray Hill. Le véhicule vint se figer sans bruit devant la maison.

Debout à la fenêtre, elle regarda deux hommes en noir faire glisser le cercueil sur un chariot et le rouler dans l'allée. Personne n'était là sauf la femme de chambre, Helen, et la cuisinière. Margo avait emmené Madeleine au parc et leurs parents étaient allés chercher à la gare centrale le père Tom, venu spécialement de Washington pour célébrer la messe d'enterrement.

Elle n'entendit pas sonner à la porte d'entrée. Helen devait les attendre dans le vestibule. Frankie se rassit et continua de cueillir les bouts de fil sur l'ourlet de la robe qu'elle comptait mettre, une robe de Margo qui devait être raccourcie de quelques centimètres. Elle n'avait pas le temps de l'envoyer chez la couturière avant les funérailles.

Une heure s'écoula. Ses parents et sa sœur n'étaient toujours pas rentrés. Finalement, elle descendit. C'était son frère après tout, elle n'avait pas à avoir peur.

La maison était horriblement tranquille et d'une propreté immaculée. La pendule trônait sur le palier, une présence patriarcale, dominatrice, impériale presque, dont le tic-tac rageur sapait son courage. Helen et la cuisinière faisaient sûrement la sieste dans leurs chambres qui ouvraient sur la cuisine. Elle entendit le feuillage bruire sous la pluie, les roues des voitures sur l'asphalte de l'avenue.

Partout où elle posait les yeux, de grands lis s'épanouissaient dans des vases affreux. Elle s'arrêta sur le seuil du salon. Le cercueil avait été hissé sur une table en fer devant la cheminée. Une longue boîte de bois encaustiqué. C'était tellement artificiel, tellement triste.

Elle se sentit obligée d'approcher. Pas question de céder à l'effroi devant la chose. Elle devait bien ça à son frère. Un souvenir de Californie lui revint brusquement : Mike débordant d'énergie, décontracté, plein de joie de vivre. En tee-shirt blanc et lunettes de soleil au volant de leur vieux break. Franchissant Casitas Pass, une main sur le volant, le coude sur le rebord de la fenêtre, son bras mince, bronzé.

Elle tâtonna pour trouver le bord du couvercle et tenta de le soulever. Une seule partie se révéla amovible ; la petite trappe s'entrebâilla sur des charnières silencieuses. Deux centimètres, cinq centimètres. D'une facilité déconcertante. Elle l'ouvrit jusqu'au bout.

Couché sur un capitonnage de satin blanc, il était là. Aucun être vivant ne pouvait être aussi immobile.

Les pompes funèbres avaient réussi à trouver un uniforme de pilote bleu en parfait état. Qu'était-il advenu de sa saharienne ? L'hôpital brûlait-il les vêtements ou son père les avait-il récupérés ?

Ses paupières étaient fermées. À son expression s'appliquait sans doute le qualificatif de « paisible » affectionné par les croque-morts. À ses yeux, elle signifiait la mort, seulement la mort. Aussi dévasté qu'un champ ou un village russe que les Allemands auraient rasé sur leur passage. Le trouver paisible serait se mentir à soi-même.

Ils lui avaient fait quelque chose au visage – peut-être mis de la poudre – si bien que ses traits étaient devenus flous, adoucis, il n'avait plus l'air aussi maigre. Lui avaient-ils fourré quelque chose dans les joues pour les gonfler ? Son hâle doré d'homme du désert s'était effacé, laissant sa peau mate. Où était passé cet éclat qui lui donnait étrangement l'air de rayonner la santé ? Il n'y avait plus rien chez lui de rayonnant.

Elle murmura : « putain de merde, bordel de putain de merde, putain de bordel de merde » – provocation ? lamentation ? ou simplement le besoin de relâcher son souffle ?

Quand Elise arriva le soir, Iseult avait déjà prélevé, pour les arranger dans sa chambre, une douzaine de photos de Mike à l'intérieur des albums que Joe conservait précieusement dans son bureau. Frankie s'assit devant la coiffeuse de sa mère et se brossa les cheveux dans la lumière verte tamisée par l'épaisseur des feuilles cireuses du vieil érable ornant le jardin. Sa mère et sa tante étaient étendues l'une auprès de l'autre sur le lit, se tenant la main.

Frankie observa par la fenêtre le luxuriant feuillage. Le temps était orageux et frais pour une fin d'été. Les feuilles se soulevaient dans le vent, dévoilant leurs faces plus claires. Étrange de penser que le monde était verdoyant, les plantes poussaient, le sol dégageait toujours une odeur de terre, alors que son frère n'en faisait plus partie.

Elise rompit le silence.

« Je ne sais pas pourquoi on s'est donné la peine de vieillir si c'est pour avoir la guerre et rien d'autre. Grattan pense qu'on en a encore pour trois ans au moins. Je regrette qu'on ne soit pas resté à Venice, sur le front de mer. Tu te rappelles la lumière là-bas ?

– Crois-tu vraiment que la lumière était si différente à l'époque ? répliqua Iseult.

– Bien sûr. Il y en avait plus ; les ombres étaient moins profondes. Elle inondait tout.

– La lumière de la mer. La lumière du Pacifique. Je me souviens de sa blancheur dans les pièces vides de mon cottage au bord du canal.

– C'était la lumière du monde avant le grand gâchis.

– Tu ne crois pas vraiment ce que tu dis, Elise. Tu n'as pas l'âme aussi romantique.

– Non, sans doute pas. Je ne sais pas ce que je crois. Peut-être n'ai-je jamais cru à grand-chose, ou même à quoi que ce soit, seulement au fait que, avec un certain temps de pose, une certaine quantité de lumière et des lentilles adéquates, tu obtiens une image, et si tu la projettes sur du papier traité en te servant de produits chimiques appropriés, tu peux la fixer. Tu as alors le pouvoir d'arrêter le temps. Ça, oui, j'y crois, mais dernièrement je ne crois à rien d'autre. Tu aurais dû les voir, ces amiraux et ces maréchaux, se pavaner au Château Frontenac, avec leurs aides de camp qui leur ciraient les pompes. Des marchands de chair à canon. »

Au début de l'été, Elise avait fait un séjour dans la ville de Québec afin de photographier Churchill et Roosevelt lors de la conférence interalliée.

« Ce n'est pas la peine de dire des choses comme ça, répliqua Iseult. Cette guerre était inévitable. On était tous d'accord qu'il fallait se battre.

– Je ne me rappelle pas que Joe ait été d'accord », dit Elise.

Iseult se leva brusquement et marcha jusqu'à la fenêtre.

« Qu'est-ce que ça peut faire ? finit-elle par riposter. Mike n'aurait pas été Mike s'il n'avait pas voulu partir. »

Frankie avait à peine entrevu son père depuis leur retour de l'hôpital la veille au soir. Il s'était enfermé dans son bureau. Tous se demandaient ce qu'il allait faire maintenant. Comment allait-il se conduire à l'enterrement, et après ?

« Et Johnny ? s'enquit Elise. Des nouvelles ?

– Non », répondit Frankie.

Sa sœur n'avait pas reçu de lettres depuis des semaines. Le silence de Johnny la tourmentait. Elle ne dormait plus.

« Viens t'étendre, ma chérie, dit Elise à Iseult. Personne ne peut supporter ça tout seul.

– Si seulement je ne l'avais pas rencontré, déclara Iseult d'un ton calme sans bouger de la fenêtre, le dos tourné. Si seulement je n'avais pas été vivre au bord du Pacifique. J'aurais dû rester à Pasadena, avec sa chaleur sèche et sa lumière éclatante. »

Ses parents avaient intérêt à trouver un moyen de s'épauler dans le chagrin, songea Frankie, sinon ni l'un ni l'autre ne se remettraient jamais.

« Si seulement je n'avais pas eu d'enfant, ajouta sa mère toujours d'une voix tranquille. C'est trop dur à supporter, Elise. »

Frankie fut prise d'une terrible envie de quitter la pièce. Quitter la maison. Quitter le pays, laisser sa famille derrière elle. Fuir dans une ville étrangère, même en ruine, même sous les bombes. Elle posa la brosse, se leva et se dirigea vers la porte. Ses bas foulèrent le tapis sans un bruit.

Iseult se tenait toujours devant la fenêtre, toujours le dos tourné. Impossible de savoir si elle pleurait. Peut-être tentait-elle de se concentrer sur le bruissement mouillé des feuilles et l'air frais que laissait filtrer la moustiquaire.

« Où est ton père ? » lança Elise à Frankie au moment où elle ouvrait la porte.

Frankie haussa les épaules.

« Dans son bureau. »

De la fenêtre, sa mère déclara :

« Il pense que c'est ma faute, Elise. Il ne dit rien, mais je sais que c'est ce qu'il pense. Il faut bien faire retomber la faute sur quelqu'un. »

Frankie ferma doucement le battant et retourna dans sa chambre. Allongée sur son lit, les yeux au plafond, les poings serrés, elle songea qu'elle se sentait parfois au centre du monde. D'autres fois, elle avait l'impression de n'être qu'un fragment insignifiant de matière, de n'être rien, un grain de poussière, un peu de vent, sans affect, sans cap, sans but. C'était ainsi qu'elle se sentait. Sa chambre n'avait rien d'un refuge ; ce n'était qu'une boîte éclairée par la lumière verte tombant des arbres. Jamais plus elle n'éprouverait de désir. Son cœur n'était qu'un morceau de viande. Jamais elle n'obtiendrait ce qu'elle voulait – jamais elle ne saurait ce qu'elle voulait. Jamais elle ne serait satisfaite, et cela n'aurait aucune importance.

Le père Tom O'Brien de la Compagnie de Jésus était pour elle presque un inconnu. Son père le surnommait Petit Prêtre, ce qui étonnait Frankie quand elle était enfant, car le père Tom était beaucoup plus grand que lui. À présent, il avait les cheveux blancs et il était le doyen de l'université de Georgetown, à Washington. Il était encore mince, très bel homme, ressemblant plus à Grattan qu'à Joe. Ce dernier semblait avoir pris tout le poids de la famille, comme rapetissé par cette charge, épaissi et voûté alors que ses frères étaient restés sveltes et élancés.

Pendant les heures de visite, l'après-midi, le père Tom, une tasse de thé ou un verre de vermouth à la main, bavardait aimablement avec tout le monde, et il y en avait beaucoup, mais Frankie remarqua qu'au bout d'une heure, il se débrouillait pour s'éclipser. Le deuxième jour, elle le suivit à l'étage et le vit longer le couloir jusqu'au bureau de son père. Il frappa à la porte. On dut lui répondre, car l'instant d'après, il entrait et refermait doucement derrière lui.

Elle ôta ses chaussures et s'approcha pour écouter à la porte. Elle les entendait murmurer à l'intérieur. Si elle toquait, son père l'inviterait-il à entrer ? Plutôt que de redescendre voir toutes ces têtes sinistres, elle aurait préféré s'étendre sur son canapé en crin de cheval, comme quand elle était petite, les jours où elle était trop malade pour aller à l'école ; il lui permettait de rester couchée sous sa couverture Baie d'Hudson pendant qu'il travaillait à son bureau.

Alors qu'elle hésitait, la porte d'entrée n'arrêtait pas de sonner, lui rappelant le flot ininterrompu de visiteurs. Sa mère et sa sœur avaient besoin d'elle. Sa loyauté envers elles se révéla finalement plus forte que son envie de voir son père. Elle traversa le couloir en sens inverse et marqua une halte en haut de l'escalier pour remettre ses chaussures.

Son père était comme le brouillard qui enfumait la baie de Fundy, impénétrable et dangereux, on ne savait jamais dans quelle direction il allait souffler. Depuis la nuit où Mike était mort, depuis qu'ils étaient rentrés tous ensemble de l'hôpital, entassés dans un taxi, il s'était totalement retiré. Il refusait d'entendre parler d'accueillir leurs visiteurs.

Égoïste, se disait Frankie. *Sans cœur*. Sa mère avait besoin de sa présence mais, comme d'habitude, il ne pensait qu'à lui. Frankie confia à sa sœur qu'elle craignait qu'il ne se remette à boire et leur fasse honte aux funérailles.

« Je ne comprends pas comment *elle* ne se met pas à boire, répliqua Margo. Si j'étais à sa place, c'est ce que je ferais et que papa aille au diable ! »

Le père Tom leur affirma :

« Il ne boit pas. Il souffre, comme vous tous, mais j'espère qu'il va invoquer bientôt la grâce de Dieu. Elle est là, il suffit de la chercher, il la trouvera. »

Tom et son père se levaient tous les jours à l'aube pour traverser à pied les terrains de sport du parc Murray avant de descendre la côte jusqu'à l'église, où Petit Prêtre disait la première messe. Après quoi, ils prenaient leur petit déjeuner dans une gargote de l'avenue Victoria.

Lorsque Frankie demanda à Tom si leur père avait des choses à dire, le prêtre lui répondit qu'ils parlaient de la guerre et de leur enfance.

« Notre beau-père était un méchant homme. Dans l'esprit de ton père, il est comme Satan. Ce n'était qu'un misérable ivrogne, mais nous l'avons vu abuser de notre mère et de nos sœurs, alors, bien sûr, c'est un mauvais souvenir.

— Crois-tu qu'il va aller à New York ? s'enquit Frankie.

— Je ne peux pas répondre à cette question, admit le père Tom. Autrefois, dans notre jeunesse, nous l'admirions tous tellement. Il s'occupait de nous le mieux qu'il pouvait. Il a perdu la foi il y a longtemps, ou croit qu'il l'a perdue. Je garde l'espoir de lui faire voir que les mystères se manifestent à nous incarnés, qu'ils sont vivants. Mais il a la tête dure, ton père. Il arrive parfois à me convaincre qu'il n'y a que la vie, la mort et les chiffres. »

Pendant les deux jours où le corps de son frère resta à la maison, ils reçurent la visite de deux cents personnes. Les pièces du rez-de-chaussée étaient pleines de ces terribles lis blancs. Frankie ou Margo se tenaient à la porte d'entrée pour souhaiter la bienvenue aux visiteurs, puis ils étaient conduits au salon pour rendre leur dernier hommage, si jamais cette expression signifiait quelque chose. Debout devant le cercueil ouvert, ils avaient l'air mal à l'aise. Les catholiques faisaient le signe de croix. Les autres se composaient une attitude solennelle. Les femmes épongeaient quelques larmes. Deux minutes suffisaient, puis ils passaient à la salle à manger et secouaient leur tristesse pour se joindre à la joyeuse assemblée qui se régalait de sandwichs au saumon et aux œufs, de différentes sortes de gâteaux, de torsades au fromage de la *pâtisserie** Dubois, de thé, de café et de whisky.

Les visites ne cessaient pas avant sept heures du soir. Frankie n'avait jamais à ce point éprouvé l'impression d'être vidée. Sa voix même avait baissé d'une octave ; elle avait la sensation d'être un disque qui passait au ralenti. Margo et sa mère étaient comme elle. Si c'était ça le deuil, alors c'était une écrasante fatigue, une envie languissante de se reposer. Mais lorsque Frankie se réfugiait dans sa chambre, le sommeil se refusait à elle. Elle détestait les bavardages des visiteurs, mais se retrouver seule, c'était encore pire.

Après le départ de la foule, le premier comme le second soir, un taxi s'arrêta devant la maison. En surgirent quatre petites religieuses du couvent du Sacré-Cœur. L'une d'elles, aux cheveux blancs et aux joues roses, Sœur Saint-Nom-de-Marie, avait été la professeur de géographie de Frankie et de français de Margo. À leur arrivée, chacun descendait, chapelet serré dans la main, et s'agenouillait sur les tapis persans pendant que le père Tom faisait réciter le *Credo*, le *Notre Père*, cinquante *Je vous salue Marie* – la famille priant en anglais, les petites sœurs en français.

Frankie connaissait ces prières depuis sa plus tendre enfance; elles coulaient de sa bouche sans qu'elle ait à réfléchir. D'ailleurs, rien que l'idée de réfléchir au sens de ces paroles avait quelque chose de blasphématoire. Elle voulait bien accepter l'existence de Dieu, mais qu'est-ce que ça pouvait Lui faire qu'on Le prie ou pas? Jusqu'à quel point une divinité se laissait-elle adorer avant d'être écœurée par la surabondance de piété?

Helen apporta du thé, ainsi que des sandwichs et des cookies qui n'avaient pas été mangés par la horde de l'après-midi.

«Mais ton frère a l'air si heureux*! avait dit Sœur Saint-Nom-de-Marie à Frankie en lui serrant le bras de sa petite main osseuse. *Il a trouvé la paix du Christ*!»*

Vraiment? Il était heureux? En paix? En se penchant sur son cercueil, elle avait seulement constaté une absence, une disparition.

Les morts ne devant pas être laissés seuls – ainsi le voulait la coutume –, les religieuses passeraient la nuit dans le salon auprès de la dépouille de Mike. Elles avaient apporté leurs paniers à couture. En fait, elles étaient les seules à avoir l'air totalement à l'aise, voire joyeuses, en présence de la mort. Elles feuilletaient les magazines, *Life* et le *National Geographic*. La mère de Frankie leur avait mis Radio Canada pour qu'elles puissent écouter les nouvelles en français. À les entendre babiller, on avait l'impression qu'un vol de passereaux s'était posé dans le salon.

Une heure plus tard, Frankie lisait au lit le dernier numéro de *Life* quand on frappa à sa porte.

« Entrez ! »

Margo, vêtue de sa robe de chambre en laine rouge toute douce, faisant tinter les glaçons dans son verre, entra et vint s'asseoir au bord du lit.

« Frankie, dis-moi, franchement. Est-ce que tu penses vraiment que Johnny va rentrer ? »

Frankie posa son magazine et tendit la main vers ses cigarettes sur la table de chevet.

« Réponds-moi simplement par oui ou par non.

– Oui. »

Margo la dévisagea longuement sans rien dire. Elle avait besoin d'entendre le « oui » de Frankie, peu importait si celle-ci, au fond, ne pouvait en être certaine. Comment le pourrait-elle ? En tout cas pas assez pour parier de l'argent dessus. Si la guerre avait été un jeu de dés comme la barbotte, il y avait longtemps qu'elle aurait ramassé sa mise et quitté la table.

Frankie alluma deux cigarettes, et en tendit une à Margo. Elles fumèrent en silence. Du cocktail émanait une fragrance capiteuse, les glaçons craquaient, une rafale de pluie fouetta la fenêtre. Les arbres se balançaient. L'été s'effaçait devant l'automne. On prévoyait pour le lendemain, le jour de l'enterrement, du froid, de la pluie et du vent.

La fumée des cigarettes montait épaisse et bleutée à la lumière électrique, mais Frankie n'en avait cure : fumer ralentissait la marche du temps. Soudain, Margo, sans dire un mot, posa son verre sur le sol, écarta les couvertures et s'allongea auprès d'elle.

Elles n'avaient pas dormi dans le même lit depuis la couchette du train qui les avait ramenées enfants de Californie. Frankie laissa son magazine filer par terre et éteignit la lampe. Elle prit Margo par la taille et se pressa contre elle, contre sa forme solide et chaude. Dans le noir, Frankie sentait l'odeur du tabac à laquelle se mêlait celle, écœurante, des lis. Leurs parents, vieux, blessés, ne pouvaient plus prétendre les protéger, ni même se protéger l'un l'autre. Au moins Margo avait-elle la chance d'avoir une fille et – à condition que Johnny Taschereau soit toujours en vie – un mari. Frankie, en revanche, était seule, complètement seule. Elle ne s'était pas rendu compte jusqu'à présent combien la mort pouvait révéler la solitude.

Personne ne pleura à l'église sauf deux anciennes petites amies de Mike, des filles qu'il avait emmenées danser à Victoria Hall : à présent des femmes mariées. Leur mère ne pleura pas, Margo non plus, même si elle fut à deux doigts.

Frankie refusait de pleurer. Par vanité, bien entendu. Par orgueil. Il n'y avait pas de quoi être fière, songea Frankie, mais l'orgueil permettait parfois de se tirer de certaines situations.

Sa mère lui avait demandé d'écrire à Mary Cohen pour « lui dire ». « Lui dire quoi ? » avait riposté Frankie du tac au tac. Qu'elle avait été une vraie conne de laisser tomber Mike ? Qu'il avait été trop bien pour elle ? Ou pour lui dire qu'elle avait eu raison de ne pas rester fidèle à une étoile mourante, désormais disparue ? Toutefois Frankie avait écrit à Mary Brayton, née Cohen, épouse du Commander de l'US Navy Douglas Brayton, et avait envoyé la lettre à San Diego où elle n'était sûrement pas encore arrivée.

Les employés des pompes funèbres avaient transporté le cercueil à l'église tôt le matin. Il était posé au milieu de la travée devant la clôture d'autel, drapé dans le Red Ensign, le drapeau canadien. Six pilotes de guerre en uniforme bleu se tenaient au garde-à-vous sur le côté : la garde d'honneur. Un rutilant camion à plate-forme de l'Air Force était garé rue Sherbrooke. Une fois la messe terminée, les pilotes transporteraient la bière jusqu'à ce véhicule qui le monterait au cimetière Côte-des-Neiges.

Elle ignorait encore comment son père supporterait tout cela. Depuis deux jours, tout le monde la félicitait du « remarquable stoïcisme » des siens.

« *Ça montre la force de ta foi** », lui avait chuchoté Lulu Taschereau.

La force de sa foi? Comment pouvait-elle respecter des gens, même des vieux amis de la famille comme Lulu, qui prononçaient des phrases aussi creuses, tels des nids de mots qu'ils refusaient ensuite de quitter? Pauvre Lulu, elle était devenue d'un dévot! Elle tannait toujours Frankie et Margo pour qu'elles l'accompagnent à la première messe de Saint-Léon de Westmount.

Frankie entra dans la chambre de Mike, trouva son Oxford Pocket Dictionary sur un rayonnage au-dessus du vieux poste de radio qu'il avait construit, et chercha

> Stoïcisme, *n. m.* Indifférence devant ce qui affecte la sensibilité, en particulier patience et endurance admirables face à l'adversité.

En remettant le volume à sa place, elle se demanda jusqu'où allaient la patience et l'endurance de son père.

La radio de Mike était un assemblage de tubes, d'écrans et de câbles. Il l'avait construite en se fiant à son instinct : le premier poste de la maison. Elle se rappelait que Margo l'avait taquiné à ce sujet. Leur mère n'était pas d'accord non plus : elle n'aimait pas l'odeur âcre du fer à souder, ni voir son fils enfermé pendant des heures dans sa chambre, à bricoler. Leur frère, si curieux du monde extérieur, était déterminé à communiquer avec lui. Il n'avait jamais eu peur de son immensité.

Quand ils l'avaient hospitalisé, elle avait vu rouge. Comment avait-il osé traverser l'Atlantique pour leur apporter ça, cette terrible nouvelle, sachant que cela renverrait leur père à sa forêt noire, tel un enfant perdu dans un conte de fées germanique?

Elle avait essayé de se dire qu'une fois l'agonie terminée, il n'y aurait plus de raison de se morfondre. Il ne resterait plus qu'à se secouer et aller de l'avant.

Il n'y a plus rien à faire qu'à reprendre le fil de sa vie…

Si l'on n'y prête pas attention, le langage finit par devenir une ritournelle dépourvue de sens. Sur ce chapitre, elle était comme les autres. Ces petites phrases lui laissaient un goût aussi amer que si elle avait mâché des brins de paille. Elle en avait mal au cœur.

Iseult ne s'effondrerait jamais devant tout le monde, il n'était pas question qu'elle montre sa peine. Frankie avait pris la résolution d'imiter sa mère. Surtout dans l'église grise, glaciale, une des six églises construites vingt ans plus tôt pour l'archidiocèse par O'Brien Capital Construction. Elle tenait la main d'Elise, qui pleurait doucement. Sa cousine Virginia – détentrice d'un master de l'université de Toronto, encore célibataire à trente et un ans et extrêmement fière de sa situation de secrétaire d'un ministre d'État – reniflait de temps en temps.

Margo faisait de son mieux pour rester stoïque, d'autant que l'absence et le silence de Johnny la rongeaient.

Frankie se demanda si ce qu'elle éprouvait était vraiment du chagrin. A priori oui, bien sûr, sauf qu'elle avait du mal à réunir la somme de ses émotions sous ce vocable. *Chagrin*. Il s'accompagnait dans son esprit d'une musique grave qui lui était étrangère. Ce qui s'agitait en elle était aussi nauséabond que des draps sales dans une chambre puant le tabac froid. Aussi sordide que son ressentiment. Pleurer son frère, était-ce là une épreuve de plus à laquelle elle échouait ? Un test qu'elle aurait réussi si elle n'avait pas été aussi irresponsable, aussi paresseuse.

L'église sentait la laine mouillée, les bas nylon, la laque pour cheveux. Il y avait trop de monde, et la plupart de ces gens, ils ne les connaissaient pas. L'air était humide et froid. Avant la cérémonie, Margo avait téléphoné au sacristain pour qu'il allume le calorifère, mais il avait refusé. « On est encore en août, mademoiselle, après tout. »

Les genoux de Frankie frottaient de temps en temps contre un coin de la Speed Graphic suspendue par sa courroie à un crochet pour sac à main. Si sa dernière paire de bas en soie filait à cause de ce satané appareil, ce serait un comble. Elle les enlèverait et les jetterait dans la tombe sur le cercueil ! Qu'Elise ou sa mère le prenne donc en photo ! Ou bien, mieux encore, elle casserait la Speed Graphic et la jetterait elle aussi dans le trou !

Elle n'avait remarqué l'encombrant appareil qu'en sortant de la maison. C'était celui de sa mère, mais c'était Elise qui le portait en bandoulière.

« Qu'est-ce que tu vas faire de ça ? »

Elise avait haussé les épaules. « Ta mère veut que je prenne des photos.

– Cela fait partie de sa vie, je tiens à en garder une trace, avait déclaré sa mère d'un ton calme.

– Pour quoi faire ? Ce n'est pas un mariage, c'est un enterrement ! Personne ne prend de photos à un enterrement ! »

Toute leur enfance, leur mère avait pris en photo les menus événements de leurs jeunes existences, ce qui les avait souvent exaspérés, même si Frankie avait vite compris qu'Iseult avait ce besoin compulsif de les fixer sur la pellicule à cause de ce premier enfant disparu trop vite. Quand Frankie était petite, sa mère prétendait se rappeler parfaitement le bébé et disait que Frankie lui ressemblait beaucoup. Par la suite, elle avait appris que leur mère avait déclaré la même chose à Margo, laquelle était blonde et potelée alors que Frankie, au type Black Irish, était toute maigre. Leur mère n'avait sans doute aucun souvenir de cet enfant dont ils avaient déposé le corps dans une tombe que personne n'avait été capable de retrouver. Cette enfant aurait tout aussi bien pu n'être jamais née, ce qui soulevait des questions auxquelles Frankie préférait ne pas penser – au même titre qu'un quartier dangereux, il valait mieux laisser ce territoire inexploré. Ne pas creuser trop profondément : quand on habitait chez ses parents, toujours célibataire et plus ou moins instruite, il était inutile de se lancer dans des considérations philosophiques.

Sa mère les photographiait pour les empêcher de lui échapper, afin qu'ils restent auprès d'elle et ne disparaissent pas. Ces fichus clichés supplantaient souvent – ou remplaçaient – les démonstrations d'affection. Frankie n'oublierait jamais sa chute de vélo sur l'avenue Murray Hill, quand sa mère avait appuyé sur le déclencheur avant de se mettre à la consoler. Et aujourd'hui, elle avait engagé Elise pour photographier l'enterrement de Mike. C'était trop ! « Non, Mère ! Pas maintenant. Pas d'appareil ! Pas de photo ! Je ne te laisserai pas faire ça ! »

Là, sur les marches du perron, pendant que le fourgon profane des pompes funèbres s'impatientait dans la rue, Frankie et sa mère avaient éclaté en pleurs. Son père les avait regardées bizarrement, un peu comme si elles étaient la première page d'un journal qu'il avait du mal à lire.

Sous un parapluie de soie noire qui l'abritait des grosses gouttes de pluie froide, Frankie gémit. Son mascara coula. Sa cousine Virginia tenta maladroitement de la prendre dans ses bras. Margo alluma une cigarette et prit les choses en main. Elle conduisit Frankie à l'intérieur de la maison, jusqu'à la salle de bains à l'étage, l'obligea à s'asseoir sur le couvercle de la cuvette des w-c et lui lava doucement la figure pendant que le reste de la famille patientait dans la Packard.

« Tu ne devrais pas te mettre dans cet état, dit Margo. C'est un besoin chez elle, voilà tout. Tu ne peux pas l'en empêcher. Tu verras, quand on sera vieilles, on sera sans doute contentes de les avoir, ces photos. »

Frankie prit une cigarette. Margo se repoudra le nez. Frankie détestait l'idée que la vie de son frère puisse se réduire à un tas d'images. Elle n'avait pas non plus envie de penser à elle, dans vingt ou trente ans, regardant les photos de son enterrement. Il ne serait plus qu'un jeu d'ombre et de lumière sur des rectangles de papier. Juste un peu de chimie.

Son père s'assit dans l'église avec la lenteur d'un grand blessé. Le chœur entonna le *Dies Irae*. Frankie avait assisté à des cérémonies funèbres à la mémoire de jeunes gens tués au loin et, chaque fois, elle avait entendu cet hymne. Elle suivit distraitement des yeux la traduction anglaise sur une des cartes de prière :

> *Jour de colère que ce jour-là*
> *Où le monde sera réduit en cendres*
> *Selon les oracles de David et de la Sibylle*

Elle remit la carte à sa place. Comme si on n'entendait pas déjà assez parler de monde réduit en cendres !

Elle se tourna vers son père, assis à l'autre bout du banc. Margo et elle s'étaient demandé avec inquiétude dans quel état il allait sortir de son bureau, mais jusqu'ici, il avait été parfaitement sobre, et impeccable : les chaussures cirées, les cheveux peignés, le costume sans un pli. À sa connaissance, les seules bouteilles d'alcool de la maison étaient celles cachées dans le placard de Margo et ce qui restait des deux caisses de scotch, whisky, gin et vermouth que sa mère avait dû acheter pour la veillée funèbre et la réception après l'enterrement. Le lendemain de la mort de Mike, Frankie était descendue en ville passer commande à Jockey Fleming, qui écoulait de l'alcool au marché noir depuis son kiosque à journaux au coin des rues Peel et Sainte-Catherine, à deux pas de l'hôtel Mont-Royal où elle travaillait.

« Mon Dieu, Frankie, c'est beaucoup par les temps qui courent. Vous allez pratiquement m'acheter le chargement d'un bateau, avait dit le petit trafiquant, un Juif de Griffintown aux mains agiles comme celles d'un singe. C'est pas facile de se procurer de la bonne. Pour la veillée, je pense ?

– C'est ça, Jock. Vous pouvez nous livrer ?

– Je vous trouverai ça, Frankie, spécialement pour vous. Il faut honorer votre frère.

– Merci, Jock. Et que du meilleur, n'est-ce pas ?

– Sur la tombe de ma mère, le meilleur, promis. Je vous l'envoie demain par taxi. »

En deux jours, leurs visiteurs avaient descendu un grand nombre de bouteilles, mais d'après ses calculs, il en restait assez pour la réception d'aujourd'hui. L'alcool était stocké à l'office. Ils étaient prêts à recevoir les hordes d'affamés qui s'attendaient à trouver de tout en abondance. Frankie avait embauché pour l'occasion un barman de Mother Martin's. Le scotch allait sûrement filer plus vite que le gin : les gens préféraient une boisson corsée par un temps pareil, sombre, pluvieux et venteux, un temps parfait pour un enterrement.

Son père, l'air pourtant abasourdi, était tiré à quatre épingles. Hors de question d'inspirer la pitié. Stoïque, mais pour combien d'heures avant de sauter dans un train pour New York ? Frankie avait consulté les horaires. Le Delaware and Hudson's Montreal Limited partait à huit heures du soir.

C'était Iseult qui semblait défaite et mal fagotée dans le pardessus qu'elle portait depuis le début de la guerre, coiffée d'un petit chapeau quelconque. Ses bas étaient filés à deux endroits, un détail que Frankie remarqua alors qu'ils descendaient de la Packard sur le parvis de l'église.

Margo, comme leur père, s'essayait toujours au stoïcisme, peut-être avec succès. À moins qu'elle fût totalement hébétée à force de s'angoisser pour Johnny. Ils s'étaient mariés dans cette même église. Peut-être était-il tombé amoureux d'une ravissante Anglaise qui habitait un château et pratiquait la chasse à courre ? Peut-être se battait-il en Sicile ? Peut-être était-il déjà blessé, fait prisonnier, mort? Margo avait probablement songé que la prochaine fois qu'ils viendraient, ce serait pour son mari. L'hébétude pouvait être prise pour du stoïcisme. L'inverse était vrai aussi.

Elise tenait la main d'Iseult. Au moins pleurait-elle ouvertement – elles étaient les seules avec sa fille, Virginia, qui reniflaient et se mouchaient. Bien qu'un peu gauche, sa cousine était gentille. Elise pleurait sans faire de bruit, les larmes roulant sur ses joues. Malgré tout ce qu'elle avait supporté pendant et après la Première Guerre, elle était toujours là. Son mariage avait tenu bon; son mari s'était remis. Elise était forte, mais elle n'était pas stoïque.

En contemplant ses parents et sa sœur serrés sur le banc réservé à la famille dans cette nef froide et malodorante, Frankie fut frappée par leur abattement – elle avait sous les yeux des gens vaincus, brisés. Une partie d'elle-même les aimait de tout son cœur, les aimait maintenant plus que jamais, souhaitait les chérir et les protéger, et une autre partie n'avait qu'une envie: fuir!

Royal Canadian Air Force.
N° 34 Programme d'entraînement aérien
Medicine Hat, Alberta

26 août 43

Chers Iseult et Joe,

Nous les envoyons là-bas une fois leur entraînement terminé. Au moment où ils s'embarquent, les statisticiens de l'Air Force peuvent dire exactement quel pourcentage s'en tirera et pendant combien de temps. Qu'est-ce que c'est que cette guerre ? Pourquoi lui livrer nos fils ? Merde, Joe ! Merde ! Merde !

Baisers, tristesse et je n'ai pas de mots…

G

Rituel
II

WESTMOUNT
Août 1943

La garde d'honneur tira trois salves. Un bruit assourdissant : Frankie dut se retenir pour ne pas se boucher les oreilles. Le père Tom murmura des prières et le cercueil s'abaissa, soutenu tant bien que mal par deux sangles. Son père regardait fixement dans la fosse, les pans de son imperméable déboutonné se soulevaient dans la brise. Il ressemblait à un oiseau étonné de ne pouvoir décoller, maintenu à terre par la force des éléments. Le souffle du vent lui ébouriffait les plumes, le clouait sur le sol là où il était le plus vulnérable.

En retournant à l'avenue Skye par la colline de Westmount dans la Packard des pompes funèbres, Frankie voulut marquer une halte sur les hauteurs.

« Il faut qu'on rentre à la maison, Frankie, avant que les invités n'arrivent, lui rappela Margo.

– Mais non, protesta Frankie.

– On a le temps, trancha leur mère.

– Est-ce que vous pouvez vous arrêter une minute, s'il vous plaît ? » lança Frankie au chauffeur.

Il se gara sur un petit emplacement. Frankie sortit de la voiture et marcha droit jusqu'au muret de béton en surplomb de la vue. Les autres la rejoignirent. Margo en dernier.

Les arbres sur le flanc de la montagne en contrebas cachaient les maisons, même les faux châteaux écossais juste en deçà du sommet.

Avant la guerre, Frankie et ses amies se donnaient rendez-vous ici pour refaire le monde, fumer des cigarettes et flirter avec les garçons dans leurs vieilles guimbardes. Depuis cette terrasse, ils voyaient les clochers des églises émerger des frondaisons de Westmount ainsi que les ensembles gris des édifices en pierre des banques et des bureaux du centre-ville. Ils distinguaient tout en bas les voies ferrées et les aiguillages de la gare, les taudis marron de Sainte-Cunégonde, de Saint-Henri, de la Petite-Bourgogne, les chantiers navals de Verdun, jusqu'aux bandes de champs de luzerne, de maïs, et plus loin encore, de l'autre côté du Saint-Laurent, de vastes terrains vagues. De là-haut ils voyaient beaucoup de choses, et pourtant ils n'avaient pas vu arriver le spectre de la guerre. À l'époque, les habitants d'autres villes, dans d'autres pays, vivaient dans la terreur, mais pour Frankie, le choix d'une nouvelle paire de chaussures primait sur tout.

En ce mois de septembre, la guerre avait quatre ans. L'été se terminait. On pouvait encore espérer un bref retour de la chaleur, mais déjà les jours raccourcissaient. Chaque soir, la nuit tombait de plus en plus tôt.

Frankie jeta un coup d'œil à sa sœur. Margo, appuyée à la balustrade, tournait le dos à la vue. Elle fumait une cigarette. Tante Elise tenait leur mère par le bras. Ça soufflait fort, Iseult paraissait avoir besoin d'ancrage. Leur père demeurait seul à quelques mètres, sa gabardine battant toujours autour de ses jambes. Pourquoi ne la boutonnait-il pas? Espérait-il que le vent l'emporte? Que le vent balaye ses sinistres pensées? Il devait savoir que c'était impossible.

Ses parents étaient semblables à deux oiseaux épuisés à l'issue d'une longue migration. Pourquoi n'étaient-ils pas capables de s'agripper l'un à l'autre? Qu'est-ce qui n'allait pas chez eux?

Il commença à pleuvoir, tous regagnèrent la voiture en courant.

Lorsque la vieille Packard se figea devant le numéro dix, le ciel était d'un noir d'orage et les lumières brillaient dans la maison.

Frankie eut l'impression d'atterrir en parachute dans une zone de combat sortie tout droit de l'enfer. Des trombes d'eau s'abattirent sur eux tandis qu'ils passaient de l'air fétide de la vieille automobile au perron couvert, juste avant le premier bataillon d'invités affamés. Frankie vérifia à la salle à manger si les théières et les cafetières en argent louées pour l'occasion étaient à leur place, ainsi que les sandwichs de cocktail, les *bouchées** et les saladiers entiers de fraises. Les O'Brien étaient originaires d'Irlande mais cela faisait cent ans que leur arrière-grand-père avait remonté le Saint-Laurent à bord de l'une de ces embarcations qui méritaient bien leur appellation de «bateau cercueil». La traditionnelle veillée funèbre mouvementée s'était muée en une réception de bon aloi qui, à mesure que l'après-midi se prolongeait, prenait un tour un peu moins bienséant. Ils étaient canadiens jusqu'au bout des ongles.

Elle reconnut Jerry, le barman du Mother Martin's, un repaire de journalistes, de chauffeurs de taxi, de pilotes du Ferry Command, de débutantes sur le retour et de tous ceux qui se vantaient à Montréal de vivre avec leur temps. Jerry avait placé le buffet des boissons dans le vestibule entre le salon et la salle à manger.

«Toutes mes condoléances, Frankie. Je suis vraiment désolé pour votre frère.

– Merci, Jerry.

– Je ne le connaissais pas, mais je suppose que c'était un type épatant. Je peux vous servir quelque chose, Frankie? Un Gimlet, par exemple?»

Elle avait bu des Gimlet cet été avec l'officier de l'air Basil Fitzgibbon, lequel, avant la guerre, était vendeur de voitures et pilote d'avion d'épandage en Australie-Occidentale. À présent, tous les douze jours environ, il pilotait un bombardier à sa sortie d'usine entre Long Beach en Californie et l'Angleterre. Lorsque les prévisions météo pour l'Atlantique nord s'avéraient trop mauvaises, il effectuait une escale à Montréal. Fitz avait projeté de voler à basse altitude au-dessus du cimetière Côte-des-Neiges pendant l'enterrement. C'était bien lui, ce sentimentalisme de casse-cou. Mais il n'avait pas pu, pour la simple raison que la veille, il avait décollé pour Terre-Neuve et l'Écosse aux commandes d'un B-24 Liberator neuf.

« Ou un scotch ? lui proposa le barman. Un très bon whisky… Je ne sais pas où vous l'avez dégoté. »

Les invités étaient tous munis d'une assiette pleine de jambon, de fraises et de sandwichs. Personne n'avait encore sollicité les services de Jerry, qui s'ennuyait.

« Pas tout de suite, Jerry, lui répondit-elle. Pour l'instant, je préfère garder tous mes esprits. On verra plus tard. »

La maison se remplissait à vue d'œil. Frankie, Margo, leur mère, Elise et Virginia étaient vêtues de noir. La fille de Margo, grâce au ciel, ne portait pas le deuil. Frankie regarda sa sœur embrasser Maddie et la confier à la nounou, laquelle s'empressa de monter avec elle dans sa chambre.

Les quelques invités de l'âge de Frankie et de Margo étaient leurs amis, en majorité des jeunes femmes se sentant horriblement seules qui, après avoir grignoté un sandwich aux champignons et avalé un ou deux verres de scotch, pleurèrent tout leur soûl. Très peu d'entre eux avaient vraiment connu Mike. Tous ses amis ou presque se trouvaient outre-mer.

Dans la maison, cela sentait le beurre, le sucre et la pluie. Dehors, la tempête faisait rage, les arbres oscillaient sous des bourrasques glacées. Une des extras engagée pour la réception s'était agenouillée devant la cheminée du salon pour faire du feu.

Au bruit des glaçons dans un shaker, Frankie se retourna : Jerry le barman était en train de préparer un martini pour le père Tom.

« La vie continue », dit quelqu'un non loin.

Continue vers où ? songea-t-elle. *Et serais-je en mesure de l'accompagner ?*

Des bribes de conversation lui parvenaient : l'état des parcours du club de golf Royal Montréal, le prix du scotch, la pénurie de pneus. Dire qu'elle avait cru à une époque que le monde allait être un endroit sympathique !

À l'exception peut-être de son beau-frère, tous s'efforçaient d'enfouir leurs sentiments en eux-mêmes. Ils lui faisaient penser à ces écureuils qui, après avoir caché leurs noisettes, oublient où ils les ont enfouies. Et puis Johnny Taschereau était parti depuis si longtemps qu'il était devenu un être imaginaire, un soldat de légende, la figure emblématique de tous les garçons qui gâchaient leur jeunesse dans la tourelle d'un bombardier, derrière un fusil antichar ou à bord d'un destroyer.

Debout sans rien à manger ni à boire, elle s'efforçait de se réchauffer au maigre feu brûlant dans l'âtre et rêvait d'une cigarette, tandis que des personnes imposantes qu'elle ne reconnaissait pas s'avançaient pour lui serrer le bras et engager la conversation avec elle. Frankie opinait, souriait et leur répondait du bout des lèvres, incapable de se concentrer sur ce qu'ils lui disaient. Elle avait la sensation d'avoir été aspirée hors de son corps pour être incluse dans le motif d'un tapis de Tabriz, un sandwich de cocktail, un rai de lumière.

Le lendemain du retour de Mike, leur père avait remué ciel et terre, menaçant des ministres, chamboulant l'emploi du temps d'éminents chirurgiens, exigeant et obtenant les meilleurs soins pour son fils mourant. Dix journées d'exaltation écœurantes et futiles dont l'issue était ce service funèbre, cette salve d'honneur, cette pluie froide et cette réception morbide. Elle avait mal à la tête, elle ne songeait plus qu'à fuir ces réjouissances et à disparaître. La fenêtre de sa chambre s'ouvrait sur un petit balcon, s'il ne pleuvait pas trop, elle pourrait y fumer une cigarette en paix. Elle était sur le point de s'éclipser quand Helen lui tapota sur l'épaule : « *Tel-eille-phone* pour vous, mademoiselle. »

La seule personne susceptible de l'appeler était Fitz ; tous les autres se trouvaient sous son toit. Sauf que Fitz devait être à

431

l'aéroport de Gander à Terre-Neuve ou au-dessus de la mer à l'approche de l'Écosse. Pauvre Fitz, avec ses cheveux roux, sa moustache miteuse, son faux accent d'Oxford et son goût pour les night-clubs de bas étage. Il l'ignorait, mais il appartenait à une catégorie de Montréalais assez banale : un homme grossier et sans manières que l'Empire avait omis de nantir d'une rente… Ses seuls atouts étaient sa bonne humeur immuable et sa situation de salarié, sans oublier qu'il n'était pas mauvais danseur. Il ne fréquentait pas des boîtes de nuit plus chics que le Mother Martin's, auquel il préférait de loin les bars mal famés de la rue de Bullion. Il avait au moins douze ans de plus que Frankie et n'avait jamais mentionné l'épouse et la fille qui l'attendaient à Perth – ce qu'avait dévoilé une infirmière australienne dans les toilettes du Normandie Roof, la seule fois où Frankie avait réussi à persuader Fitz de l'y emmener. Certes, il n'avait jamais affirmé non plus ne pas être marié. Peut-être n'étaient-ils ni l'un ni l'autre assez concernés par la chose pour mettre le sujet sur le tapis. Elle n'avait pas couché avec Fitz, mais se disait qu'un jour, pourquoi pas ? De toute façon, cela n'avait pas l'air de le préoccuper beaucoup. On n'avait pas besoin de tomber amoureux pour partager le même lit dans le motel de Pine Beach où étaient logés les pilotes du Ferry Command. Il suffisait de se sentir en manque d'affection, seul, curieux ou désœuvré.

C'était forcément Fitz qui lui téléphonait. Mais quand elle prit le combiné dans l'office, la voix d'homme qui résonna à son oreille – «Allô, c'est bien miss O'Brien ? » – n'était pas la sienne.

«Qui est à l'appareil ?

– J'étais à l'église tout à l'heure. Je fais partie de la garde d'honneur.»

Oh, mon Dieu, se dit-elle.

«Vous êtes toujours là, miss O'Brien ? Écoutez, je sais que je ne devrais pas vous téléphoner comme ça. Je suis désolé pour votre frère. Je ne le connaissais pas, mais je suis désolé, vraiment.

– D'où m'appelez-vous ?

– Je suis dans un club, rue Saint-Antoine. Le Green Lantern. Une boîte épatante, de première classe.

– Pourquoi vouliez-vous me parler ? »

Un silence. Puis :

« Je ne sais pas. Je vous ai vue à l'église. Je vous ai trouvée très belle. Je ne voudrais pas manquer de respect à votre frère, mais je pensais que vous aimeriez vous distraire un peu, boire un verre…

– Désolé, mais je ne suis pas encore prête à faire la fête. »

Autour d'elle, le brouhaha des voix s'enflait, les tasses et les soucoupes s'entrechoquaient avec des bruits d'os qui se brisent.

« Quand quelqu'un meurt, ça peut être une bonne idée de sortir.

– Lequel étiez-vous ? demanda-t-elle.

– Celui qui vous dévorait des yeux.

– Je n'ai rien remarqué.

– Je m'appelle Vic McCracken.

– Vicks ? comme le sirop contre la toux ?

– Non, Vic, le diminutif de Victor.

– Vous célébrez une victoire ?

– Je viens d'obtenir mes "ailes" dans le Manitoba.

– Vous êtes pilote ?

– Sur les bombardiers Halifax et Lancaster. Les gars à l'église tout à l'heure, c'était mon équipage. Nous partons au loin. On avait quarante-huit heures de permission à Montréal, puis ce matin il y a eu la garde d'honneur. J'espère que ça allait. »

Elle s'abstint de répondre.

« On part demain, précisa-t-il. À onze heures du matin. On prend le train pour Halifax ou New York, puis on embarque pour la longue traversée. Je n'ai jamais vu la mer. Vous avez l'air d'une fille qui aime danser.

– Vous ne connaissiez pas mon frère.

– Non, je regrette. »

Elle l'entendit tirer sur sa cigarette. Elle aurait dû raccrocher, mais elle avait toujours été fascinée par les gens mal élevés, comme s'ils étaient plus proches d'elle que les autres.

« Puis-je vous appeler Frances ?

— C'est Frankie.

— Comment ça ?

— Personne ne m'appelle Frances. C'est Frankie. »

Une pause. Elle entendait crépiter ses pensées, ou ce qui en tenait lieu chez les jeunes gens libidineux et solitaires. Le calcul. L'évaluation des chances et des risques. Brutal et simple. Elle tenta en vain de se remémorer les visages de ces garçons.

« Écoutez, Frankie. Vous n'avez pas à vous inquiéter, vous ne craignez rien avec moi. Votre frère... Si je l'avais rencontré, on serait sans doute devenus de bons copains. Je me préparais à être instituteur en Alberta avant la guerre. Vous devriez prendre un taxi et me rejoindre pour que je vous offre un verre. Après, si vous voulez rentrer chez vous, vous ferez ce que vous voudrez. Mais venez, venez, essayez au moins. La vie est mieux que la mort. »

Il avait un accent rocailleux de l'ouest du Canada. Sans doute avait-il passé plus d'un après-midi à jouer au hockey sur un étang gelé, à pourchasser le palet face à un vent violent hurlant de nulle part.

« Qu'est-ce que vous en dites, Frankie ?

— Le Green Lantern est un tripot où les clients se font plumer. Tout le monde sait ça. C'est triste que vous ne voyiez pas la différence. »

Elle lui raccrocha au nez tout en se reprochant son intolérance. Dans le vestibule, des invités parlaient de golf, de réparations de voiture, de tickets d'essence.

« Jerry, servez-m'en un bien sec, s'il vous plaît, dit-elle au barman.

— C'est quoi votre poison, Frankie ?

– Vous avez des cerises ? Un manhattan ?

– Tout de suite. »

Elle but une gorgée et prit le chemin du salon en fermant les yeux aux horribles sourires de sympathie. Dans un coin, sa sœur était entourée d'anciennes camarades de pensionnat – le club de bridge de Margo, « les Ex-Détenues » –, toutes mères de famille à présent, dont les maris se trouvaient pour la plupart outre-Atlantique.

Devant la cheminée, Elise et la cousine Virginia bavardaient avec le père Tom. Au début de l'été, celui-ci était allé avec Elise rendre visite à Grattan dans son centre d'entraînement des aviateurs du Commonwealth, sur un haut plateau au sud de Calgary. Elise avait trouvé Grattan horriblement fatigué. Si la guerre continuait encore longtemps, elle projetait de déménager en Alberta afin d'être auprès de lui.

De loin, Virginia envoya à Frankie un baiser du bout des doigts. Frankie se réfugia dans le jardin d'hiver où les géraniums couverts de fleurs puaient la terre. Elle but encore un peu de son cocktail sous la verrière où tambourinait la pluie. Des femmes aux chapeaux hideux sirotaient du thé en se vantant de leurs potagers, leurs « jardins de la victoire », cultivés en réalité par leurs bonnes antillaises. Frankie regretta d'avoir raccroché au nez du pilote du Saskatchewan ou d'Alberta. Un pilote frais émoulu. Elle aurait dû appeler un taxi et foncer jusqu'à la rue Saint-Antoine pour tenir compagnie à ce gamin qui s'enivrait en solitaire.

Même sous la verrière, le jour était jaunâtre, presque marron, pas du tout une lumière d'été. Elle revint au salon et, évitant tout contact, gagna le vestibule et l'escalier. Elle n'avait pas revu son père depuis leur retour du cimetière. Il était monté tout droit dans son bureau.

Elle frappa doucement à sa porte.

« Allez-vous-en », grogna-t-il ; un son qui lui rappela celui de la transmission quand on roulait en première.

Elle attendit une minute, puis recommença. Toc-toc-toc-toc-toc, toc-toc, – *barb' et coup' de ch'veux, deux sous.* Sainte Frankie du Coup-à-la-Porte.

Elle entendit couiner le fauteuil, puis le bruit de la serrure. Elle entra. Il était déjà en train de se rasseoir. Il portait la veste d'intérieur noire que sa mère lui avait offerte et tenait une carte de prière. Une photo de Mike sur le balcon de l'hôpital militaire néo-zélandais en Égypte, l'air bronzé et en pleine forme – *Joyeux Noël à vous tous!* – trônait dans un cadre d'argent à côté d'une bouteille de Seagram's VO. Elle n'avait jamais vu son père boire, ni à la maison ni nulle part ailleurs.

Il ouvrit un nouveau paquet de cigarettes, en prit une, la colla entre ses lèvres et l'alluma avec le briquet posé sur son bureau.

« Tu veux un verre ? » lui proposa-t-il.

Frankie fit non de la tête. Elle s'assit sur le canapé en crin de cheval. Des portes-fenêtres s'ouvraient sur un balcon. Les hirondelles qui nichaient sous l'auvent étaient parties.

« Mais je veux bien une cigarette. »

Avec un haussement de sourcil, il lui lança le paquet d'un geste si prompt qu'elle l'attrapa de justesse.

Enfant, elle allait se promener en voiture en compagnie de son père, qui conduisait sans un mot. Elle jouait avec ses poupées sur la banquette arrière. Ils sillonnaient des quartiers que personne d'autre à sa connaissance n'avait jamais traversés. Sainte-Marie, Ahuntsic, Village-aux-Oies. Des quartiers de baraques, misérables. Avec des chariots tirés par des chevaux. Des gens buvant de la bière au goulot. Des gosses partout. Des rues aux étranges circonvolutions.

Il n'avait pas de but précis, ni lieu où se rendre ni visite à faire. Au début, il s'était peut-être dit qu'il repérait des terrains, ou qu'il se repérait tout court dans l'île de Montréal, mais les promenades dont elle se souvenait étaient flottantes, détachées de tout. Elle ne s'attendait jamais à ce qu'ils aillent quelque part, ni qu'ils roulent vers un endroit précis. Il n'avait pas de course à faire. Il allait presque toujours au-delà de la limite de la ville, là où les rues s'arrêtaient, où les baraques et les immeubles s'effaçaient. Quel que soit le boulevard, il continuait jusqu'à ce qu'il n'y ait plus que des champs en friche, des fermes désaffectées, des aperçus du fleuve. Il roulait tout droit. Quand il jugeait s'être aventuré assez loin, il ralentissait et faisait demi-tour. Petite fille, Frankie se demandait comment il retrouvait le chemin de la maison sans avoir à semer des miettes de pain dans la forêt comme Hansel et Gretel.

« Quand est-ce que tu vas te marier ? lui demanda-t-il tout à trac en la dévisageant à travers un nuage bleu.

– Mais, papa, je ne vais pas me marier.

– Si.

– C'est ça qui t'inquiète ? »

Il ne répondit pas. Il regardait la photo de Mike.

« Qu'est-ce que tu feras, quand je me marierai ? Tu prendras une cuite le jour des noces ? Tu feras une fugue ? »

Elle ne lui avait jamais parlé ainsi, mais la présence d'un cadavre dans le salon avait de quoi bouleverser les habitudes de n'importe quelle famille. Galvanisée par son culot, elle enchaîna :

« De toute façon, je ne vais pas me marier. Pour quoi faire ? Mais je vais m'en aller, papa. Je vais me louer un appartement dans le centre. »

En fait, elle n'avait encore jamais envisagé de quitter ses parents. Pourtant, dès qu'elle prononça ces mots, elle eut la sensation que c'était pour demain.

« Je gagne ma vie, poursuivit-elle. Il y a plein de filles qui sont indépendantes. J'ai de quoi louer un petit logement. Margo et moi pourrions en partager un. »

De la fumée s'enroulait autour des doigts de son père qui continuait à contempler le portrait de son frère.

« Je ne crois pas que je peux faire face à ça, dit-il. Je crois que je ne pourrai pas. Je vais tout vendre et partir. »

Elle se leva du canapé, éteignit sa cigarette dans le cendrier sur le bureau et s'empara de la bouteille de whisky.

« Tu n'as pas besoin de ça, n'est-ce pas ?

— Il paraît qu'il est excellent.

— Tu devrais descendre, papa. Mère a besoin d'aide en bas. »

Il regardait ses propres mains ; il ne l'écoutait pas.

« L'été prochain, tu feras une croisière, lui dit Frankie. Tu sortiras ton bateau et tu prendras la mer. Papa, tu verras que tu tiendras le cap. Il faut seulement que tu arrives jusque-là.

— Pourquoi fallait-il qu'ils prennent mon fils ? »

La seule réponse possible était le silence.

« Mon Dieu, tu sais ce que j'ai entendu toute la journée ? Le crincrin de Mick Heaney, notre beau-père, ce salaud qui avait épousé notre mère. "Road to Boston", "Cheticamp", "Angel Death Nor Mercy"… Cette saloperie, il était invité aux mariages, aux veillées funèbres ; il connaissait toutes les mélodies. Une fois qu'il avait démarré, rien ne l'arrêtait plus ; il jouait toute la nuit. Pour moi, c'était le diable. On aurait pu l'inviter aujourd'hui à l'église. »

Frankie prit la bouteille. Elle n'était pas ouverte et portait un scellé douanier : elle ne faisait pas partie de leurs achats au marché noir. C'était une bouteille de Margo.

« Papa, je ne crois pas que ce soit une bonne idée.

— Qu'est-ce que tu en sais ?

— Pas grand-chose. »

Elle se pencha pour lui embrasser le haut du crâne. Sa force et sa faiblesse étaient l'une comme l'autre imprévisibles. Son amour en revanche s'était toujours avéré tenace et sans limites. Un amour qui vous donnait parfois l'impression d'être haï. Toutefois, ils formaient une famille.

« C'est ta mère qui t'envoie ?

— Non.

— Alors, ne lui dis rien.

— Entendu. Tu vas descendre, papa ?

– Bavarder avec les invités ? Je ne sais pas si j'en ai la force. Mais si je tiens encore droit, on verra. Je descendrai peut-être vous montrer à tous comment on fait. »

Son père. Il était sûrement un mystère pour lui-même, tout le monde l'était. Elle se leurrait si elle pensait le comprendre, elle ne le comprenait pas plus que les harmonies du grand Oscar Peterson quand il venait se produire au Ruby Foo's, cette boîte du boulevard Décarie qu'elle adorait car elle était située pile à l'orée de la ville, au bord du néant, presque nulle part. Tard dans la nuit, ou très tôt le matin, sur fond de trombone ou de basse pendant que le jeune pianiste noir – parfois triste mais jamais lugubre – semblait lui murmurer des secrets, lui enseigner par petits bouts des vérités sur la plénitude, la rotondité, l'implacabilité du monde.

« Je redescends, annonça-t-elle. Tu viens avec moi ?

– Dans un moment peut-être. »

Elle laissa la porte ouverte derrière elle et emporta la bouteille. Dans le placard de Margo, elle trouva le vermouth et le gin. Elle descendit les trois bouteilles. La réception battait son plein. Des messieurs importants que leurs hautes responsabilités militaires avaient empêchés de se rendre aux obsèques faisaient acte de présence, un œil sur Jerry qui s'affairait pour leur servir à boire et un autre guettant l'apparition éventuelle du maître de maison, un homme puissant susceptible de leur nuire. Les plus âgés étaient en uniforme, mais ça ne les empêchait pas d'avoir tous des allures d'hommes d'affaires. Frankie eut l'impression d'assister à un banal cocktail comme il y en avait eu des centaines depuis le début de la guerre.

Iseult veillait à approvisionner en sandwichs et en café les chauffeurs qui attendaient dehors sous la pluie. Frankie savait que sa mère l'avait vue descendre furtivement les bouteilles, mais elle n'avait rien dit. Si son père était décidé à aller à New York, elle n'essaierait même pas de l'arrêter. Elle irait peut-être le chercher après, ou pas. Cette fois, il serait probablement obligé de rentrer seul.

Jerry fit un signe de tête à Frankie quand elle posa ses bouteilles sur le bar. Il était en train de préparer des martinis dans un shaker en cristal.

« Du rab, lança Frankie. On dirait que vous en avez besoin. »

Il lui sourit. Le choc des glaçons contre le cristal rappela à Frankie que la vie ne s'arrêtait pas au seuil de leur maison. Elle fut prise d'une subite envie de sortir, de sortir en compagnie de quelqu'un. Cette réception n'était pas ce qu'il lui fallait, et si elle montait dans sa chambre de jeune fille ou sortait marcher seule dans Murray Hill pour s'asseoir sur un banc au milieu des lilas et pleurer ostensiblement, cela ne lui apporterait pas non plus l'apaisement. Elle se sentirait seulement plus mal, plus méchante et plus fautive.

« Jerry, je vais au Green Lantern retrouver quelques amis. »

Le barman eut à peine le temps de s'étonner tant il était occupé à remplir des verres. Elle le regarda pendant qu'il distribuait ses martinis.

« Vous trouvez que c'est moche ? dit-elle.

— C'est pas moi qui viens d'enterrer mon frangin, Frankie. Si vous avez envie de vous tirer d'ici, je vais pas vous le reprocher.

— Pouvez-vous me rendre un service ?

— C'est possible.

— Je ne veux pas déranger ma mère, mais je ne voudrais pas qu'elle s'inquiète. Vous lui direz que je suis allée rejoindre des amis ? Je ne rentrerai pas tard, mais qu'elle ne m'attende pas.

— Vos désirs sont des ordres, Frankie.

— Ce n'est pas nécessaire de parler du Green Lantern. Dites-lui que vous ne savez pas où je suis.

— *Comme vous voulez**. »

Elle décrocha le téléphone de l'office. Pendant qu'elle appelait un taxi, les domestiques couraient partout avec des plateaux surchargés de sandwichs et de verres propres. Elle indiqua son adresse au standard, puis changea d'idée.

« Demandez au chauffeur de ne pas se garer devant la maison, qu'il m'attende au coin de l'avenue Skye et de Murray Hill. »

Comme elle se sentait coupable d'abandonner sa mère et Margo, elle retourna au salon se mêler quelques minutes aux invités. Le père Tom en était à son deuxième ou troisième martini. Les gens se gavaient de sandwichs et de *bouchées**, s'enivraient, tout cela à la mémoire de Mike. Surveillant l'heure à sa montre, elle se dirigeait vers l'escalier quand Iseult surgit de la cuisine, l'air incroyablement distinguée dans sa vieille robe noire, tellement détachée de ses propres émotions, tellement effrayée.

Iseult fendit la foule bourdonnante qui tentait de la retenir au passage.

« Il faut que je voie ton père », dit-elle à Frankie.

Frankie la prit par la main et elles montèrent ensemble, foulant aux pieds le tapis persan – violet, bleu, écarlate, or – que Joe avait acheté des années auparavant à un Arménien à… Atlanta, Tampa ? La Havane ? Quelque part dans le Sud.

La porte du bureau était fermée.

« Joe », appela sa mère.

Son ton n'était ni suppliant ni autoritaire. Elle avait articulé son prénom comme s'il s'agissait d'un nom de lieu, une île, un pays qu'ils avaient jadis habité.

Frankie entendit couiner le fauteuil, il se levait. Elle attendit qu'il ouvre, mais la porte resta fermée. Elle tourna la poignée. Verrouillée. Sans lâcher la main de sa mère, elle tambourina sur le battant.

« Allez-vous-en, murmura-t-il.

– Papa, c'est maman. Maman est ici. Il faut que tu la laisses entrer, papa. »

Frankie n'osait pas se tourner vers sa mère. De l'autre côté de la porte, il n'y avait pas un bruit.

C'est la fin de tout, songea Frankie. *Il ne reste plus rien, plus rien de solide.*

« Joe. » La voix de sa mère, à peine un chuchotement. Comme si l'air ne passait plus dans sa gorge.

Pas de réponse.

Elle allait emmener sa mère en taxi quelque part, elle ne savait où, elles allaient fuir toutes les deux. Margo aussi, si elle voulait venir, et Maddie. Peut-être un hôtel. Même si, ces temps-ci, on ne trouvait pas de chambre si l'on n'avait pas réservé longtemps à l'avance. Bien sûr, grâce à son travail, elle avait ses entrées au Mont-Royal. Elle pourrait sans doute obtenir la suite du vice-roi. Ou bien elles iraient dans le Maine.

Le loquet s'ouvrit, puis la porte. Joe se tenait face à elles, cigarette entre les doigts, un album des photos d'Iseult ouvert sur le bureau derrière lui. Ignorant Frankie, il prit sa femme par la main. Alors qu'il l'attirait dans la pièce, elle trébucha, il la prit dans ses bras. Elle pleurait.

Frankie s'éloigna. Elle souffrait d'abandonner ses parents, mais peut-être ne faisait-elle que se sauver elle-même. La porte du bureau se referma dans son dos. Elle jeta un coup d'œil par-dessus son épaule. Ils étaient ensemble au moins. Elle espérait qu'ils le restent.

Elle courut dans sa chambre, ôta ses chaussures et troqua sa robe noire contre une grenat, sa préférée. Assise à sa coiffeuse, elle alluma une cigarette, se coiffa énergiquement et remit du rouge à lèvres. Puis elle prit son sac à main et dévala l'escalier de service.

Des voitures étaient garées des deux côtés de la rue. La pluie avait cessé. Les chauffeurs rassemblés autour d'une grosse Packard mangeaient les sandwichs et buvaient le café qu'Iseult leur avait fait porter. Frankie salua au passage deux jeunes gens qu'elle avait croisés dans les salles de l'hôtel Mont-Royal où les jeux de dés étaient très populaires. Arrivée au coin de la rue, elle aperçut une vieille Dodge, son taxi, qui remontait l'avenue Westmount. Elle reconnut le chauffeur pour l'avoir souvent vu dans la file qui attendait devant le Mont-Royal – une de ses missions consistait à trouver des taxis aux gradés.

«Désolé pour votre frère, Frankie, lui dit-il alors qu'elle montait à côté de lui. Un type sympa, paraît-il. Quel dommage.»

Elle aurait tout aussi bien pu se trouver à bord d'un bombardier au décollage, tant elle se sentait oppressée en quittant l'avenue Skye et la maison pleine de monde et d'émotions. Une fuite aussi rapide, elle en avait le vertige.

«Où allons-nous? lui demanda le chauffeur.

– Au Green Lantern.»

Elle imaginait l'atmosphère bruyante de ce repaire de m'as-tu-vu, *zuit-suiters*, trafiquants du marché noir, matelots et pilotes.

Le chauffeur fit la grimace.

«Ils coupent le whisky avec de l'eau.

– Ils le font tous, riposta-t-elle. C'est la guerre.»

Sa remarque mit un point final à la conversation, ce qui lui allait aussi bien. Elle était soulagée de se trouver dans ce vieux tacot. Sur la route, elle se sentit parfois saisie d'une légère ivresse, comme si rien ne pouvait plus l'atteindre. Ses parents allaient-ils survivre à cette épreuve? À eux de voir, conclut-elle au moment où le taxi prenait un virage et commençait à descendre la côte. La seule personne sur laquelle elle avait une quelconque influence, c'était elle-même.

Le retour

Montréal
Avril 1946

Johnny se trouvait dans le bureau lorsque son beau-père vint signer des papiers. Il était près de cinq heures de l'après-midi. Joe lui proposa de le déposer chez lui. Il accepta. Sa belle-mère attendait dans la Chrysler. Johnny monta à l'arrière. La voiture avait vu de meilleurs jours. Certes, on avait toujours du mal à obtenir des voitures neuves, il fallait s'inscrire sur une liste d'attente, mais cela l'étonnait que le père de Margo, étant donné son entregent, ne soit pas prioritaire. Son propre père venait de toucher une Cadillac «flambant neuve» – en réalité un modèle de 1941, même si le vendeur la prétendait de 1946.

Louis-Philippe lui avait dit que Joe O'Brien s'était fait beaucoup d'ennemis à Ottawa quand il avait essayé de fermer son entreprise alors qu'il avait déjà une douzaine de chantiers militaires en cours. «Ils ont eu l'impression qu'il cherchait à les… comment dire?… à les coincer. Il a échappé belle à la prison. Si je ne l'avais pas conseillé et fait le négociateur… Toutefois, il n'a pas coupé à une amende et je ne parle pas des frais de justice. Tout ça pour quoi, tu peux me le dire? *Je ne le comprends pas. Ces Irlandais… illogiques**.»

À entendre Margo, ce n'était pas compliqué. «Papa déteste la guerre. Après le départ de Mike, il aurait préféré ne pas participer, mais il a bien fallu qu'il se plie à leurs exigences. De toute façon, il n'aurait jamais cassé un contrat.»

Ils étaient presque arrivés à Westmount quand son beau-père annonça qu'il allait faire un détour par le cimetière Notre-Dame-des-Neiges pour inspecter les arbustes ornementaux que leur jardinier avait plantés de chaque côté de la pierre tombale des O'Brien.

« Cela ne vous ennuie pas trop ? demanda-t-il à Johnny par-dessus son épaule.

– Joe, intervint Iseult. Pourquoi maintenant ? Johnny a envie de rentrer chez lui. »

Comme elle avait raison ! Il avait hâte de se retrouver sous son toit, de voir sa femme et sa fille, de s'asseoir au salon avec le journal et un verre de scotch. Mais qu'importait ?

« Non, allons-y, voyons, cela ne m'ennuie pas du tout. »

Il avait été démobilisé en novembre 1945, l'un des premiers à rentrer au bercail. Sa fille, Maddie, lui avait fait le même effet que n'importe quelle enfant. Il avait trouvé son père incroya-blement vieilli, sa sœur Lulu entrée dans les ordres au couvent du Sacré-Cœur, et sa femme froide et cassante.

Margo aurait voulu rester plus longtemps chez ses parents, mais il avait insisté pour emménager sans tarder dans un appar-tement. Ils en avaient trouvé un avenue Carthage dans le bas de Westmount.

Deux mois après son retour, il avait eu une liaison avec une jeune fille rencontrée sur la ligne 105 du tramway. Elle lui rappelait les filles qu'il avait connues en Angleterre. Il l'avait emmenée dans un hôtel où il était allé avec Margo, mais s'était senti pris au piège, écrasé. Rien que de s'extraire du lit lui avait demandé un effort surhumain. Il avait gardé son pistolet, un Colt 45 de l'US Army. Il lui arrivait de s'imaginer le prendre sur l'étagère du placard du couloir, le huiler, le charger puis marcher jusqu'à la partie boisée du parc de Murray Hill avec le poids de l'arme dans sa poche, s'as-seoir au pied d'un des grands ormes ou d'un érable, et se tirer une balle dans la tête.

Son beau-père quitta le chemin de la Côte-des-Neiges, franchit le portail du cimetière et suivit la route en lacet. Johnny n'y était encore jamais entré ; les Taschereau étaient tous enterrés dans l'Arthabaska. Les arbres n'étaient pas encore en feuilles, mais des jonquilles et des tulipes ornaient les parterres bien entretenus. Le gazon était vert. Des rouges-gorges sautillaient entre les tombes. Il flottait une odeur de terre mouillée.

Il se rappela un après-midi de cauchemar dans un cimetière en Italie – quelle ville était-ce déjà ? Ortona. Des gamins fanatisés de la milice allemande armés de mitrailleuses et de deux « 88 », embusqués derrière les tombes avaient réussi à démolir deux chars du régiment blindé Trois-Rivières.

Le cimetière de Notre-Dame était un immense champ de la mort, mais le père de Margo savait où il allait. Il se gara sur l'herbe du bas-côté et sortit de la voiture, laquelle sifflait, craquait et dégageait une odeur chaude comme de l'huile cramée.

« Je ne viens pas très souvent, dit Joe O'Brien. Pratiquement pas de l'hiver. De la neige jusqu'à la taille. Je suis venu seulement il y a deux semaines, à Pâques, avec Elise et Frankie.

– Margo vient quelquefois, remarqua Johnny.

– Oui, je sais. »

Le sol était spongieux, légèrement boueux. Johnny se rappela les corps des gamins SS alignés par terre. Son sergent – Bellechasse, du Témiscamingue – en avait achevé deux, les plus gravement touchés. Leur unité avait perdu quatre hommes dans ce cimetière, et déplorait quatre blessés graves.

Tout était tellement vert à Notre-Dame-des-Neiges. Sa belle-mère lui prit le bras tandis qu'ils suivaient le vieux sous le soleil mouillé d'avril, leurs chaussures chuintant sur le tapis herbeux. Le père de Margo portait un pardessus, un chapeau de feutre et une canne ; il se dirigeait vers une rangée de pierres tombales, certaines très ornées – angelots en marbre et agneaux de granit, statues en plâtre de saints dans des châsses vitrées. Au sol, éparpillés, des lis et des feuilles de palmier fanés, vestiges des bouquets déposés le jour de Pâques.

Une fois qu'ils eurent atteint la concession O'Brien, Johnny et sa belle-mère se mirent côte à côte derrière le vieux qui fixait les inscriptions comme s'il les voyait pour la première fois. La pierre tombale principale était un bloc de granit brut. Il y en avait deux autres, plus petites, typiques des cimetières militaires : celles du frère de Margo et de son oncle, Grattan, mort dans un accident d'avion quelques jours avant la fin de la guerre en Europe.

« Ils ne sont pas mal du tout, finalement, dit son beau-père en se baissant pour flatter les branches d'un des nouveaux arbustes. Iseult pense que dans vingt ans ils auront tellement poussé qu'on ne verra plus les pierres. Eh bien, ce ne sera plus mon problème. Je vous laisserai à vous, Margo, Madeleine et Frankie le soin de vous occuper de ça.

– Ne vous inquiétez pas, on les coupera.

– Il faut les tailler en octobre. Vous entendez? En octobre! »

Margo lui avait raconté qu'après l'enterrement, ses parents avaient disparu. Pendant trois semaines, ils n'avaient plus donné signe de vie. Elle ne pouvait pas les appeler : ils n'avaient pas le téléphone à Kennebunk. Elle s'était sentie abandonnée et avait cru devenir folle seule avec Madeleine, alors que Mike était mort, Johnny à la guerre et Frankie amourachée d'un pilote. Finalement, elle avait forcé Frankie à emprunter la voiture d'un de ses amis et elles étaient descendues à Kennebunk où elles avaient trouvé leurs parents menant une vie tranquille, sortant leur vieux sloop ou piochant leur jardin. Au bout d'une semaine, ils étaient tous rentrés à Montréal et y étaient restés jusqu'à la fin de la guerre.

Avant la mort de Mike, Joe n'avait jamais écrit à son gendre, mais au cours des dix-huit derniers mois du conflit, Johnny avait reçu une lettre de lui tous les quinze jours, toujours tapée à la machine sur du papier à lettres de l'entreprise. Il lui décrivait les progrès de Madeleine sur des patins à glace et ses réactions devant les animaux de la ménagerie du parc Lafontaine. Il lui expliquait ses méthodes pour faire pousser des citrouilles, des concombres et des pommes de terre dans le potager qu'il avait créé sur la pelouse de la maison de l'avenue Skye. À la fin, il transcrivait sans commentaire un ou deux mots d'enfant de Madeleine. Ses lettres étaient beaucoup plus plaisantes à lire que les flots épistolaires de Margo. Dans une de ses dernières missives, elle lui avait avoué avoir été tentée d'abandonner Madeleine sur le perron d'un orphelinat pour partir refaire sa vie à New York ou à Los Angeles.

« Joe, il faut y aller maintenant, dit Iseult. Johnny veut rentrer chez lui, j'en suis sûre. »

Le vieux, du bout métallique de sa canne, tapota la pierre tombale de son fils, puis celle de Grattan.

« Certains pensent que Grattan a crashé son avion, déclara-t-il sans lever les yeux. Volontairement. Que ce n'était pas un accident. Il était le commandant de la base ; ils formaient des pilotes qui venaient de partout. Des Polonais, des Australiens. Il n'avait pas le moral, d'après ce que j'ai compris. Il avait bu.

– Tu ne peux pas savoir, objecta Iseult.

– C'est Tom qui pense ça, mais tu as raison, on ne sait pas. Je suis heureux que vous soyez de retour en un seul morceau, Johnny. Vous avez retrouvé votre vie, tenez-la bien, ne laissez pas filer ce que vous avez. »

Johnny se sentit soudain aussi vulnérable que les centaines de blessés qu'il avait vus en Italie : des hommes, des femmes, des soldats, des enfants, les vêtements en lambeaux, les chairs déchirées ou bariolées d'ecchymoses. Il tremblait. Heureusement, ses beaux-parents ne s'aperçurent de rien. Ils contemplaient les tombes. Peut-être priaient-ils, mais il en doutait.

À un moment donné, il se mit à souffler une bruine printanière, une vapeur douce qui faisait comme de la fumée : aux antipodes des averses hivernales italiennes.

« Joe », murmura doucement Iseult.

Son beau-père se retourna une dernière fois pour regarder les arbustes qui resteraient verts toute l'année. Puis il reprit le chemin de la voiture garée au bout d'une rangée d'urnes et d'angelots de pierre. La carrosserie grise de la Chrysler luisait sous la pluie. L'herbe gorgée d'eau chuintait sous leurs pas.

«Il n'y a rien à dire, conclut Iseult. C'est la seule chose vraie, il n'y a absolument rien à dire.»

Et pour la première fois depuis son retour, il eut l'impression d'être chez lui, ce qui était bizarre, puisqu'ils étaient dans un cimetière après tout, et qui aurait eu envie de se sentir chez soi dans un cimetière?

LE CAP-BRETON
JUILLET 1960

Perdus et retrouvés

Des notes aiguës, grinçantes et plaintives s'échappaient du brouillard nocturne telles des hirondelles, avec la célérité de petits bolides. Les gens d'ici avaient l'air d'apprécier le crincrin.

À bord du yawl *Sea Son*, Joe ne tenait pas en place. Il était descendu dans sa cabine de bonne heure, s'attendant à s'endormir tout de suite. Car même si la brume était épaisse, le bateau n'avait rien à craindre dans le port de Baddeck, et Dieu sait que lui était fatigué.

Ils étaient arrivés le matin. Ce qu'il avait vu jusqu'ici de l'île du Cap-Breton, en remontant depuis le port de Saint-Pierre, lui rappelait la forêt du Pontiac, sans le pin blanc d'Amérique. Même le parler rocailleux du pays avait quelque chose de familier : les bribes de français des chauffeurs routiers sur l'embarcadère et chez MacIsaac, l'épicier, les deux vieilles femmes qui jacassaient dans une langue lui rappelant l'irlandais de la vallée de l'Outaouais. Mais Albert MacIsaac avait démenti catégoriquement.

« Pas de l'irlandais, du gaélique écossais.

– Vous le parlez vous-même ? s'était enquis Joe.

– Oh, non. À peine ! »

Albert MacIsaac, un petit bonhomme chauve, avait l'air affairé et impatient même quand il se tenait tranquille. Il n'y avait à l'intérieur de l'IGA[1] que les vieilles dames et des ouvriers qui effectuaient des réparations dans le phare de l'autre côté du port. Les pêcheries du lac salé produisaient du homard, des huîtres, du hareng et de la plie rouge. Le magasin était minuscule, sombre et d'une propreté très relative. Quelques étagères avec des conserves, des crackers et des bonbons. Contre le mur du fond, on trouvait des bottes en caoutchouc et des caleçons longs Stanfield's, rouges ou gris.

Comme toujours pendant une croisière, Joe ne savait plus quel jour on était. En ramassant un *Cape Breton Post*, il regarda la date : samedi 30 juillet 1960. John Kennedy, le candidat démocrate à la présidence des États-Unis, avait l'intention d'augmenter la puissance des forces armées américaines.

Trois semaines plus tôt, il quittait la Kennebunk River en compagnie d'Iseult. Ils avaient passé six jours à caboter le long de la côte méridionale du Maine dans une lumière limpide, poussés par des vents favorables. Sur Peaks Island et Bustins Island, ils avaient accosté avec le canot et creusé le sable pour en extraire des coques. Sur la petite île de Little Spruce Head, ils s'étaient déshabillés sur une plage de sable blanc qui embaumait la myrrhe. Iseult était d'une extrême minceur. Sur ses longues jambes fuselées, elle avait couru pour s'approcher de l'eau verte. Une eau glacée. Il s'y était jeté en poussant un grand cri, comme il le faisait toujours, alors qu'elle s'y glissait en silence et se dépêchait de passer la petite barre des vagues, sa silhouette fendant les flots telle une lame de couteau.

Iseult avait débarqué à Camden, Maine, où Madeleine les attendait avec la voiture qu'Iseult devait ramener à Montréal

---

1. Independant Grocers Alliance, « groupement des épiciers indépendants » : chaîne d'épiceries franchisées.

pendant que sa petite-fille prenait sa place à bord du *Son*. De Camden, Joe et Maddie avaient traversé Penobscot Bay par un temps magnifique, sans se presser, et le soir ils trouvaient toujours des mouillages familiers où passer la nuit. La brume s'était levée dans Jericho Bay. À Bar Harbor, ils avaient attendu que ça se dégage pour se lancer dans la traversée du golfe du Maine et gagner la Nouvelle-Écosse.

Ses filles avaient presque réussi à le persuader de renoncer à cette croisière à l'île du Cap-Breton quand, à la stupéfaction générale, Maddie avait déclaré que cela lui plairait de l'accompagner. Sa mère n'était pas d'accord, mais Maddie était une tête de mule. La digne petite-fille de son grand-père.

Il s'était fixé comme but de monter le plus au nord possible sans prendre de risque inutile. Il avait étudié les cartes marines et posé le doigt sur l'île du Cap-Breton. La Gaspésie, l'île d'Anticosti et Terre-Neuve étaient plus septentrionales, mais ce n'était pas raisonnable, du moins pour un vieil homme naviguant sur un yawl de douze mètres. Lors de son premier essai, pendant la guerre, avec son vieux Friendship Sloop, il avait été intercepté par les garde-côtes qui l'avaient renvoyé à Kennebunk. Et bien leur en avait pris ! À l'époque, il n'avait pas eu assez d'expérience pour prendre la mesure des périls du grand large sur un petit voilier.

Mais au fil des ans, la vieillesse venant, il était devenu un assez bon navigateur. Depuis la guerre, il avait barré son yawl jusqu'à Grand Manan, la plus grande île de la baie de Fundy, et il avait fait deux fois la traversée du golfe du Maine en solitaire, jetant l'ancre à Yarmouth, en Nouvelle-Écosse et ne s'aventurant pas plus loin. Il n'avait pas remis Cap-Breton dans sa ligne de mire jusqu'à cette année, où il avait décidé de l'atteindre, en solitaire s'il le fallait. Sans doute la raison était-elle de moins en moins son fort : à son âge, on pensait en termes de maintenant ou jamais.

«Casco Bay ne te suffit pas? s'était exclamée Frankie. Bustins, Harraseeket, Harpswell... Tu adorais ces coins-là. Tu y connais les meilleurs mouillages, non? Pourquoi partir si loin?»

Et Vic, son mari, d'enchérir:

«D'après des études faites sur les navigants, tout individu au-dessus de cinquante-cinq ans, quel que soit son degré de compétence, se révèle inapte dans une situation d'urgence. Ça a été prouvé scientifiquement.»

Elise était intervenue.

«Pas la peine de dire à Joe ce qu'il ne peut pas faire. À lui moins qu'à personne.»

Elise passait le mois de juillet chez eux. Son studio de photo était toujours aussi prospère, mais depuis quelques années, elle prenait des vacances d'été et leur rendait visite dans le Maine quand elle ne partait pas voir sa fille Virginia qui était diplomate, attachée à l'ambassade du Canada à Bruxelles, et mariée à un Hollandais.

Tous les dimanches, Elise et Iseult remontaient la côte en voiture afin de photographier les gens sur la jetée d'Old Orchard Beach. Elles avaient passé une bonne partie du mois à arpenter les foires agricoles de la côte méridionale du Maine et du New Hampshire, depuis Fryeburg jusqu'à Windsor, à photographier des estivants, des fermiers et des forains. Elles projetaient de rassembler leurs images de Venice et d'Old Orchard pour en faire un livre. Elise avait apporté certains anciens tirages de Californie, Iseult s'était aussi munie des siens. Les deux femmes se délectaient l'après-midi en sélectionnant leurs souvenirs de Venice.

«Papa, Maddie n'aura pas notre permission, à Johnny et à moi, avait décrété Margo. J'ai une bien meilleure idée, quelque chose qui va te distraire formidablement cet été. Tu ne crois pas qu'il serait temps de t'inscrire au Cape Arundel? Le comité de parrainage t'accueillerait les bras ouverts.»

Margo et Johnny, lequel était depuis peu juge de la cour d'appel du Québec, le plus haut tribunal de la province, étaient des golfeurs invétérés.

« Je ne joue pas au golf, au cas où tu ne l'aurais pas remarqué.

— Papa, mais c'est ça qui est merveilleux avec le golf, il n'est jamais trop tard pour s'y mettre. »

Il était cerné. Iseult, en sortant sous la véranda pour leur annoncer que le déjeuner était servi, dut sentir qu'il était prêt à céder.

Margo sourit à sa mère.

« Dis à papa qu'il doit être raisonnable pour une fois.

— Joe, sois raisonnable pour une fois… C'est prêt !

— Rappelle-lui qu'il a soixante-treize ans.

— Joe, tu as soixante-treize ans.

— Je refuse de discuter avec toi, dit-il.

— Mère, ce n'est pas drôle, reprit Margo. Encore, s'il partait seul, mais il ne le peut pas, et je ne laisserai pas Maddie aller avec lui. Alors il doit abandonner cette idée tout de suite. Donne sa chance au golf, papa, je t'en prie. Ce n'est pas du tout ce que tu crois.

— C'est bon, les filles, vous lui avez fait part de votre opinion. Votre père n'est pas un imbécile. Ni un irresponsable.

— Peut-être, mais Maddie est ma fille !

— Bien sûr que oui, ma chérie.

— Et il ne l'emmènera pas !

— Mère, tu ne prends pas son parti, tout de même ? intervint Frankie.

— Tu as raison, ma chérie, c'est ta fille. C'est toi qui décides.

— Elle n'ira pas. C'est ridicule. Il a soixante-treize ans. »

Évidemment, il savait quel âge il avait et connaissait ses limites. Il ne pouvait réfuter les objections de Margo. Il comprenait et respectait non pas le désir absurde de sa fille de le voir arpenter un parcours de golf, mais sa réticence à lâcher la bride à son enfant, c'est-à-dire à se lâcher la bride à elle-même.

Maddie était l'aînée de ses six petits-enfants. Elle avait deux frères, Michel et Jacques. De leur côté, Frankie et Vic avaient eu trois enfants, Lizzie, Iseult et William. Tous avaient fait de la voile depuis leur plus jeune âge, nul doute qu'ils étaient de meilleurs marins que leurs mères. Depuis deux ans, il confiait le *Son* à Maddie pendant quinze jours au mois d'août. Accompagnée de deux amies, elle avait navigué autour de Penobscot Bay.

Il ne l'emmènerait qu'avec l'autorisation de Margo, et il n'insisterait pas auprès de celle-ci. Après mûre réflexion, il avait conclu que l'île du Cap-Breton était un objectif trop ambitieux s'il naviguait en solitaire. Il n'avait aucune envie de terminer sa carrière de navigateur par un fiasco humiliant. Le projet demeura donc au rencart, tel un objet brillant sur l'étagère de ses velléités, jusqu'au jour où sa fille le rattrapa alors qu'il se promenait sur la plage pour lui dire que Johnny et elle avaient changé d'avis et qu'ils permettaient à Maddie de l'accompagner.

Margo lui avoua que Johnny avait dès le départ été partisan de la croisière.

«Pour lui, elle était plus en danger sur la moto de ce garçon à Rome l'année dernière qu'elle ne le sera jamais avec toi sur ton *Son*.

– Ça, c'est à voir, dit Joe. C'est un vrai voyage, je ne le nie pas. C'est un gros effort. Mais je pense qu'on peut y arriver.»

Ils arrêtèrent leur marche. La marée était basse, le sable ferme, ils étaient pieds nus. De l'eau claire léchait leurs orteils.

«C'est une jeune fille, pas un bébé», déclara Margo d'un ton catégorique, comme si elle cherchait à se convaincre elle-même. «Johnny pense qu'on ne peut pas l'empêcher de se prouver à elle-même qu'elle est capable de certaines choses.

– Et toi, qu'en penses-tu?

– Gare à toi si tu reviens sans elle, murmura sa fille. Gare à toi!»

Elle avait raison, bien sûr, et elle pouvait compter sur lui.

Depuis Bar Harbor, ils projetaient de traverser l'entrée de la baie de Fundy, soit trente heures de navigation en haute mer, en se relayant pour faire leurs quarts à la barre, avant de doubler le cap de la Nouvelle-Écosse et d'accoster à Shelburne.

Sa petite-fille possédait ce sixième sens que développent les marins au long cours. Rien n'échappait à sa perspicacité. Elle notait machinalement des signes invisibles au profane. Elle flairait les changements de temps. Toute sa vie, il avait été entouré de gens à qui manquait le sens de l'observation, qui ne remarquaient pas les détails du cadre dans lequel ils évoluaient. Des navigateurs incapables de prédire la venue d'une tempête, des banquiers ne sachant pas que les chiffres ont un sens. Il suffisait à Maddie de jeter un coup d'œil à une carte marine pour se rappeler chaque fond rocheux, chaque écueil, chaque obstacle pouvant présenter un danger. Elle lui avait montré ses carnets remplis de croquis d'oiseaux, d'îles, de bateaux, souvent tracés d'une seule ligne fluide. Son préféré était le dessin minutieux d'un treuil.

Sa mère à lui, et par conséquent l'arrière grand-mère de Maddie, payait une femme pour lui lire l'avenir dans une bouteille bleue. *Ashling*, disait-elle, un rêve, une vision.

Il avait toujours pensé que la Justice éclairait le monde, qu'il y avait une raison à ce qui arrive. On ne la connaissait pas forcément, mais cela ne signifiait pas pour autant que l'avenir n'avait rien à voir avec le passé. Au contraire.

Un après-midi dans le golfe du Maine, à mi-chemin de la Nouvelle-Écosse, ciel bleu, mer calme, ils mangeaient des crackers avec du fromage quand soudain Maddie avait lancé :

« Il y a un gros poisson là-bas.

— Une baleine ? Tu as vu son jet ?

— Pas sûr. Mais il est là. Va chercher les jumelles, grand-papa, s'il te plaît. »

Elle tenait la barre. Il soufflait un vent d'est-sud-est de quinze nœuds et ils étaient tout au plaisir de voguer au grand large. Il était descendu prendre les jumelles, puis s'était assis à côté d'elle. Quelques minutes plus tard, ils virent s'élever le jet d'eau, aussi vertical qu'une lance, si proche qu'il les vaporisa et qu'une odeur de poisson pourri leur emplit les narines.

Une minute plus tard, la baleine jaillit à vingt mètres à bâbord, exécutant un saut aussi aérien que celui d'un dauphin, avant de retomber avec un grand bruit sur la surface de la mer. Le plus gros animal qu'il ait jamais vu, plus long que le *Son*. Il n'eut pas besoin des jumelles pour apercevoir les dessins d'un blanc argenté sur son dos et l'impressionnant aileron dorsal pointu avant que la baleine disparaisse, sans doute sous le bateau. Ils attendirent en retenant leur souffle, les yeux scrutant les flots autour du bateau.

Un second sifflement, et le jet s'éleva à une vingtaine de mètres à tribord. Puis rien, silence. Avec de légers craquements de gréement, le *Son* glissait sur l'eau. Ils ne relâchaient pas leur vigilance. Soudain, la baleine leur fit la faveur d'un nouveau saut encore plus spectaculaire que le premier. Elle mesurait entre vingt et vingt-cinq mètres, deux fois la longueur du bateau. Cette fois, elle agita ses nageoires avant de replonger.

« Tu crois qu'elle est de quelle espèce ? lança Maddie.

– Je ne sais pas. »

Il avait déjà vu des baleines à bosse et des baleines de Minke, mais jamais un spécimen de cette taille.

Elle lui passa la barre et descendit dans le carré prendre l'épais livre de poche, *Moby Dick*, qu'elle lisait depuis Camden. Après l'avoir feuilleté rapidement, elle trouva le passage qu'elle cherchait et le lut en silence pendant qu'il gardait l'œil sur les flots. L'apparition de la baleine l'avait ébranlé. Il n'avait pas eu peur, mais il était dans le même état qu'en se réveillant d'un rêve important. Secoué. Quelque part sous la surface de la mer se mouvait une force immense dont il n'avait pas soupçonné la présence parce qu'elle se situait au-delà de sa compréhension.

Tout comme son histoire demeurait incompréhensible à lui-même ; il ne s'était jamais senti vraiment complet, mais la pensée qu'il avait frayé son chemin dans la vie pour le meilleur et pour le pire lui procurait une certaine consolation. À vrai dire, même encore aujourd'hui, après tout ce temps, il avait l'impression d'être vide. Tant de choses demeuraient hors de portée, des choses qu'il ne parvenait même pas à percevoir, et encore moins à déchiffrer.

Sa petite-fille était plongée dans *Moby Dick*.

« Tu as trouvé ? lui demanda-t-il.

– Je crois que oui, écoute ça. »

Elle lui lut un passage à haute voix, commençant par « Le rorqual commun, *Balaenoptera physalus* ». Elle continua :

« ... Le rorqual n'est pas un animal grégaire. Il semble avoir autant d'aversion pour les autres baleines que le misanthrope en a pour les autres hommes. Il est timide ; se déplace toujours en solitaire ; surgit sans prévenir des profondeurs dans les lieux les plus écartés et les plus sombres ; son jet unique et vertical s'élève pareil à une lance sauvage au milieu d'une plaine désertique. Il est doué de pouvoirs tellement merveilleux et de tant de célérité dans la nage qu'il défierait n'importe quel homme de notre temps de se lancer à sa poursuite. Ce Léviathan serait le Caïn de sa race, banni et invincible, marqué d'un signe sur le dos... »

Après une pause, elle se tourna vers lui.

« Il fait sans doute référence au dessin, grand-papa. Tu as remarqué, sur son dos ?

– En effet.

– Banni... invincible... la marque de Caïn... Je suppose que Melville prend le rorqual pour un éternel solitaire. Les baleiniers n'en apercevaient jamais qu'un à la fois, comme nous. Tu en avais déjà vu avant aujourd'hui ?

– Non, jamais.

– Merci d'avoir organisé tout ça. »

Il estimait que certaines jeunes personnes, comme Maddie, n'avaient pas la peau assez résistante. Non qu'elle fût fragile, mais elle n'était pas assez endurcie. Iseult ne l'avait pas été, pas plus que lui. Ils s'étaient fait mal l'un à l'autre, ils s'étaient fait mal à eux-mêmes. Iseult l'avait détesté et lui avait reproché la mort de leur premier enfant, et certains jours, aux pires moments, il lui avait mis sur le dos la mort de Mike. Mais ils s'étaient rétablis, la famille n'avait pas éclaté, ils avaient tenu bon. Finalement, elle ne l'avait pas quitté pour le swami. Et lui, il avait réussi à ne plus céder à ses pulsions alcooliques. La souffrance les avait unis alors même qu'à l'époque elle semblait sur le point de briser leur ménage. Leur mariage avait été leur bouée de sauvetage.

À Shelburne, en Nouvelle-Écosse, ils fixèrent une paire de voiles plus petites et plus lourdes avant de continuer vers le Cap-Breton. Cette semaine-là, ils la passèrent à se relayer en quarts, sur une mer houleuse alors que soufflaient des vents de l'est accompagnés de brumes, sans jamais savoir vraiment où ils étaient à cause des grandes marées. Naviguant à la boussole et au loch à hélice, ils firent escale à Liverpool, Chester, Halifax, Sheet Harbour et Canso. Le radiocompas recevant de faibles signaux en morse émis par les phares, ils tentaient de trianguler leur position sur la petite carte marine au-dessus de la glacière.

Maddie, contrairement à beaucoup de gens, n'avait pas peur dans la brume. À deux ou trois reprises, alors qu'elle tenait la barre, ils avaient subi les coups de boutoir de rafales de quarante-cinq nœuds, le bateau gîtant au point que d'un côté, le bord trempait allègrement dans l'eau. Maddie donnait sans hésitation du mou à l'écoute de la grand-voile, une main sur la barre, radieuse et d'un calme olympien.

Finalement, ils se glissèrent dans le canal Saint-Pierre reliant la mer au lac Bras-d'Or. Après les assauts féroces du vent d'est et les grandes vagues, ce fut comme pénétrer dans un lagon tropical. Car elle était en effet chaude, cette étendue d'eau salée qui occupe le centre de l'île du Cap-Breton. Madeleine se mit dès lors à nager tous les jours en plongeant du bateau. Ils n'eurent aucun mal à trouver des endroits tranquilles non loin de la côte, des coins déserts exception faite de quelques pêcheurs de harengs, d'aigles à tête blanche et de femmes en barque qui leur proposaient des paniers d'huîtres. Ils étaient arrivés à Baddeck reconnaissants de voir s'achever un voyage qui s'était révélé ardu.

Baddeck paraissait solitaire et loin de tout, une minuscule bourgade, pourvue d'un tribunal, de plusieurs églises et d'un Legion Hall[1], où flottaient des drapeaux canadiens. Dans le port, il n'y avait que de robustes bateaux de pêche au homard et deux vieux chalutiers. Ils n'avaient pas croisé un seul voilier de plaisance depuis leur départ de Bar Harbor.

Mr Albert MacIsaac semblait être le personnage le plus puissant de Baddeck. L'IGA était à lui, et il faisait office de capitaine du port. Il loua un emplacement de mouillage à Joe pour cinquante cents la journée et fit laver leur linge par une villageoise. MacIsaac connaissait les horaires des messes du dimanche et s'était montré plus discret pour proposer à Joe une bouteille remplie d'un liquide clair, l'alcool de contrebande local.

Contents de se dégourdir les jambes, Maddie et son grand-père avaient exploré le village à pied. Les maisons de Baddeck étaient petites et proprettes. De l'intérieur, des regards épiaient leurs moindres mouvements. Mais Joe devinait l'existence d'un monde

1. Dans les petites villes canadiennes, une maison qui sert à la fois de pub, de discothèque, de salle de banquet et de centre communautaire.

plus vaste et plus rude qui prenait naissance à la lisière du bourg, là où les rues pavées étaient supplantées par un ramassis de baraques de moellons couvertes de toile goudronnée – les fondations de maisons dont la construction avait été interrompue –, peuplé de poules, d'enfants silencieux vous suivant des yeux, de chiens aboyeurs et de bateaux en train de pourrir. Une Pontiac à la carrosserie crottée les dépassa. Les solides gaillards assis à l'avant se retournèrent tous les trois sur Maddie : ils ne devaient pas voir souvent de filles aussi jolies, en corsaire et ballerines.

Maddie espérait qu'ils dénicheraient un restaurant ou au moins un boui-boui vendant des plats à emporter, mais hors de cette bourgade, il n'y avait rien qu'une route déserte et des montagnes. Ils s'en retournèrent chez MacIsaac, prirent leurs sacs de commissions et remontèrent en canot à bord du *Son* où ils firent griller des croque-monsieur. Après le déjeuner, Maddie s'étendit sur sa couchette avec son journal et son carnet de croquis pendant que Joe allait faire la sieste dans la cabine à l'avant du bateau. L'après-midi se prêtait à la paresse : douceur de l'air, grisaille, fatigue de la traversée. Il avait le sentiment d'avoir accompli quelque chose.

Il n'avait jamais été question de retourner dans le Maine à la voile, pas cet été en tout cas. Il comptait trouver en Nouvelle-Écosse un endroit où mettre le *Son* à l'abri et au sec pour l'hiver avant de prendre l'avion à Sydney ou à Halifax. Albert MacIsaac lui proposait de le remiser dans son hangar à bateaux et de le repeindre, le tout pour trois cents dollars auxquels s'ajoutait le coût de la peinture sophistiquée pour yacht que Joe souhaitait utiliser, laquelle devrait être commandée à Halifax ou à Chester. Au début de l'été suivant, Joe enverrait un équipage chargé de le rapatrier dans le Maine, s'il ne s'en occupait pas lui-même, ce qui lui paraissait improbable. Une fois suffisait.

Il sombra dans un profond sommeil et fit un rêve dont le décor lui rappelait les années 1920, l'époque où les voitures étaient noires et hautes. Un pont s'effondrait. Grattan, en uniforme, l'accusait d'avoir triché dans la construction, en mégotant sur la qualité du fer. Ils étaient debout jusqu'à la taille dans un champ d'herbe à la pointe du Moulin à vent, à Montréal, et regardaient le pont se désagréger sous leurs yeux. L'herbe agitée par la brise produisait le même bruit que des draps se déchirant. Grattan s'apprêtait à propulser sa voiture dans l'eau afin de sauver les pauvres gens de la noyade quand un coup sec frappé contre la coque tira bruquement Joe du sommeil.

Il s'assit, abasourdi, entendit des chuchotements sur le pont. L'écoutille avant se trouvait au-dessus de sa tête. Il l'ouvrit et pointa la tête au-dehors.

La brume était plus épaisse ou était-ce l'effet de la bruine? Toujours est-il que l'air était saturé d'humidité. Il distinguait mal le quai entre les mouvantes écharpes de vapeur grise qui ouataient le paysage. MacIsaac leur avait indiqué que le phare de Kidston Island, présent sur toutes leurs cartes, n'était plus opérationnel depuis deux jours : les garde-côtes étaient en train de changer les lentilles de Fresnel de la lanterne. Dès lors, c'était l'île tout entière qui avait été engloutie, au même titre que les bateaux de pêche au homard et les chalutiers.

Maddie, en ciré jaune vif, se tenait accoudée au plat-bord arrière, penchée sur l'eau. Elle parlait à quelqu'un. Joe se leva. À travers la brume, il vit un jeune homme qui s'employait sans résultat à empêcher son doris de cogner contre le flanc du *Son*.

«Il y a un problème?» demanda Joe d'une voix forte.

Il entendit alors un bruit de moteur, le vrombissement d'un vieux V8 Ford ou d'un Buick 6, appartenant sans doute à un bateau de pêche au homard. MacIsaac les avait-il dirigés vers le mauvais mouillage? Cela ne serait pas une mince affaire de trouver le bon dans un port inconnu avec une visibilité de moins de sept mètres. En plus, la marée était basse, et il n'y avait pas un souffle de vent.

«Bonjour, monsieur! claironna le jeune homme. Tout va bien? Vous avez tout ce qu'il vous faut?

« – Je crois que oui. Nous ne dérangeons pas ici ?

– Vous avez un sacrément beau voilier. Impeccable.

– Auriez-vous besoin de ce mouillage ?

– Non, non, vous êtes parfaitement placé. »

Le jeune homme avait une mâchoire lourde et une masse de cheveux pommadés coiffés en arrière de façon à former une espèce de queue descendant sur sa nuque. Il était vêtu de bottes en caoutchouc et d'une chemise de flanelle dont il avait boutonné le col. Un jeune plouc, le genre à garder un peigne dans sa poche-poitrine.

« Vous aimez le homard, mademoiselle ? demanda-t-il à Maddie.

– Oui.

– Alors, voilà pour vous. »

Il souleva un sac en papier brun et ajouta :

« C'est lourd, attention ! »

Une nappe de brouillard se posa un moment à la proue du bateau. Joe ne voyait plus de sa petite-fille que le jaune de son ciré. À la faveur d'une trouée, il constata que le jeune homme avait posé ses avirons dans les tolets et s'était mis debout dans son doris. Maddie tendit les mains pour prendre le sac en papier. Elle regarda à l'intérieur.

« Eh bien !

– La pêche de ce matin. Y a pas plus frais.

– Combien en voulez-vous ? intervint Joe.

– Non, non, monsieur, rien du tout.

– Trois homards, et ils sont gigantesques ! s'exclama Maddie. Merci, c'est vraiment gentil.

– Vous savez les faire cuire ? Vous avez une casserole assez grande ? Des crackers ? Des pinces et un marteau, c'est tout ce qu'il vous faut.

– Oh, on a tout ça.

– Eh bien, alors tout va bien. »

Le jeune homme se rassit. D'un geste assuré, il fit glisser les avirons dans les tolets et, pour empêcher le doris de dériver, les fit clapoter doucement dans l'eau.

« Oh, j'allais oublier ! On danse ce soir dans la salle parois-
siale. Il y aura un orchestre, deux guitaristes. Cela vous plairait
peut-être de venir.

– Ça m'a l'air génial, répondit Madeleine.

– Vous aimez la country ?

– J'aime la musique. Et cette salle, où est-elle ? »

Elle semblait enthousiaste. Après presque deux semaines sur un
douze-mètres avec pour toute compagnie son vieux grand-père,
elle aurait sans doute gagné le village à la nage si nécessaire. Depuis
l'incident de la baleine, elle le surnommait capitaine Achab.

« Je m'appelle Kenneth MacIsaac. C'est mon père le propriétaire
de l'IGA. Je viendrai vous chercher, mademoiselle. Huit heures ?
Autant être clair, ce n'est pas habillé.

– Je serai prête.

– Très bien ! cria le jeune homme en se mettant à ramer énergiquement. À tout à l'heure ! »

Il disparut dans le brouillard.

Qu'est-ce que ça peut faire ? songea Joe. *Les jeunes avec les jeunes.*

Il resta éveillé dans sa cabine, à l'écoute d'une balise claquant
quelque part et des craquements de la carène. Maddie était partie
danser. Les drisses bougeaient à peine. Une fois au mouillage,
il n'aimait pas que ça traîne : ranger les voiles dans les sacs, fixer
la bôme, retirer la barre. Dans le port, c'était le calme plat sous le
molleton lugubre de la brume. De temps à autre, une guirlande
de notes lui parvenait du village.

S'emparant d'une lampe de poche, il consulta sa montre. Onze
heures et des poussières, heure de l'Atlantique. Il se demanda quand
la soirée allait se terminer et dans combien de temps ce MacIsaac
allait raccompagner Maddie. Il commençait à regretter qu'elle y
soit allée et aurait préféré que ce jeune homme ne se soit tout simplement pas présenté, fringant dans son coupe-vent, son polo et

ses santiags, les cheveux soigneusement peignés et enduits d'huile. Une huile de poisson, sans doute. Ah non, il était injuste. Il n'avait rien contre ce garçon, sauf son côté plouc. Ses homards étaient de première fraîcheur, leur chair tendre, savoureuse. Ils n'avaient pas pu, en guise d'accompagnement, faire cuire à la vapeur des épis de maïs, introuvables à l'IGA qui ne proposait que des carottes et quelques pommes sans goût. Peut-être cultivait-on encore des potagers à l'intérieur des terres. Demain, Maddie et lui pousseraient plus loin leur exploration de la campagne environnante. Ils trouveraient des haricots et du maïs doux du jardin. Et des myrtilles… Il devait y avoir des myrtilles au Cap-Breton.

Maddie n'avait pas eu l'air mécontente de revoir le jeune homme surgir du brouillard à la rame.

« Ohé ! Le *Sea Son* ! avait entonné MacIsaac. Ceux qui veulent aller danser sont priés de monter à bord ! »

Maddie avait embrassé Joe sur la joue.

« Tu es sûr que tu ne veux pas venir ?

– Non, non, ce n'est pas pour moi. »

Elle était descendue comme une fleur dans le doris et s'était assise. Le garçon avait poussé le bordage du voilier du plat de la main, et ils avaient aussitôt été avalés par la brume argentée. Joe avait écouté s'éloigner le bruit égal et mesuré des avirons. Il était descendu dans le carré débarrasser la table et brûler les assiettes en carton dans le poêle avant de remonter jeter les restes de homard par-dessus bord. Puis il était allé se coucher.

Le sommeil n'était pas censé le fuir. Toute la journée, il avait été taraudé par une petite douleur dans la poitrine, et puis le poids de la fatigue, l'impression d'être complètement abruti ; le prix à payer pour les efforts que lui avait coûtés la course en mer jusqu'en Nouvelle-Écosse. Il en avait sous-estimé la difficulté, l'omniprésence du brouillard et la force terrifiante des vents d'est qui, au lieu d'éclaircir le ciel, accumulaient les couches de brume les unes sur les autres. Sur le lac Bras-d'Or, ils allaient profiter du bel été pendant encore un moment. Même si la brume les avait rattrapés, il était soulagé de savoir le voyage derrière lui. Demain, il téléphonerait à Air Canada et réserverait deux places sur un vol pour Montréal. MacIsaac Senior avait promis de leur fournir une voiture pour les conduire à l'aéroport de Sydney.

Il ne pouvait s'empêcher de se remémorer les danses de sa jeunesse, à l'occasion des veillées et des mariages auxquels, invités ou pas, participaient tous les riverains de l'Outaouais. Les coups de sang, les passages à tabac, c'était un monde de brutes. Ce soir, la fête avait lieu dans une église, c'était bien ce qu'avait dit le jeune MacIsaac, une église catholique ; et puis on était en 1960, les choses n'étaient plus ce qu'elles avaient été, même sur cette terre de brume du bout du monde. Ou peut-être qu'au contraire, rien n'avait changé ? Le père de ce garçon avait proposé de lui vendre du whisky blanc ; on en trouvait sûrement partout, comme autrefois dans le Pontiac. S'ils n'étaient pas autorisés à boire à l'intérieur de l'église, ces jeunes têtes brûlées iraient s'enfermer dans leurs voitures pour téter la bouteille.

Sa petite-fille n'était peut-être pas autant en sécurité qu'il voulait bien se le répéter. Pendant des jours, il n'avait eu comme compagnie que Madeleine, le vent et les flots. La mer avait-elle absorbé toute la matière grise de son cerveau pour qu'il ait eu la bêtise de laisser partir Maddie avec ce garçon ? À côté du Cap-Breton, la côte méridionale du Maine paraissait presque cosmopolite. L'épicier au caractère taciturne, son fils coiffé comme un voyou – tous ceux qu'ils croisaient leur manifestaient une pointe d'hostilité, ils se méfiaient des « gens d'ailleurs », de toute personne en provenance d'un pays épargné par la brume où, dans leur imagination, le soleil brillait presque en permanence.

Irresponsable, voilà ce qu'il avait été à l'égard de Maddie. Elle était étrangère à ce genre de trou perdu, innocente. Si elle était capable de gouverner un voilier, elle ignorait les mœurs locales. Le Cap-Breton était pour elle un pays inconnu. Madeleine, contrairement aux sœurs de Joe dans le Pontiac confrontées dès l'enfance à leur beau-père, avait été protégée toute sa vie. Elle avait grandi dans une des villes les plus sûres du monde. Elle ne verrait même pas venir le danger.

À quoi avait-il pensé en l'envoyant danser avec une bande de rustres? Comment allait-il annoncer la nouvelle à Margo si jamais sa fille perdait sa virginité sur la banquette arrière d'une voiture au fond de la campagne parce que son grand-père l'avait lâchée dans la nature? On n'était pas à Montréal, même pas à Kennebunk. C'était une petite ville fruste, et il en savait long sur ces endroits éloignés de tout.

Sans se lever, allongé sur le dos, il remit son pantalon, boucla sa ceinture, puis il se redressa vivement et se cogna le front contre le bois de la cloison, si violemment qu'il eut un bref étourdissement.

La douleur intense le calma momentanément. *Ce n'est rien, tout va bien. Tu te fais du souci pour rien. C'est à cause de la musique, c'est ça, cette musique endiablée. Il ne lui arrivera rien. Tout va bien.*

Ce moment fut semblable à une trouée dans le brouillard, vite refermée par les notes grinçantes d'un violon sarcastique. Il enfila une chemise et un pull, puis se hissa sur le pont par l'écoutille. Comme son front le brûlait, il y posa la main. Il y avait du sang sur ses doigts. Mais peu importait.

Le pont luisait d'humidité. Le phare de l'île était toujours éteint. Il ne voyait rien, ni la terre ni le quai. Il ne distinguait pas les chalutiers. Rien que le brouillard et le voilier enveloppé dans une balle de laine grise. Il entendit la balise quelque part, mais il n'aurait su dire exactement où. Ce n'était pas la peine de consulter la carte du port, de toute façon, il n'était qu'à trois cents mètres du rivage. Même si le bateau avait changé de direction en tournant sur lui-même, la terre n'était pas loin. Une église catholique, un tribunal et un poste de police ne constituaient pas des garanties de civilisation.

Sa petite-fille était à la merci de ce garçon. En son pouvoir. Elle n'avait d'autre moyen de revenir à bord du *Son* que le doris de Kenneth MacIsaac. En supposant qu'elle marche jusqu'au bout du quai et crie au secours, Joe ne l'entendrait pas forcément. Il détestait l'idée qu'elle puisse être l'otage de ces jeunes Blancs aux cheveux gras prêts à l'embarquer dans de vieilles bagnoles couvertes de boue. Il détestait la savoir aussi vulnérable. Quel imbécile il avait été de l'emmener dans cette expédition ! La course avait été plus mouvementée que prévu, la mer plus houleuse, la brume plus épaisse, les ports plus rares.

Sans se rendre compte de ce qu'il faisait, il se mit à dénouer le nœud de taquet qui retenait le canot, puis descendit la petite embarcation le long du bateau jusqu'à la surface de l'eau et décrocha la filière qui servait de bastingage. Avant de descendre, il jeta un coup d'œil à l'aiguille de la boussole. Le *Sea Son* pointait vers le sud-sud-ouest, plus ou moins ; en l'absence de vent et de courant, il dérivait doucement. Impossible dès lors de prédire le placement des autres bateaux perdus dans la brume. Il se rassura en se disant qu'il lui suffisait de ramer sur trois cents mètres vers le nord-nord-ouest pour atteindre le quai, ou ses environs.

Si des lumières brillaient dans les maisons du village, et il y en avait obligatoirement, elles étaient invisibles. Il avait connu le brouillard dans le Maine, mais n'en avait jamais vu de pareil – aussi chaud, sombre, une vraie purée de pois – avant de naviguer dans la baie de Fundy.

Alors qu'il posait un pied instable dans le canot, une sonnerie aiguë lui vrilla le tympan de l'oreille droite. Saisi d'un vertige, il se figea, cramponné au plat-bord du *Son*. Au bout de quelques secondes, le bruit cessa. Il tendit le pied vers le banc de nage, mouillé et glissant. Il se dépêcha de s'asseoir et repoussa la coque du voilier. Les avirons étaient couchés sous les bancs. Il était en train de les glisser dans les tolets quand il se rendit compte qu'il avait oublié de se munir de la corne de brume ou du moins d'une lampe de poche.

Et il n'avait pas mis ses chaussures. Ses pieds nus trempaient dans le bain d'eau tiède qui clapotait au fond du canot. Il songea à remonter à bord, mais mieux valait ne pas perdre de temps à aborder, amarrer le canot, grimper sur le pont, tâtonner dans le carré, tout cela rien que pour des chaussures. Et surtout, il préférait ne pas avoir à redescendre dans le canot glissant, alors qu'il faisait si noir, et qu'il risquait d'avoir de nouveau cette horrible sonnerie dans l'oreille et, qui sait, peut-être un nouveau vertige.

Le village était minuscule. L'église, une drôle de petite construction en bois peinte en blanc, se trouvait à un jet de pierre du quai. À vrai dire, tout Baddeck se trouvait à deux pas du port. Il n'entrerait pas, il se contenterait d'attendre de l'autre côté de la rue et de s'assurer qu'elle n'était pas en danger. Déjà, il se sentait mieux. Tout ce qu'il voulait, c'était l'apercevoir un instant. Si elle s'amusait, pas question de lui tomber dessus comme un père abusif, un de ces hommes grossiers qui ramènent leurs enfants à la maison par la peau du cou. Après tout, la soirée dansante était organisée par la paroisse. Il n'y avait pas de quoi s'affoler. Une par mois, avait précisé le jeune MacIsaac. Le curé encaissait quelques cents et surveillait que tout se passe bien. Il n'arriverait rien à Maddie.

Le simple fait de ramer le calma. Il avait toujours trouvé que flotter sur l'eau était apaisant. Toutefois, désorienté, il regretta de ne pas avoir prévu de boussole dans le canot. À combien de règles de sécurité avait-il dérogé en dix minutes ? Était-ce bien dix minutes, d'ailleurs ? Heureusement, il ne paniquait pas dans le brouillard, à la différence d'autres personnes. Il supportait tout à fait de ne plus savoir où il était pendant quelques instants, et ne détestait pas la sensation d'être perdu. N'avait-il pas grandi dans les bois ? En hiver, il coupait des billes à quatre dollars la corde et se traînait pour se sortir de la neige avec son chargement sur le dos. Il avait vu deux fois un lynx, et souvent des lièvres à raquettes, des élans affamés, des ours noirs rôdant, la faim au ventre, à la fonte des glaces. Perdu ou pas, cela ne faisait pas une grosse différence. Seule la panique pouvait vous mettre dans le pétrin, et la solitude ne l'avait jamais effrayé – bien d'autres choses l'effrayaient, mais pas ça.

Tout allait bien se passer, il le savait ; c'était cette musique, c'était elle qui avait provoqué chez lui cet accès de désarroi. Maddie était une jeune fille raisonnable et le garçon avait l'air convenable et bien élevé – ce qui n'était pas le cas de tous les jeunes gens de son âge.

Il avait mal à la tête, pas seulement à cause du coup qu'il s'était donné sur le front, mais aussi à l'arrière du crâne. Il tenta de l'ignorer, mais la douleur était lancinante. Il avait l'impression qu'elle repoussait de l'intérieur les parois de sa boîte crânienne. Un filet de sang avait coulé sur son nez et son menton, il pouvait le sentir. Il voulait se nettoyer, mais les deux mains occupées à tenir les avirons, il ne pouvait que ramer jusqu'au quai. Il lui faudrait ensuite trouver un endroit où se débarbouiller. Comment savoir si c'était une égratignure ou une vraie coupure ? Maddie n'allait pas être ravie de voir qu'il s'était blessé. Autant qu'elle ne le retrouve pas avec le visage en sang.

Il n'avait aucune intention de faire une scène dans l'église ; ils n'allaient même pas se douter qu'il était là. Les choses dont il se souvenait – la sauvagerie et la brutalité, Mick Heaney frappant sa mère, Mick Heaney raclant son violon –, tout cela remontait à cinquante, soixante ans. Ce monde-là n'était plus, ce monde-là était mort et enterré. Tenter de se raccrocher à des choses qui ne lui avaient jamais appartenu reviendrait à tordre, voire briser, les fils de sa vie. La peur, cette peur-là, jamais il n'aurait songé à l'enseigner à qui que ce soit.

Bon Dieu de bois ! Où est ce satané quai ? Il aurait déjà dû y être depuis longtemps. S'il regardait derrière lui, il ne voyait rien que le brouillard. Même une lampe de poche n'aurait pu percer le rideau d'ouate grise. Si seulement il avait eu une corne de brume, à la condition évidemment qu'il y ait quelqu'un sur le quai.

«Ohé! Ohé! cria-t-il. Ohé! Gens de Baddeck! Je cherche le quai! Ohé!»

Rien. Il serra les dents et tira de toutes ses forces sur les avirons. Trop fort, puisque le gauche sauta de son tolet. Le canot se mit à tourner sur lui-même. Il retint l'aviron et glissa de nouveau la poignée garnie de cuir dans l'encoche. Mais il avait perdu toute idée de la direction.

«Suis le mouvement de la marée, suis la marée», se répéta-t-il, comme un vieillard qui parle seul. Il contempla la surface de l'eau dans l'espoir de deviner le sens du courant, mais s'il y avait une marée, elle avait une très faible amplitude, à moins qu'il ne fût en train de dériver dans le même sens. Sa tête lui faisait mal. Il coucha l'aviron droit dans le canot et toucha le sang sur son nez, puis se pencha pour plonger sa main dans l'eau et s'asperger le visage. Le sel lui piqua le front et lui dégoulina dans les yeux. Il était furieux contre lui-même. Il s'efforça de se rappeler la carte du port, les emplacements de mouillage entre le phare de Kidston Island et le village de Baddeck. Il devait se calmer et tendre l'oreille pour repérer où se trouvait la balise, au pire il pouvait s'y amarrer et attendre. La baie de Baddeck s'étrécissait au nord-est.

Pas de phares, pas une seule lueur. Soit le village était encore plus petit et plus mort qu'il ne l'avait cru, soit le brouillard était devenu encore plus dense. Il ne fallait pas négliger le risque, certes mineur, qu'il finisse par se retrouver dans la partie la plus vaste du lac salé, une véritable mer intérieure. Non, ce qu'il fallait, c'était ramer toujours dans la même direction. Il finirait bien par aborder dans un lieu ou un autre. Il plongea ses avirons profondément dans l'eau. Ses épaules commençaient à se raidir. La brume était chaude, pourtant il avait froid jusque dans la moelle de ses os. Quand on saigne, votre chaleur vous quitte : il avait lu cela quelque part. Soudain, il prit conscience du danger.

«Ohé, Baddeck!» hurla-t-il.

Une voix lui parvint à travers le coton vaporeux.

« Grand-papa ? Tu es là ? C'est toi ?

– C'est moi ! Je suis dans le canot. Où es-tu ?

– Sur le quai ! On prend la barque. Tu es perdu ? Tu veux qu'on vienne te chercher ? »

La ligne claire et vive de sa voix sortant du brouillard.

« Je ne suis pas perdu », dit-il tout bas, pour lui-même.

« Ohé, monsieur ! Ohé là-bas ! »

La voix du jeune homme, Kenneth MacIsaac.

« J'allume une lanterne, cria MacIsaac. Il faut juste que je mette la pile. J'en ai pour une seconde. »

« Est-ce que tu veux qu'on vienne te chercher ? répéta Maddie.

– Non, restez où vous êtes. »

Empoignant ses avirons, il rama vers le son de leurs voix. Toute sa vie, il avait eu besoin de leurs voix – en dehors de lui, vibrantes, vivantes – pour se repérer, pour trouver son chemin.

« Continuez à parler ! Je viens à vous. Je vais bientôt vous voir. »

Note de l'auteur

Ceci est une œuvre de fiction. Les personnages inspirés de personnes réelles (quels personnages de roman ne le sont pas?) n'ont pas tardé à affirmer leur volonté et à sentir, penser et agir d'une façon qui n'a rien à voir avec une quelconque réalité familiale ou généalogique. Mes O'Brien évoluent dans le monde de ce roman, et nulle part ailleurs.

Mise en pages :

Cet ouvrage a été achevé d'imprimer
en novembre 2013 dans les ateliers de
Normandie Roto Impression s.a.s.
61250 Lonrai

N° d'imprimeur : 134327
Dépôt légal : février 2014
ISBN : 978-2-84876-380-4
Imprimé en France